KB080992

1천 동사 5천 문장을 듣고 따라 하면 저절로 암기되는 포르투갈어 회화(MP3)

1천 동사 5천 문장을 듣고 따라하면 저절로 암기되는 포르투갈어 회화(MP3)

머리말

1천 동사의 5천 문장들 듣고 따라하면 저절로 암기되는 포르투갈어 회화(한국어와 포르투갈어 MP3 파일)

포르투갈어 회화 마스터하기: 단계별 학습으로 완성하는 언어의 여정

어서 오십시오, 포르투갈어 학습의 새로운 차원으로의 초대입니다. "포르투갈어 회화 마스터하기"는 기초부터 심화 학습까지, 여러분의 포르투갈어 회화 능력을 체계적으로 발전시킬 수 있는 완벽한 가이드입니다.

이 책과 함께 제공되는 MP3 파일들은 한국어와 포르투갈어 학습자를 위해 특별히 설계되었습니다.

1천 개의 동사와 명사를 활용하여 구성된 5천여 문장들은 일상생활에서 자주 접할 수 있는 표현들로, 초등학교 수준의 기본 문장부터 시작하여 점차 난이도를 높여갑니다.

소개글

학습자 중심의 혁신적인 접근법

"포르투갈어 회화 마스터하기"는 1천개의 동사의 문장들 듣고 따라하면서, 자연스럽게 암기할 수 있도록 설계되었습니다.

이 책은 암기 훈련, 말하기 훈련, 듣기 훈련을 통합적으로 할 수 있도록 구성되어 있으며, 학습자가 한국어로 단어를 듣고 머릿속으로 이미지를 연상한 후, 포르투갈어로 동시에 따라하며 학습할 수 있도록 돕습니다.

말하기와 듣기 능력의 동시 향상

이 책과 함께 제공되는 MP3 파일들은 말하기와 듣기 능력을 동시에 향상시키는데 중점을 두고 있습니다.

포르투갈어가 주어진 횟수만큼 반복됨으로써, 학습자는 포르투갈어의 정확한 발음을 익히고, 한국어와의 비교를 통해 단어의 의미를 더욱 명확히 이해할 수 있습니다.

이 과정을 통해, 학습자는 자신도 모르는 사이에 포르투갈어 회화 능력을 자연스럽게 개발하게 됩니다.

포르투갈어 학습의 새로운 시작

이제 "포르투갈어 회화 마스터하기"와 함께라면, 포르투갈어 학습이 더 이상 어렵

지 않습니다.
학습자 중심의 접근법과 효과적인 학습 지원 도구를 통해, 여러분은 포르투갈어를 보다 쉽고 재미있게 배울 수 있을 것입니다.

MP3 파일을 통한 효과적인 학습 지원
본 교재에 포함된 MP3 파일들은 한국어 단어를 한 번 듣고, 포르투갈어로 3번, 2번, 1번 반복하여 듣는 패턴으로 구성되어 있습니다.
또한 듣기 훈련을 위해 포르투갈어 3번, 한국어1, 포르투갈어 2번, 한국어 1번, 포르투갈어 1번, 한국어 1번으로 나오도록 구성되어 있습니다.
이는 학습자가 포르투갈어 발음과 억양을 정확히 익히고, 단어의 뜻을 깊이 이해할 수 있게 함으로써, 보다 효과적으로 언어를 습득할 수 있도록 합니다.

또한, 여러분이 단어와 문장을 외울 수 있도록 MP3 파일들이 한 단어(문장)으로 나누어져 있어서 학습자가 이미 알고 있는 단어는 건너뛰고, 모르는 단어는 반복하여 들을 수 있도록 하여 개별적인 학습이 가능합니다.
그리고 먼저 명사, 동사의 단어들을 외우고, 그 다음 이 단어들을 가지고 문장들을 암기하도록 구성되어 있습니다.
하나의 동사마다 5문장이 있습니다. 문장은 과거, 현재, 미래, 의문문, 의문문의 대답, 인칭대명사(나는, 너는, 그는, 그녀는, 우리는, 당신들은, 그들은)이 나오도록 구성되어 있습니다.

mp3 샘플- 밑의 주소를 클릭하시면 보실 수 있습니다.
https://naver.me/5AcvavAw
또는 큐알코드를 스마트폰으로 찍으시면 보실 수 있습니다.

MP3 파일들 다운로드는 맨 마지막 페이지에 있습니다.

1. 1. 명사 단어들 외우기, 필수 10개 동사의 단어들을 가지고 50문장 연습하기 - 1. memorizar palavras substantivas, praticar 50 frases com 10 palavras verbais essenciais
2. 학교 - escola
3. 공원 - parque
4. 집 - casa
5. 여기 - aqui
6. TV - TV
7. 전시회 - exposição
8. 주말 - fim de semana
9. 영화 - filme
10. 음악 - música
11. 콘서트 - concerto
12. 클래식 - clássico
13. 친구 - amigo
14. 이야기 - história
15. 회의 - encontro
16. 발표 - apresentação
17. 여행 - viagem
18. 경험 - experiência
19. 저녁 - jantar
20. 점심 - almoço
21. 아침 - manhã
22. 피자 - pizza
23. 물 - água
24. 커피 - café
25. 주스 - sumo
26. 음료 - bebida
27. 녹차 - chá verde
28. 의자 - cadeira
29. 소파 - sofá
30. 벤치 - banco
31. 창가 - janela
32. 시간 - hora

33. 문 - a porta
34. 줄 - linha
35. 해변 - praia
36. 산책로 - trilho
37. 가다 - para ir
38. 나는 학교에 갔다. - Eu fui para a escola.
39. 너는 지금 가고 있다. - Tu vais agora.
40. 그는 내일 공원에 갈 것이다. - Ele vai ao parque amanhã.
41. 그녀는 언제 학교에 가나요? - Quando é que ela vai à escola?
42. 그녀는 매일 학교에 갑니다. - Ela vai à escola todos os dias.
43. 오다 - Para ir
44. 나는 집에 왔다. - Estou a chegar a casa.
45. 너는 지금 오고 있다. - Tu vens agora.
46. 그녀는 내일 여기에 올 것이다. - Ela chega amanhã.
47. 당신들은 언제 집에 오나요? - Quando é que vocês vêm para casa?
48. 우리는 저녁에 집에 옵니다. - Nós voltamos para casa à noite.
49. 보다 - para Ver
50. 나는 TV를 봤다. - Eu vi televisão.
51. 너는 지금 무언가를 보고 있습니다. - Estás a ver alguma coisa agora.
52. 우리는 내일 전시회를 볼 것이다. - Amanhã vamos ver a exposição.
53. 그들은 주말에 무엇을 보나요? - O que é que eles vêem ao fim de semana?
54. 그들은 주말에 영화를 봅니다. - Eles vêem filmes aos fins-de-semana.
55. 듣다 - Ouvir
56. 나는 음악을 들었다. - Eu ouço música.
57. 너는 지금 무언가를 듣고 있습니다. - Você está ouvindo algo agora.
58. 그는 내일 콘서트에서 음악을 들을 것이다. - Ele vai ouvir música no concerto de amanhã.
59. 그녀는 어떤 음악을 듣고 싶어하나요? - Que tipo de música é que ela quer ouvir?
60. 그녀는 클래식 음악을 듣고 싶어합니다. - Ela quer ouvir música clássica.
61. 말하다 - Para falar
62. 나는 친구와 이야기했다. - Falei com meu amigo.
63. 너는 지금 무언가를 말하고 있습니다. - Está a dizer alguma coisa agora.

64. 우리는 내일 회의에서 발표할 것이다. - Vamos apresentar-nos na reunião de amanhã.
65. 그는 무엇에 대해 말하고 싶어하나요? - De que é que ele quer falar?
66. 그는 여행 경험에 대해 말하고 싶어합니다. - Ele quer falar sobre as suas experiências de viagem.
67. 먹다 - comer
68. 나는 저녁을 먹었다. - Comi o jantar.
69. 너는 지금 점심을 먹고 있다. - Estás a almoçar agora.
70. 그는 내일 아침을 먹을 것이다. - Ele vai tomar o pequeno-almoço amanhã.
71. 그녀는 무엇을 먹고 싶어하나요? - O que é que ela quer comer?
72. 그녀는 피자를 먹고 싶어합니다. - Ela quer comer pizza.
73. 마시다 - para beber
74. 나는 물을 마셨다. - Eu bebi água.
75. 너는 지금 커피를 마시고 있다. - Está a beber café agora.
76. 우리는 내일 주스를 마실 것이다. - Amanhã vamos beber sumo.
77. 너는 어떤 음료를 마시나요? - Que bebida bebes?
78. 나는 녹차를 마십니다. - Eu bebo chá verde.
79. 앉다 - sentar
80. 나는 의자에 앉았다. - Sentei-me numa cadeira.
81. 너는 지금 소파에 앉아 있다. - Agora estás sentado no sofá.
82. 그녀는 내일 벤치에 앉을 것이다. - Ela vai sentar-se no banco amanhã.
83. 그들은 어디에 앉고 싶어하나요? - Onde é que eles se querem sentar?
84. 그들은 창가에 앉고 싶어합니다. - Eles querem sentar-se junto à janela.
85. 서다 - Estar de pé
86. 나는 한 시간 동안 서 있었다. - Estou de pé há uma hora.
87. 너는 지금 문 앞에 서 있다. - Está agora de pé à porta.
88. 그는 내일 줄에서 서 있을 것이다. - Ele vai estar na fila amanhã.
89. 그녀는 얼마나 오래 서 있었나요? - Há quanto tempo é que ela está de pé?
90. 그녀는 30분 동안 서 있었습니다. - Ela está de pé há meia hora.
91. 걷다 - andar
92. 나는 공원을 걸었다. - Eu andei pelo parque.
93. 너는 지금 집으로 걷고 있다. - Está a caminhar para casa agora.

94. 우리는 내일 해변을 걸을 것이다. - Amanhã vamos passear na praia.
95. 그들은 어디를 걷고 싶어하나요? - Onde é que eles querem andar?
96. 그들은 산책로를 걷고 싶어합니다. - Eles querem passear no calçadão.
97. 2. 명사 단어들 외우기, 필수 10개 동사의 단어들을 가지고 50문장 연습하기 - 2. memorizar os substantivos, praticar 50 frases com as palavras dos 10 verbos essenciais
98. 10킬로미터 - 10 quilómetros
99. 그림 - pintar
100. 꽃 - flor
101. 농담 - brincar
102. 댄스(춤) - dançar (dance)
103. 마라톤 - maratona
104. 무엇 - o quê
105. 백화점 - loja de departamentos
106. 보고서 - relatório
107. 샌드위치 - sanduíche
108. 소설 - romance
109. 소식 - notícias
110. 쇼 - espetáculo
111. 수학 - matemática
112. 신문 - jornal
113. 신발 - sapatos
114. 아침 - manhã
115. 영어 - inglês
116. 영화 - filme
117. 옷 - roupa
118. 요가 - ioga
119. 요리 - cozinhar
120. 운동장 - recreio
121. 이야기 - história
122. 인사 - saudação
123. 일기 - diário
124. 자전거 - bicicleta
125. 작년 - ano passado

126. 잡지 - revista
127. 정원 - jardim
128. 책 - livro
129. 편지 - carta
130. 프로젝트 - projeto
131. 피아노 - piano
132. 한국어 - coreano
133. 달리다 - correr
134. 나는 마라톤을 달렸다. - Eu corri uma maratona.
135. 너는 지금 운동장을 달리고 있다. - Agora estás a correr no parque infantil.
136. 그는 내일 아침에 달릴 것이다. - Ele vai correr amanhã de manhã.
137. 그녀는 얼마나 빨리 달릴 수 있나요? - A que velocidade é que ela consegue correr?
138. 그녀는 시속 10킬로미터로 달릴 수 있습니다. - Ela consegue correr dez quilómetros por hora.
139. 웃다 - rir
140. 나는 친구의 농담에 웃었다. - Eu ri-me da piada do meu amigo.
141. 너는 지금 행복해 보인다. - Agora pareces feliz.
142. 우리는 내일 코미디 쇼에서 웃을 것이다. - Amanhã vamos rir-nos no espetáculo de comédia.
143. 너는 무엇에 웃나요? - De que é que te ris?
144. 나는 유머러스한 이야기에 웃습니다. - Eu rio-me de histórias humorísticas.
145. 울다 - para chorar
146. 나는 영화를 보고 울었다. - Eu chorei com o filme.
147. 너는 지금 슬픈 이야기에 울고 있다. - Estás a chorar agora com a história triste.
148. 그녀는 내일 작별 인사를 할 때 울 것이다. - Ela vai chorar quando se despedir amanhã.
149. 그는 왜 울었나요? - Porque é que ele chorou?
150. 그는 감동적인 소식에 울었습니다. - Ele chorou com a notícia comovente.
151. 사다 - comprar

152. 나는 새 신발을 샀다. - Comprei sapatos novos.
153. 너는 지금 옷을 사고 있다. - You are buying clothes now.
154. 그들은 내일 선물을 살 것이다. - Eles vão comprar presentes amanhã.
155. 그녀는 어디서 쇼핑하나요? - Onde é que ela faz compras?
156. 그녀는 백화점에서 쇼핑합니다. - Ela faz compras na loja de departamentos.
157. 팔다 - Vender
158. 나는 자전거를 팔았다. - Vendi a minha bicicleta.
159. 너는 지금 꽃을 팔고 있다. - Está a vender flores agora.
160. 그는 내일 책을 팔 것이다. - Ele vai vender livros amanhã.
161. 당신들은 무엇을 팔고 싶어하나요? - O que é que vocês querem vender?
162. 우리는 그림을 팔고 싶어합니다. - Queremos vender quadros.
163. 만들다 - fazer
164. 나는 샌드위치를 만들었다. - Eu fiz uma sandes.
165. 너는 지금 프로젝트를 만들고 있다. - Estás a fazer um projeto agora.
166. 우리는 내일 정원을 만들 것이다. - Amanhã vamos fazer um jardim.
167. 그들은 어떤 케이크를 만든나요? - Que tipo de bolo é que eles fazem?
168. 그들은 초콜릿 케이크를 만듭니다. - Fazem bolo de chocolate.
169. 쓰다 - escrever
170. 나는 편지를 썼다. - Eu escrevi uma carta.
171. 너는 지금 보고서를 쓰고 있다. - Estás a escrever um relatório agora.
172. 그녀는 내일 일기를 쓸 것이다. - Ela vai escrever o seu diário amanhã.
173. 그는 언제 소설을 썼나요? - Quando é que ele escreveu o seu romance?
174. 그는 작년에 소설을 썼습니다. - Ele escreveu o romance no ano passado.
175. 읽다 - para ler
176. 나는 소설을 읽었다. - Eu li o romance.
177. 너는 지금 신문을 읽고 있다. - Está a ler o jornal agora.
178. 그녀는 내일 잡지를 읽을 것이다. - Ela vai ler uma revista amanhã.
179. 너는 어떤 책을 좋아하나요? - De que tipo de livros gostas?
180. 나는 모험 소설을 좋아합니다. - Gosto de romances de aventuras.
181. 배우다 - aprender

182. 나는 피아노를 배웠다. - Aprendi a tocar piano.
183. 너는 지금 한국어를 배우고 있다. - Agora estás a aprender coreano.
184. 우리는 내일 요가를 배울 것이다. - Amanhã vamos aprender ioga.
185. 너는 무엇을 배우고 싶어하나요? - O que é que gostas de aprender?
186. 나는 댄스를 배우고 싶어합니다. - Quero aprender a dançar.
187. 가르치다 - para ensinar
188. 나는 수학을 가르쳤다. - Eu ensinei matemática.
189. 너는 지금 영어를 가르치고 있다. - Agora estás a ensinar inglês.
190. 그는 내일 요리를 가르칠 것이다. - Ele vai ensinar culinária amanhã.
191. 그들은 어디에서 가르치나요? - Onde é que eles ensinam?
192. 그들은 학교에서 가르칩니다. - Eles ensinam na escola.
193. 3. 명사 단어들 외우기, 필수 10개 동사의 단어들을 가지고 50문장 연습하기 - 3. memorizar palavras substantivas, praticar 50 frases com as 10 palavras verbais essenciais
194. 열쇠 - chave
195. 안경 - óculos
196. 지갑 - carteira
197. 책 - livro
198. 전화기 - telemóvel
199. 시계 - relógio
200. 선물 - prenda
201. 문서 - documento
202. 기부금 - donativo
203. 편지 - carta
204. 이메일 - e-mail
205. 상 - prémio
206. 프로젝트 - projeto
207. 운동 - trabalho
208. 여행 - viajar
209. 숙제 - trabalho de casa
210. 회의 - reunião
211. 작업 - trabalhar
212. 창문 - janela
213. 상자 - Caixa

214. 전시회 - Exposição
215. 문 - porta
216. 컴퓨터 - computador
217. 가게 - loja
218. 라이트 - luz
219. 텔레비전 - televisão
220. 에어컨 - ar condicionado
221. 라디오 - rádio
222. 불 - fogo
223. 난방 - aquecimento
224. TV - TELEVISÃO
225. 찾다 - encontrar
226. 나는 열쇠를 찾았다. - Encontrei as chaves.
227. 너는 지금 안경을 찾고 있다. - Está agora à procura dos seus óculos.
228. 그녀는 내일 그녀의 지갑을 찾을 것이다. - Ela vai encontrar a carteira amanhã.
229. 그는 무엇을 찾았나요? - O que é que ele encontrou?
230. 그는 그의 책을 찾았습니다. - Ele encontrou o seu livro.
231. 잃다 - Perder
232. 나는 전화기를 잃었다. - Perdi o meu telemóvel.
233. 너는 지금 무언가를 잃었습니다. - Agora perdeste alguma coisa.
234. 그는 내일 그의 시계를 잃을 것이다. - Ele vai perder o relógio amanhã.
235. 그녀는 자주 무엇을 잃나요? - O que é que ela perde frequentemente?
236. 그녀는 자주 열쇠를 잃습니다. - Ela perde muitas vezes as chaves.
237. 주다 - Para dar
238. 나는 친구에게 선물을 주었다. - Dei uma prenda ao meu amigo.
239. 너는 지금 문서를 주고 있다. - Está a entregar o documento agora.
240. 우리는 내일 기부금을 줄 것이다. - Amanhã vamos dar um donativo.
241. 그는 누구에게 도움을 주나요? - A quem é que ele dá ajuda?
242. 그는 어린이 병원에 도움을 줍니다. - Ele dá ajuda ao hospital pediátrico.
243. 받다 - receber
244. 나는 편지를 받았다. - Recebi uma carta.

245. 너는 지금 이메일을 받고 있다. - Está a receber um e-mail agora.
246. 그녀는 내일 상을 받을 것이다. - Ela vai receber um prémio amanhã.
247. 그는 어떤 상을 받았나요? - Que prémio é que ele recebeu?
248. 그는 최우수 학생 상을 받았습니다. - Ele ganhou o prémio de melhor aluno.
249. 시작하다 - para iniciar
250. 나는 새로운 프로젝트를 시작했다. - Iniciei um novo projeto.
251. 너는 지금 운동을 시작하고 있다. - Está a começar a fazer exercício agora.
252. 우리는 내일 여행을 시작할 것이다. - Vamos começar a viajar amanhã.
253. 당신들은 언제 공부를 시작했나요? - Quando é que vocês começaram a estudar?
254. 우리는 오늘 아침에 공부를 시작했습니다. - Começámos a estudar esta manhã.
255. 끝내다 - para terminar
256. 나는 숙제를 끝냈다. - Terminei os meus trabalhos de casa.
257. 너는 지금 회의를 끝내고 있다. - Está a terminar a reunião agora.
258. 그는 내일 그의 작업을 끝낼 것이다. - Ele vai acabar o seu trabalho amanhã.
259. 그녀는 책을 언제 끝냈나요? - Quando é que ela terminou o livro?
260. 그녀는 어제 책을 끝냈습니다. - Ela terminou o seu livro ontem.
261. 열다 - abrir
262. 나는 창문을 열었다. - Abri a janela.
263. 너는 지금 상자를 열고 있다. - Está a abrir a caixa agora.
264. 그들은 내일 전시회를 열 것이다. - Eles vão abrir a exposição amanhã.
265. 그는 문을 언제 열었나요? - Quando é que ele abriu a porta?
266. 그는 아침에 문을 열었습니다. - Abriu a porta de manhã.
267. 닫다 - Para fechar
268. 나는 책을 닫았다. - Fechei o livro.
269. 너는 지금 컴퓨터를 닫고 있다. - Está a fechar o computador agora.
270. 우리는 내일 가게를 닫을 것이다. - Amanhã fechamos a loja.
271. 그녀는 왜 창문을 닫았나요? - Porque é que ela fechou a janela?
272. 추워서 창문을 닫았습니다. - Ela fechou a janela porque estava frio.
273. 켜다 - para acender

274. 나는 라이트를 켰다. - Acendi a luz.
275. 너는 지금 텔레비전을 켜고 있다. - Está a ligar a televisão agora.
276. 그는 내일 에어컨을 켤 것이다. - Ele vai ligar o ar condicionado amanhã.
277. 그들은 언제 라디오를 켰나요? - Quando é que eles ligaram o rádio?
278. 그들은 점심 때 라디오를 켰습니다. - Ligaram o rádio ao almoço.
279. 끄다 - para desligar
280. 나는 컴퓨터를 껐다. - Desliguei o computador.
281. 너는 지금 불을 끄고 있다. - Está a apagar a luz agora.
282. 그녀는 내일 난방을 끌 것이다. - Ela vai desligar o aquecimento amanhã.
283. 그는 왜 TV를 껐나요? - Porque é que ele desligou a televisão?
284. 잠자려고 TV를 껐습니다. - Desliguei a televisão para ir dormir.
285. 4. 명사 단어들 외우기, 필수 10개 동사의 단어들을 가지고 50문장 연습하기 - 4. Memorizar os substantivos, praticar 50 frases com as 10 palavras verbais essenciais
286. 결과 - resultar
287. 공부 - estudar
288. 날씨 - tempo
289. 날 - eu
290. 남 - outro
291. 답 - responder
292. 도움 - ajuda
293. 눈 - olho
294. 봉사활동 - voluntário
295. 부엌 - cozinha
296. 사람 - pessoa
297. 사무실 - escritório
298. 소파 - sofá
299. 손 - mão
300. 어르신 - Idoso
301. 얼굴 - rosto
302. 음식 - comida
303. 일 - Dia

304. 일정 - horário
305. 자 - régua
306. 정원 - jardim
307. 조언 - conselho
308. 차 - carro
309. 친구 - amigo
310. 침대 - cama
311. 책 - livro
312. 추위 - frio
313. 휴식 - descanso
314. 해답 - solução
315. 회의 - reunião
316. 씻다 - para lavar
317. 나는 손을 씻었다. - Lavei as minhas mãos.
318. 너는 지금 얼굴을 씻고 있다. - Agora estás a lavar a cara.
319. 우리는 내일 차를 씻을 것이다. - Amanhã vamos lavar o carro.
320. 그들은 언제 차를 씻나요? - Quando é que eles lavam o carro?
321. 그들은 매주 일요일에 차를 씻습니다. - Eles lavam o carro todos os domingos.
322. 청소하다 - para limpar
323. 나는 방을 청소했다. - Eu limpei o quarto.
324. 너는 지금 사무실을 청소하고 있다. - Está a limpar o escritório agora.
325. 그들은 내일 정원을 청소할 것이다. - Eles vão limpar o jardim amanhã.
326. 그녀는 언제 부엌을 청소했나요? - Quando é que ela limpou a cozinha?
327. 그녀는 오늘 아침에 부엌을 청소했습니다. - Ela limpou a cozinha esta manhã.
328. 일어나다 - levantar-se
329. 나는 일찍 일어났다. - Acordei cedo.
330. 너는 지금 침대에서 일어나고 있다. - Estás a sair da cama agora.
331. 우리는 내일 아침 6시에 일어날 것이다. - Amanhã levantamo-nos às 6:00 da manhã.
332. 그는 보통 몇 시에 일어나나요? - A que horas é que ele se costuma levantar?

333. 그는 보통 7시에 일어납니다. - Normalmente levanta-se às sete horas.
334. 자다 - para dormir
335. 나는 깊이 잤다. - Eu dormi profundamente.
336. 너는 지금 소파에서 자고 있다. - Agora estás a dormir no sofá.
337. 그녀는 내일 일찍 자러 갈 것이다. - Ela vai deitar-se cedo amanhã.
338. 너는 얼마나 오래 잤나요? - Quanto tempo dormiste?
339. 나는 8시간 잤습니다. - Dormi durante oito horas.
340. 알다 - para saber
341. 나는 답을 알았다. - Eu sabia a resposta.
342. 너는 지금 비밀을 알고 있다. - Agora já sabes o segredo.
343. 우리는 내일 결과를 알 것이다. - Amanhã saberemos o resultado.
344. 그는 그녀의 전화번호를 알고 있나요? - Ele sabe o número de telefone dela?
345. 네, 알고 있습니다. - Sim, ele sabe-o.
346. 모르다 - Eu não sei
347. 나는 그 사람을 몰랐다. - Eu não conhecia a pessoa.
348. 너는 지금 답을 모르고 있다. - Não sabes a resposta agora.
349. 그들은 내일 일정을 모를 것이다. - Eles não saberão o horário amanhã.
350. 그녀는 왜 해답을 모르나요? - Porque é que ela não sabe a resposta?
351. 그녀는 공부하지 않았습니다. - Ela não estudou.
352. 좋아하다 - Gostar
353. 나는 여름을 좋아했다. - Eu gostei do verão.
354. 너는 지금 책을 좋아하고 있다. - Agora estás a gostar de livros.
355. 우리는 내일 바베큐를 좋아할 것이다. - Amanhã vamos gostar do churrasco.
356. 그들은 어떤 음식을 좋아하나요? - De que tipo de comida é que eles gostam?
357. 그들은 일식을 좋아합니다. - Eles gostam de comida japonesa.
358. 싫어하다 - para Não gosto
359. 나는 눈을 싫어했다. - Eu odiava a neve.
360. 너는 지금 추위를 싫어하고 있다. - Você está odiando o frio agora.
361. 그는 내일 회의를 싫어할 것이다. - Ele vai odiar a reunião de amanhã.
362. 그녀는 어떤 날씨를 싫어하나요? - Que tipo de tempo é que ela não gosta?

363. 그녀는 비오는 날씨를 싫어합니다. - Ela odeia tempo chuvoso.
364. 필요하다 - precisar (precisar)
365. 나는 도움이 필요했다. - Eu precisava de ajuda.
366. 너는 지금 휴식이 필요하다. - Precisas de uma pausa agora.
367. 그녀는 내일 조언이 필요할 것이다. - Ela vai precisar de conselhos amanhã.
368. 그들에게 무엇이 필요한가요? - Do que é que eles precisam?
369. 그들은 지원이 필요합니다. - Eles precisam de apoio.
370. 돕다 - para ajudar
371. 나는 이웃을 도왔다. - Ajudei o meu vizinho.
372. 너는 지금 친구를 돕고 있다. - Está a ajudar um amigo agora.
373. 우리는 내일 봉사활동을 할 것이다. - Amanhã vamos fazer voluntariado.
374. 당신은 누구를 도와주고 싶어하나요? - Quem é que gostas de ajudar?
375. 나는 어르신들을 도와주고 싶어합니다. - Eu gosto de ajudar os idosos.
376. 5. 명사 단어들 외우기, 필수 10개 동사의 단어들을 가지고 50문장 연습하기 - 5. memorizar os substantivos, praticar 50 frases com palavras dos 10 verbos essenciais
377. 가족 - família
378. 공원 - parque
379. 길 - estrada
380. 날 - dia
381. 누구 - que
382. 늦은 - tarde
383. 도로 - estrada
384. 만남 - encontro
385. 무례함 - rudeza
386. 사람 - as pessoas
387. 사랑 - amor
388. 사무실 - escritório
389. 삶 - vida
390. 서울 - Seul
391. 시골 - campo
392. 슬픔 - tristeza
393. 약속 - promessa

394. 어디 - onde
395. 영원 - eternidade
396. 오랜 - longa
397. 오후 - tarde
398. 의사 - médico
399. 일 - o dia
400. 전화 - telefone
401. 주말 - fim de semana
402. 지난달 - Último mês
403. 집 - Casa
404. 친구 - Amigo
405. 해변 - praia
406. 행복 - feliz
407. 헤어짐 - separação
408. 놀다 - brincar
409. 나는 공원에서 놀았다. - Eu brinquei no parque.
410. 너는 지금 친구들과 노는 중이다. - Agora estás a brincar com os teus amigos.
411. 우리는 내일 해변에서 놀 것이다. - Amanhã vamos brincar na praia.
412. 당신들은 주말에 어디에서 노나요? - Onde é que vocês brincam aos fins-de-semana?
413. 우리는 주말에 공원에서 논다. - Brincamos no parque aos fins-de-semana.
414. 일하다 - Trabalhar
415. 나는 늦게까지 일했다. - Trabalhei até tarde.
416. 너는 지금 사무실에서 일하고 있다. - Agora estás a trabalhar no escritório.
417. 그는 내일 집에서 일할 것이다. - Ele vai trabalhar em casa amanhã.
418. 그녀는 어떤 일을 하나요? - Que tipo de trabalho é que ela faz?
419. 그녀는 선생님이다. - É professora.
420. 살다 - viver
421. 나는 서울에서 살았다. - Eu costumava viver em Seul.
422. 너는 지금 어디에 살고 있나요? - Onde é que vives agora?
423. 우리는 내일 새 집에서 살 것이다. - Amanhã vamos viver para a nossa

nova casa.
424. 그들은 어디에서 살고 싶어하나요? - Onde é que eles querem viver?
425. 그들은 시골에서 살고 싶어한다. - Eles querem viver no campo.
426. 죽다 - morrer
427. 나는 거의 죽을 뻔했다. - Quase morri.
428. 너는 지금 삶을 살고 있다. - Agora estás a viver a vida.
429. 그는 오래 살 것이다. - Ele vai viver muito tempo.
430. 그녀는 어떻게 살고 싶어하나요? - Como é que ela quer viver?
431. 그녀는 행복하게 살고 싶어한다. - Ela quer viver feliz para sempre.
432. 사랑하다 - Para amar
433. 나는 너를 사랑했다. - Eu amei-te.
434. 너는 지금 누군가를 사랑하고 있다. - Agora estás apaixonada por alguém.
435. 그녀는 영원히 사랑할 것이다. - Ela vai amar para sempre.
436. 그는 누구를 사랑하나요? - Quem é que ele ama?
437. 그는 그의 가족을 사랑한다. - Ele ama a sua família.
438. 미워하다 - para Odiar
439. 나는 어제 늦은 약속을 미워했다. - I hated my late appointment yesterday.
440. 너는 지금 막힌 도로를 미워한다. - You hate the blocked road right now.
441. 그는 내일 일찍 일어나는 것을 미워할 것이다. - Ele vai odiar levantar-se cedo amanhã.
442. 그녀는 무엇을 미워하나요? - O que é que ela odeia?
443. 그녀는 무례함을 미워합니다. - Ela odeia a rudeza.
444. 기다리다 - Esperar por
445. 나는 어제 너를 오랫동안 기다렸다. - Ontem esperei por ti durante muito tempo.
446. 너는 지금 친구를 기다린다. - Agora esperas pelo teu amigo.
447. 그는 내일 중요한 전화를 기다릴 것이다. - Ele vai esperar por uma chamada importante amanhã.
448. 우리는 얼마나 더 기다려야 하나요? - Quanto tempo mais temos de esperar?
449. 5분만 더 기다려 주세요. - Por favor, espere mais cinco minutos.

450. 만나다 - Encontrar
451. 나는 지난 주에 그를 만났다. - Conheci-o na semana passada.
452. 너는 지금 새로운 사람을 만난다. - Agora conheces uma pessoa nova.
453. 그녀는 내일 오랜 친구를 만날 것이다. - Ela vai encontrar-se com um velho amigo amanhã.
454. 그들은 언제 만나기로 했나요? - Quando é que eles se vão encontrar?
455. 그들은 내일 오후에 만나기로 했습니다. - Eles vão encontrar-se amanhã à tarde.
456. 헤어지다 - terminar
457. 나는 지난달에 그녀와 헤어졌다. - Rompi com ela no mês passado.
458. 너는 지금 슬픔을 헤어진다. - Acaba agora com as tuas mágoas.
459. 그들은 내일 서로 헤어질 것이다. - Eles vão separar-se amanhã.
460. 왜 그들은 헤어지기로 결정했나요? - Porque é que eles decidiram separar-se?
461. 그들은 서로 다른 길을 가기로 결정했습니다. - Eles decidiram seguir caminhos diferentes.
462. 전화하다 - telefonar
463. 나는 어제 그에게 전화했다. - Telefonei-lhe ontem.
464. 너는 지금 의사에게 전화한다. - Telefona ao médico agora.
465. 그녀는 내일 저녁에 나에게 전화할 것이다. - Ela telefona-me amanhã à noite.
466. 그는 언제 나에게 전화할 거예요? - Quando é que ele me vai telefonar?
467. 그는 저녁에 전화할 거예요. - Ele vai ligar-me à noite.
468. 6. 명사 단어들 외우기, 필수 10개 동사의 단어들을 가지고 50문장 연습하기 - 6. memorizar os substantivos, praticar 50 frases com as 10 palavras verbais essenciais
469. 길 - forma
470. 질문 - Pergunta
471. 조언 - Conselho
472. 시간 - Tempo
473. 문제 - Problema
474. 상자 - Caixa
475. 책 - livro

476. 가방 - saco
477. 펜 - caneta
478. 열쇠 - chave
479. 서류 - documento
480. 캐리어 - porta-objectos
481. 장난감 - brinquedo
482. 바구니 - cesto
483. 카트 - carrinho
484. 문 - porta
485. 의자 - cadeira
486. 책장 - estante de livros
487. 로프 - corda
488. 커튼 - cortina
489. 끈 - corda
490. 손잡이 - pega
491. 방 - quarto
492. 집 - casa
493. 회의실 - sala de reuniões
494. 건물 - edifício
495. 영화관 - cinema
496. 사무실 - escritório
497. 도서관 - biblioteca
498. 언덕 - colina
499. 계단 - escada
500. 탑 - torre
501. 산 - montanha
502. 묻다 - perguntar
503. 나는 어제 길을 물었다. - Ontem perguntei por direcções.
504. 너는 지금 질문을 한다. - Agora fazes uma pergunta.
505. 그는 내일 조언을 물을 것이다. - Ele vai pedir conselhos amanhã.
506. 그녀는 무엇을 물어봤나요? - O que é que ela perguntou?
507. 그녀는 시간을 물어봤습니다. - Ela perguntou as horas.
508. 대답하다 - Para responder
509. 나는 그의 질문에 대답했다. - Eu respondi à pergunta dele.

510. 너는 지금 내 질문에 대답한다. - Responde agora à minha pergunta.
511. 그녀는 내일 문제에 대답할 것이다. - Ela responderá à pergunta amanhã.
512. 그들은 어떻게 대답했나요? - Como é que eles responderam?
513. 그들은 친절하게 대답했습니다. - Eles responderam gentilmente.
514. 들다 - levantar
515. 나는 무거운 상자를 들었다. - Levantei a caixa pesada.
516. 너는 지금 책을 든다. - Agora está a carregar um livro.
517. 그는 내일 가방을 들 것이다. - Ele vai levantar o saco amanhã.
518. 그녀는 무엇을 들 수 있나요? - O que é que ela consegue levantar?
519. 그녀는 큰 가방을 들 수 있습니다. - Ela consegue levantar um saco grande.
520. 놓다 - Para colocar
521. 나는 펜을 책상 위에 놓았다. - Coloquei a caneta na secretária.
522. 너는 지금 열쇠를 놓는다. - Agora pões as tuas chaves.
523. 그들은 내일 서류를 책상 위에 놓을 것이다. - Eles vão pôr os papéis na secretária amanhã.
524. 그는 어디에 그것을 놓았나요? - Onde é que ele a pôs?
525. 그는 문 앞에 그것을 놓았습니다. - Colocou-a à frente da porta.
526. 끌다 - arrastar
527. 나는 캐리어를 끌었다. - Arrastei a mala.
528. 너는 지금 장난감을 끈다. - Agora arrastas o brinquedo.
529. 그녀는 내일 바구니를 끌 것이다. - Ela vai arrastar o cesto amanhã.
530. 그들은 무엇을 끌었나요? - O que é que eles arrastaram?
531. 그들은 작은 카트를 끌었습니다. - Eles empurraram um carrinho pequeno.
532. 밀다 - Para empurrar
533. 나는 문을 밀었다. - Empurrei a porta.
534. 너는 지금 의자를 밀고 있다. - Agora está a empurrar a cadeira.
535. 그는 내일 상자를 밀 것이다. - Ele vai empurrar as caixas amanhã.
536. 그녀는 어떤 것을 밀어야 하나요? - O que é que ela tem de empurrar?
537. 그녀는 책장을 밀어야 합니다. - Ela precisa de empurrar a estante.
538. 당기다 - Puxar

539. 나는 로프를 당겼다. - Puxei a corda.
540. 너는 지금 커튼을 당긴다. - Puxas as cortinas agora.
541. 그들은 내일 끈을 당길 것이다. - Eles vão puxar a corda amanhã.
542. 그는 무엇을 당겼나요? - O que é que ele puxou?
543. 그는 문 손잡이를 당겼습니다. - Puxou o puxador da porta.
544. 들어가다 - para entrar
545. 나는 방에 들어갔다. - Entrei no quarto.
546. 너는 지금 집에 들어간다. - Está a entrar na casa agora.
547. 그녀는 내일 회의실에 들어갈 것이다. - Ela vai entrar na sala de conferências amanhã.
548. 그들은 언제 건물에 들어갔나요? - Quando é que eles entraram no edifício?
549. 그들은 아침에 건물에 들어갔습니다. - Eles entraram no edifício de manhã.
550. 나오다 - sair
551. 나는 어제 영화관에서 나왔다. - Saí do cinema ontem.
552. 너는 지금 사무실에서 나온다. - Saiu do escritório agora.
553. 그는 내일 도서관에서 나올 것이다. - Ele vai sair da biblioteca amanhã.
554. 너는 어디에서 나왔나요? - De onde é que saíste?
555. 나는 회의실에서 나왔습니다. - Saí da sala de conferências.
556. 올라가다 - subir
557. 나는 언덕을 올라갔다. - Eu subi a colina.
558. 너는 지금 계단을 올라간다. - Estás a subir as escadas agora.
559. 우리는 내일 탑에 올라갈 것이다. - Amanhã vamos subir a torre.
560. 그들은 어디로 올라갔나요? - Para onde é que eles subiram?
561. 그들은 산으로 올라갔습니다. - Eles subiram à montanha.
562. 7. 명사 단어들 외우기, 필수 10개 동사의 단어들을 가지고 50문장 연습하기 - 7. memorizar os substantivos, praticar 50 frases com as palavras dos 10 verbos essenciais
563. 지하 - subterrâneo
564. 계단 - escadas
565. 지하철역 - estação de metro
566. 지하실 - cave
567. 자전거 - bicicleta

568. 버스 - autocarro
569. 기차 - comboio
570. 배 - barco
571. 역 - estação
572. 비행기 - avião
573. 정류장 - estação
574. 중앙 정류장 - paragem central
575. 계약서 - contrato
576. 메뉴 - menu
577. 계획 - plano
578. 문서 - documento
579. 보고서 - relatório
580. 미래 - futuro
581. 결정 - decisão
582. 직업 변경 - mudar de emprego
583. 대학 - universidade
584. 저녁 메뉴 - menu de jantar
585. 여행지 - destino de viagem
586. 색깔 - Cor
587. 파란색 - azul
588. 문제 - problema
589. 어려움 - dificuldade
590. 수수께끼 - Enigma
591. 상황 - situação
592. 팀워크 - trabalho de equipa
593. 순간 - momento
594. 날짜 - encontro
595. 대화 - conversa
596. 숫자 - número
597. 전화번호 - número de telefone
598. 생일 - aniversário
599. 약속 - promessa
600. 회의 - reunião
601. 회의 시간 - hora da reunião

602. 말 - palavra
603. 소식 - notícias
604. 기적 - milagre
605. 운명 - o destino
606. 내려가다 - descer
607. 나는 지하로 내려갔다. - Desci à cave.
608. 너는 지금 계단을 내려간다. - Agora vais descer as escadas.
609. 그녀는 내일 지하철역으로 내려갈 것이다. - Amanhã ela vai descer até à estação de metro.
610. 그는 어디로 내려갔나요? - Onde é que ele desceu?
611. 그는 지하실로 내려갔습니다. - Ele desceu à cave.
612. 타다 - para andar
613. 나는 자전거를 탔다. - Eu andei de bicicleta.
614. 너는 지금 버스를 탄다. - Agora andas de autocarro.
615. 그들은 내일 기차를 탈 것이다. - Eles vão apanhar o comboio amanhã.
616. 그녀는 무엇을 타고 싶어하나요? - Em que é que ela quer andar?
617. 그녀는 배를 타고 싶어합니다. - Ela quer ir num barco.
618. 내리다 - Para sair
619. 나는 역에서 기차에서 내렸다. - Eu saí do comboio na estação.
620. 너는 지금 버스에서 내린다. - Desce agora do autocarro.
621. 그는 내일 비행기에서 내릴 것이다. - Ele vai sair do avião amanhã.
622. 그들은 어느 정류장에서 내렸나요? - Em que paragem é que eles saíram?
623. 그들은 중앙 정류장에서 내렸습니다. - Eles desceram na paragem central.
624. 살펴보다 - cuidar
625. 나는 계약서를 살펴보았다. - Dei uma vista de olhos ao contrato.
626. 너는 지금 메뉴를 살펴본다. - Agora, vê o menu.
627. 그녀는 내일 계획을 살펴볼 것이다. - Ela vai ver os planos para amanhã.
628. 그들은 어떤 문서를 살펴보고 있나요? - Que documentos estão eles a examinar?
629. 그들은 보고서를 살펴보고 있습니다. - Estão a examinar o relatório.
630. 생각하다 - Pensar

631. 나는 우리의 미래에 대해 생각했다. - Estava a pensar no nosso futuro.
632. 너는 지금 무엇에 대해 생각한다. - Tu pensas no quê agora.
633. 그는 내일 결정에 대해 생각할 것이다. - Ele vai pensar na sua decisão amanhã.
634. 그녀는 무엇에 대해 생각하고 있나요? - Em que é que ela está a pensar?
635. 그녀는 직업 변경에 대해 생각하고 있습니다. - Ela está a pensar em mudar de emprego.
636. 결정하다 - decidir
637. 나는 대학을 결정했다. - I have decided on a university.
638. 너는 지금 저녁 메뉴를 결정한다. - Está a decidir o menu do jantar agora.
639. 그들은 내일 여행지를 결정할 것이다. - Eles vão decidir para onde viajar amanhã.
640. 그는 어떤 색깔을 결정했나요? - Que cor é que ele escolheu?
641. 그는 파란색을 결정했습니다. - Ele decidiu-se pelo azul.
642. 해결하다 - resolver
643. 나는 그 문제를 해결했다. - Resolvi o problema.
644. 너는 지금 어려움을 해결한다. - Resolve a dificuldade agora.
645. 그녀는 내일 그 수수께끼를 해결할 것이다. - Ela vai resolver o enigma amanhã.
646. 그들은 어떻게 그 상황을 해결했나요? - Como é que eles resolveram aquela situação?
647. 그들은 팀워크로 해결했습니다. - Resolveram-na com trabalho de equipa.
648. 기억하다 - para recordar
649. 나는 그 순간을 기억했다. - I remembered the moment.
650. 너는 지금 중요한 날짜를 기억한다. - Lembra-te agora da data importante.
651. 우리는 내일 그 대화를 기억할 것이다. - Vamos lembrar-nos dessa conversa amanhã.
652. 그녀는 어떤 숫자를 기억하나요? - De que número é que ela se lembra?
653. 그녀는 그의 전화번호를 기억합니다. - Ela lembra-se do número de

telefone dele.
654. 잊다 - para Esquecer
655. 나는 그의 생일을 잊었다. - Esqueci-me do aniversário dele.
656. 너는 지금 약속을 잊는다. - Esqueces-te do compromisso agora.
657. 그는 내일 중요한 회의를 잊을 것이다. - Ele vai esquecer-se da reunião importante de amanhã.
658. 그들은 무엇을 잊어버렸나요? - O que é que eles esqueceram?
659. 그들은 그 회의 시간을 잊어버렸습니다. - Eles esqueceram-se da hora da reunião.
660. 믿다 - acreditar
661. 나는 그녀의 말을 믿었다. - Eu acreditei nas palavras dela.
662. 너는 지금 그 소식을 믿는다. - Agora acreditas nas notícias.
663. 그들은 내일 기적을 믿을 것이다. - Amanhã acreditarão num milagre.
664. 그는 무엇을 믿나요? - Em que é que ele acredita?
665. 그는 운명을 믿습니다. - Ele acredita no destino.
666. 8. 명사 단어들 외우기, 필수 10개 동사의 단어들을 가지고 50문장 연습하기 - 8. memorizar palavras substantivas, praticar 50 frases com as 10 palavras verbais essenciais
667. 말 - palavra
668. 소식 - notícia
669. 계획 - plano
670. 이야기 - história
671. 결과 - resultado
672. 평화 - a paz
673. 성공 - sucesso
674. 미래 - futuro
675. 건강 - saúde
676. 안전 - segurança
677. 가족 - família
678. 행복 - felicidade
679. 세계 평화 - paz no mundo
680. 차 - carro
681. 집 - casa
682. 여행 - viajar

683. 시골 - campo
684. 활동 - atividade
685. 신호등 - Semáforo
686. 새벽 - madrugada
687. 학교 - escola
688. 아침 - manhã
689. 회사 - empresa
690. 목적지 - destino
691. 오후 - tarde
692. 편지 - carta
693. 메일 - correio
694. 선물 - presente
695. 친구 - amigo
696. 길 - estrada
697. 강 - rio
698. 다리 - perna
699. 보트 - barco
700. 과거 - passado
701. 결정 - decisão
702. 무언가 - alguma coisa
703. 의심하다 - duvidar
704. 나는 그의 말을 의심했다. - Duvidei das suas palavras.
705. 너는 지금 그 소식을 의심한다. - Duvidaste das notícias agora.
706. 그는 내일 그 계획을 의심할 것이다. - Ele vai duvidar do plano amanhã.
707. 너는 왜 그를 의심하나요? - Porque é que duvida dele?
708. 나는 그의 이야기가 일관되지 않기 때문입니다. - Duvido dele porque a sua história é inconsistente.
709. 희망하다 - ter esperança
710. 나는 좋은 결과를 희망했다. - Esperava um bom resultado.
711. 너는 지금 평화를 희망한다. - Esperas que haja paz agora.
712. 그들은 내일 성공을 희망할 것이다. - Eles esperam ter sucesso amanhã.
713. 우리는 무엇을 희망해야 하나요? - O que é que devemos esperar?

714. 우리는 더 나은 미래를 희망해야 합니다. - Devemos esperar um futuro melhor.
715. 기도하다 - Para rezar
716. 나는 건강을 위해 기도했다. - Eu rezei por saúde.
717. 너는 지금 안전을 기도한다. - Agora reza pela segurança.
718. 그녀는 내일 가족의 행복을 기도할 것이다. - Ela vai rezar pela felicidade da sua família amanhã.
719. 너는 무엇을 위해 기도하나요? - O que é que tu rezas?
720. 나는 세계 평화를 위해 기도합니다. - Eu rezo pela paz mundial.
721. 운전하다 - para conduzir
722. 나는 어제 차를 운전했다. - Ontem conduzi o meu carro.
723. 너는 지금 집으로 운전한다. - Conduz agora para casa.
724. 그는 내일 여행을 운전할 것이다. - Ele vai conduzir a viagem amanhã.
725. 그녀는 어디로 운전해 가나요? - Para onde é que ela vai?
726. 그녀는 시골로 운전해 갑니다. - Ela está a conduzir para o campo.
727. 멈추다 - Para parar
728. 나는 갑자기 멈췄다. - Eu parei de repente.
729. 너는 지금 멈춘다. - Pára agora.
730. 우리는 내일 활동을 멈출 것이다. - Amanhã vamos parar as nossas actividades.
731. 그들은 왜 멈췄나요? - Porque é que eles pararam?
732. 그들은 신호등에서 멈췄습니다. - Pararam no semáforo.
733. 출발하다 - Partir
734. 나는 새벽에 출발했다. - Parti ao amanhecer.
735. 너는 지금 여행을 출발한다. - Está a partir agora para uma viagem.
736. 그녀는 내일 학교로 출발할 것이다. - Ela vai para a escola amanhã.
737. 그들은 언제 출발할 예정인가요? - Quando é que eles vão partir?
738. 그들은 내일 아침에 출발할 예정입니다. - A partida está prevista para amanhã de manhã.
739. 도착하다 - chegar
740. 나는 어젯밤에 도착했다. - Cheguei ontem à noite.
741. 너는 지금 회사에 도착한다. - Tu chegas agora ao trabalho.
742. 그들은 내일 목적지에 도착할 것이다. - Eles chegarão ao seu destino amanhã.

743. 너는 언제 도착했나요? - Quando é que chegaste?
744. 나는 오후에 도착했습니다. - Cheguei à tarde.
745. 보내다 - Enviar
746. 나는 편지를 보냈다. - Enviei uma carta.
747. 너는 지금 메일을 보낸다. - Envia o correio agora.
748. 그는 내일 선물을 보낼 것이다. - Ele vai enviar a prenda amanhã.
749. 우리는 누구에게 선물을 보내나요? - A quem é que enviamos prendas?
750. 우리는 친구에게 선물을 보냅니다. - Enviamos prendas aos nossos amigos.
751. 건너다 - atravessar
752. 나는 길을 건넜다. - Eu atravessei a estrada.
753. 너는 지금 강을 건넌다. - Tu atravessas o rio agora.
754. 그녀는 내일 다리를 건널 것이다. - Ela vai atravessar a ponte amanhã.
755. 당신들은 어떻게 강을 건넜나요? - Como é que atravessaram o rio?
756. 우리는 보트를 이용해서 건넜습니다. - Atravessámos de barco.
757. 돌아보다 - para Olhar para trás
758. 나는 뒤를 돌아보았다. - Eu olhei para trás.
759. 너는 지금 과거를 돌아본다. - You look back now.
760. 우리는 내일 결정을 돌아볼 것이다. - Amanhã vamos olhar para trás, para a nossa decisão.
761. 그녀는 왜 주저하며 돌아보나요? - Porque é que ela hesita em olhar para trás?
762. 그녀는 무언가를 잊었기 때문입니다. - Porque se esqueceu de algo.
763. 9. 명사 단어들 외우기, 필수 10개 동사의 단어들을 가지고 50문장 연습하기 - 9. memorizar os substantivos, praticar 50 frases com as 10 palavras verbais essenciais
764. 위험 - perigo
765. 갈등 - conflito
766. 교통 체증 - engarrafamento
767. 논쟁 - discussão
768. 제품 - produto
769. 가격 - preço
770. 옵션 - opção
771. 대학 프로그램 - programa universitário

772. 시험 - teste
773. 발표 - apresentação
774. 파티 - festa
775. 저녁 식사 - jantar
776. 방 - sala
777. 책상 - mesa
778. 창고 - armazenamento
779. 서류 - documento
780. 자전거 - bicicleta
781. 컴퓨터 - computador
782. 시계 - relógio
783. 옥상 - telhado
784. 신발 - sapatos
785. 문 - porta
786. 안경 - óculos
787. 자동차 - automóvel
788. 피아노 - piano
789. 공 - bola
790. 골프 - golfe
791. 드럼 - tambor
792. 돌 - pedra
793. 종이비행기 - avião de papel
794. 나비 - borboleta
795. 물고기 - peixe
796. 꽃 - flor
797. 화분 - vaso
798. 정원 - jardim
799. 피하다 - para evitar
800. 나는 위험을 피했다. - Eu evitava o perigo.
801. 너는 지금 갈등을 피한다. - Evita o conflito agora.
802. 그들은 내일 교통 체증을 피할 것이다. - Eles vão evitar o engarrafamento amanhã.
803. 그는 무엇을 피하려고 하나요? - O que é que ele está a tentar evitar?
804. 그는 불필요한 논쟁을 피하려고 합니다. - Ele está a tentar evitar

discussões desnecessárias.
805. 비교하다 - Comparar
806. 나는 두 제품을 비교했다. - Comparei os dois produtos.
807. 너는 지금 가격을 비교한다. - Compara os preços agora.
808. 그녀는 내일 옵션을 비교할 것이다. - Ela vai comparar as opções amanhã.
809. 그들은 어떤 것들을 비교하나요? - Que coisas é que eles comparam?
810. 그들은 다양한 대학 프로그램을 비교합니다. - Eles comparam diferentes programas universitários.
811. 준비하다 - preparar
812. 나는 시험을 준비했다. - Eu me preparei para o teste.
813. 너는 지금 발표를 준비한다. - Prepara-te para a apresentação agora.
814. 우리는 내일 파티를 준비할 것이다. - Vamos preparar-nos para a festa de amanhã.
815. 그녀는 무엇을 준비하고 있나요? - O que é que ela está a preparar?
816. 그녀는 저녁 식사를 준비하고 있습니다. - Ela está a preparar o jantar.
817. 정리하다 - organizar
818. 나는 내 방을 정리했다. - Arrumei o meu quarto.
819. 너는 지금 책상을 정리한다. - Está a organizar a sua secretária agora.
820. 그들은 내일 창고를 정리할 것이다. - Eles vão organizar o armazém amanhã.
821. 그는 언제 서류를 정리할까요? - Quando é que ele vai organizar os seus papéis?
822. 그는 이번 주말에 서류를 정리할 것입니다. - Ele vai organizar os seus papéis este fim de semana.
823. 수리하다 - para reparar
824. 나는 자전거를 수리했다. - Reparei a minha bicicleta.
825. 너는 지금 컴퓨터를 수리한다. - Está a reparar o computador agora.
826. 그녀는 내일 시계를 수리할 것이다. - Ela vai reparar o seu relógio amanhã.
827. 그들은 무엇을 수리하고 있나요? - O que é que eles estão a reparar?
828. 그들은 옥상을 수리하고 있습니다. - Estão a reparar o telhado.
829. 고치다 - reparar
830. 나는 신발을 고쳤다. - Arranjei os meus sapatos.

831. 너는 지금 문을 고친다. - Arranja a porta agora.
832. 그는 내일 안경을 고칠 것이다. - Ele vai arranjar os óculos amanhã.
833. 그녀는 언제 자동차를 고쳤나요? - Quando é que ela arranjou o carro?
834. 그녀는 지난 주에 자동차를 고쳤습니다. - Ela arranjou o carro na semana passada.
835. 치다 - Jogar
836. 나는 피아노를 쳤다. - Eu toquei piano.
837. 너는 지금 공을 친다. - Agora bate a bola.
838. 그들은 내일 골프를 칠 것이다. - Eles vão jogar golfe amanhã.
839. 너는 언제 드럼을 쳤나요? - Quando é que tocaste bateria?
840. 나는 어제 드럼을 쳤습니다. - Eu toquei bateria ontem.
841. 던지다 - Arremessar
842. 나는 공을 던졌다. - Eu atirei a bola.
843. 너는 지금 돌을 던진다. - Agora atiras pedras.
844. 그는 내일 종이비행기를 던질 것이다. - Ele vai atirar um avião de papel amanhã.
845. 그녀는 무엇을 던졌나요? - O que é que ela atirou?
846. 그녀는 공을 던졌어요. - Ela atirou uma bola.
847. 잡다 - para apanhar
848. 나는 나비를 잡았다. - Apanhei uma borboleta.
849. 너는 지금 공을 잡는다. - Apanha a bola agora.
850. 우리는 내일 물고기를 잡을 것이다. - Amanhã vamos apanhar peixe.
851. 그들은 무엇을 잡았나요? - O que é que eles apanharam?
852. 그들은 큰 물고기를 잡았어요. - Eles apanharam um peixe grande.
853. 피다 - desabrochar
854. 나는 꽃을 피웠다. - I bloomed a flower.
855. 너는 지금 화분에서 꽃이 피는 것을 본다. - Agora vês uma flor a desabrochar num vaso.
856. 그녀는 내일 정원에서 꽃을 피울 것이다. - Ela vai ter flores no jardim amanhã.
857. 그들은 어디에서 꽃을 피웠나요? - Onde é que elas floresceram?
858. 그들은 정원에서 꽃을 피웠어요. - Floresceram no jardim.
859. 침대 - a cama
860. 소파 - o sofá

861. 잔디밭 - o relvado
862. 꿈 - um sonho
863. 몸 - um corpo
864. 병 - a garrafa
865. 물 - a água
866. 수프 - a sopa
867. 차 - o chá
868. 친구들 - amigos
869. 파티 - festa
870. 모임 - reunião
871. 공원 - parque
872. 집 - casa
873. 여행 - viagem
874. 학교 - escola
875. 방 - quarto
876. 비밀 - segredo
877. 진실 - verdade
878. 이야기 - história
879. 서랍 - gaveta
880. 책 - livro
881. 가방 - Bolsa
882. 지갑 - Carteira
883. 상자 - Caixa
884. 선물 - Prenda
885. 편지 - Carta
886. 눕다 - deitar-se
887. 나는 일찍 누웠다. - Deito-me cedo.
888. 너는 지금 침대에 눕는다. - Agora deita-te na cama.
889. 그는 내일 소파에 누울 것이다. - Amanhã ele vai deitar-se no sofá.
890. 그녀는 어디에 누웠나요? - Onde é que ela se deitou?
891. 그녀는 잔디밭에 누웠어요. - Deitou-se no relvado.
892. 꿈꾸다 - Para sonhar
893. 나는 행복한 꿈을 꿨다. - Tive um sonho feliz.
894. 너는 지금 꿈을 꾼다. - Agora estás a sonhar.

895. 우리는 내일 큰 꿈을 꿀 것이다. - Amanhã vamos ter um grande sonho.
896. 그들은 무슨 꿈을 꿨나요? - Com que é que eles sonharam?
897. 그들은 여행하는 꿈을 꿨어요. - Eles sonhavam em viajar.
898. 움직이다 - mover-se
899. 나는 천천히 움직였다. - Mexi-me lentamente.
900. 너는 지금 몸을 움직인다. - Agora mexes o teu corpo.
901. 그들은 내일 더 빠르게 움직일 것이다. - Amanhã vão mexer-se mais depressa.
902. 그녀는 왜 움직이지 않나요? - Porque é que ela não se mexe?
903. 그녀는 피곤해서 움직이지 않아요. - Ela não se está a mexer porque está cansada.
904. 흔들다 - abanar
905. 나는 나무를 흔들었다. - Eu abanei a árvore.
906. 너는 지금 의자를 흔든다. - Agora abana a cadeira.
907. 그는 내일 우산을 흔들 것이다. - Ele vai abanar o guarda-chuva amanhã.
908. 그들은 무엇을 흔들었나요? - O que é que eles abanaram?
909. 그들은 병을 흔들었어요. - Eles abanaram a garrafa.
910. 끓이다 - para ferver
911. 나는 물을 끓였다. - Eu fervi a água.
912. 너는 지금 수프를 끓인다. - Agora ferve a sopa.
913. 그녀는 내일 차를 끓일 것이다. - Ela vai cozer o chá amanhã.
914. 그들은 언제 물을 끓였나요? - Quando é que eles ferveram a água?
915. 그들은 아침에 물을 끓였어요. - Eles ferveram a água de manhã.
916. 어울리다 - Se dar bem com
917. 나는 친구들과 잘 어울렸다. - Eu dava-me bem com os meus amigos.
918. 너는 지금 파티에서 잘 어울린다. - Agora estás com bom aspeto na festa.
919. 우리는 내일 모임에서 잘 어울릴 것이다. - Vamos dar-nos bem na reunião de amanhã.
920. 그들은 어디에서 어울렸나요? - Onde é que eles se deram?
921. 그들은 공원에서 잘 어울렸어요. - Eles deram se bem no parque.
922. 떠나다 - Partir

923. 나는 새벽에 떠났다. - Parti ao amanhecer.
924. 너는 지금 집을 떠난다. - Vais sair de casa agora.
925. 그는 내일 여행을 떠날 것이다. - Ele parte amanhã para a sua viagem.
926. 그녀는 언제 떠났나요? - Quando é que ela partiu?
927. 그녀는 어제 떠났어요. - Partiu ontem.
928. 돌아오다 - regressar
929. 나는 저녁에 돌아왔다. - Regressei à noite.
930. 너는 지금 학교에서 돌아온다. - Agora estás a regressar da escola.
931. 우리는 내일 여행에서 돌아올 것이다. - Regressamos da nossa viagem amanhã.
932. 그들은 언제 돌아올까요? - Quando é que eles voltam?
933. 그들은 내일 돌아올 거예요. - Eles voltam amanhã.
934. 밝히다 - acender
935. 나는 방에 불을 밝혔다. - Acendi a luz da sala.
936. 너는 지금 비밀을 밝힌다. - Revela o segredo agora.
937. 그녀는 내일 진실을 밝힐 것이다. - Ela revelará a verdade amanhã.
938. 그는 왜 이야기를 밝혔나요? - Porque é que ele revelou a história?
939. 그는 솔직하고 싶어서 밝혔어요. - Ele revelou-a porque queria ser honesto.
940. 꺼내다 - para tirar
941. 나는 서랍에서 책을 꺼냈다. - Tirei o livro da gaveta.
942. 너는 지금 가방에서 지갑을 꺼낸다. - Tira agora a carteira do saco.
943. 그는 내일 상자에서 선물을 꺼낼 것이다. - Ele vai tirar a prenda da caixa amanhã.
944. 그녀는 무엇을 꺼냈나요? - O que é que ela tirou?
945. 그녀는 편지를 꺼냈어요. - Ela tirou uma carta.
946. 10. 명사 단어들 외우기, 필수 10개 동사의 단어들을 가지고 50문장 연습하기 - 10. memorizar os substantivos, praticar 50 frases com as palavras dos 10 verbos essenciais
947. 상자 - caixa
948. 사진 - imagem
949. 서류 - papel
950. 파일 - ficheiro
951. 책 - livro

952. 책장 - Estantes
953. 서랍 - gaveta
954. 신문 - jornal
955. 컵 - chávena
956. 물건 - objeto
957. 저녁 - jantar
958. 식탁 - mesa de jantar
959. 아침 - pequeno-almoço
960. 식사 - refeição
961. 파티 - festa
962. 테이블 - mesa
963. 정리 - organizar
964. 책상 - secretária
965. 방 - quarto
966. 장난감 - brinquedos
967. 친구 - amigo
968. 연필 - Lápis
969. 텐트 - tenda
970. 선생님 - professor
971. 돈 - dinheiro
972. 도구 - ferramenta
973. 소식 - notícias
974. 소리 - Som
975. 선물 - atual
976. 밤 - Noite
977. 시험 - Teste
978. 결과 - Resultado
979. 발표 - anúncio
980. 높은 - alta
981. 건강 - saúde
982. 여행 - viajar
983. 날씨 - Tempo
984. 메시지 - Mensagem
985. 넣다 - para Inserir

986. 나는 상자에 사진을 넣었다. - Coloquei a fotografia na caixa.
987. 너는 지금 서류를 파일에 넣는다. - Agora pões os papéis no dossier.
988. 우리는 내일 책을 책장에 넣을 것이다. - Amanhã pomos os livros na estante.
989. 그들은 어디에 넣었나요? - Onde é que eles os puseram?
990. 그들은 서랍에 넣었어요. - Puseram-nos na gaveta.
991. 버리다 - deitar fora
992. 나는 오래된 신문을 버렸다. - Deitei fora o jornal velho.
993. 너는 지금 깨진 컵을 버린다. - Deita fora o copo partido agora.
994. 그는 내일 불필요한 물건을 버릴 것이다. - Amanhã ele vai deitar fora coisas desnecessárias.
995. 그녀는 왜 그것을 버렸나요? - Porque é que ela deitou fora?
996. 그녀는 필요 없어서 버렸어요. - Ela deitou-o fora porque não precisava dele.
997. 차리다 - Para pôr a mesa
998. 나는 저녁 식탁을 차렸다. - Eu ponho a mesa para o jantar.
999. 너는 지금 아침 식사를 차린다. - Agora pões a mesa para o pequeno-almoço.
1000. 우리는 내일 파티를 위해 테이블을 차릴 것이다. - Amanhã vamos pôr a mesa para a festa.
1001. 그들은 언제 식탁을 차렸나요? - Quando é que eles puseram a mesa?
1002. 그들은 방금 차렸어요. - Acabaram de pôr a mesa.
1003. 치우다 - para limpar
1004. 나는 파티 후에 정리를 했다. - Limpei tudo depois da festa.
1005. 너는 지금 책상을 치운다. - Está a arrumar a secretária agora.
1006. 그녀는 내일 방을 치울 것이다. - Ela vai arrumar o seu quarto amanhã.
1007. 그들은 무엇을 치웠나요? - O que é que eles arrumaram?
1008. 그들은 장난감을 치웠어요. - Eles arrumaram os brinquedos.
1009. 빌리다 - Emprestar
1010. 나는 친구에게 책을 빌렸다. - Pedi um livro emprestado a um amigo.
1011. 너는 지금 연필을 빌린다. - Agora, pede um lápis emprestado.
1012. 우리는 내일 텐트를 빌릴 것이다. - Amanhã vamos pedir a tenda

emprestada.
1013. 그녀는 누구에게 빌렸나요? - A quem é que ela pediu emprestado?
1014. 그녀는 선생님에게 빌렸어요. - Ela pediu emprestado ao professor.
1015. 갚다 - devolver
1016. 나는 친구에게 돈을 갚았다. - Devolvi o dinheiro ao meu amigo.
1017. 너는 지금 빌린 책을 갚는다. - Pagas agora o livro emprestado.
1018. 그는 내일 빌린 도구를 갚을 것이다. - Ele vai devolver as ferramentas emprestadas amanhã.
1019. 그들은 언제 갚을까요? - Quando é que eles vão devolver o dinheiro?
1020. 그들은 내일 갚을 거예요. - Eles devolvem-no amanhã.
1021. 놀라다 - ficar surpreso
1022. 나는 소식에 놀랐다. - Fiquei surpreendido com as notícias.
1023. 너는 지금 갑작스러운 소리에 놀란다. - Está surpreendido com o som repentino agora.
1024. 그녀는 내일 깜짝 선물에 놀랄 것이다. - Ela vai ficar surpreendida com a surpresa de amanhã.
1025. 그는 왜 놀랐나요? - Porque é que ele ficou surpreendido?
1026. 그는 선물을 받아서 놀랐어요. - Ele ficou surpreendido ao receber a prenda.
1027. 두렵다 - para Frightened
1028. 나는 어두운 밤이 두려웠다. - Eu estava com medo da noite escura.
1029. 너는 지금 시험 결과가 두렵다. - Agora estás com medo dos resultados do exame.
1030. 우리는 내일 발표가 두려울 것이다. - Vamos ter medo da apresentação de amanhã.
1031. 그녀는 무엇이 두렵나요? - De que é que ela tem medo?
1032. 그녀는 높은 곳이 두려워요. - Ela tem medo das alturas.
1033. 걱정하다 - estar preocupado
1034. 나는 시험 결과를 걱정했다. - Fiquei preocupado com o resultado do exame.
1035. 너는 친구의 건강을 걱정한다. - Preocupa-se com a saúde do seu amigo.
1036. 그는 여행의 날씨를 걱정할 것이다. - Ele vai preocupar-se com o

tempo na sua viagem.
1037. 걱정이 많나요? - Preocupa-se muito?
1038. 네, 걱정이 많아요. - Sim, preocupo-me muito.
1039. 안심하다 - ficar aliviado
1040. 나는 메시지를 받고 안심했다. - Fiquei aliviado ao receber a mensagem.
1041. 너는 결과를 듣고 안심한다. - Ficou aliviado ao saber o resultado.
1042. 그녀는 확인 후 안심할 것이다. - Ela ficará aliviada depois de verificar.
1043. 안심됐나요? - Estás aliviado?
1044. 네, 안심됐어요. - Sim, estou aliviado.
1045. 11. 명사 단어들 외우기, 필수 10개 동사의 단어들을 가지고 50문장 연습하기 - 11. memorizar os substantivos, praticar 50 frases com as 10 palavras verbais essenciais
1046. 실수 - Errar
1047. 지연 - Atraso
1048. 문제 - problema
1049. 친구 - amigo
1050. 아이 - criança
1051. 동료 - colega de trabalho
1052. 동생 - Irmão
1053. 졸업 - Formatura
1054. 생일 - Aniversário
1055. 성공 - Sucesso
1056. 도움 - ajuda
1057. 선생님 - professor
1058. 지원 - apoio
1059. 오해 - mal-entendido
1060. 잘못 - errado
1061. 서류 - documento
1062. 파일 - ficheiro
1063. 책 - Livro
1064. 책장 - estante
1065. 돈 - dinheiro

1066. 저금통 - mealheiro
1067. 그릇 - tigela
1068. 신문 - jornal
1069. 옷 - roupa
1070. 저녁 - jantar
1071. 식탁 - mesa de jantar
1072. 아침 - pequeno-almoço
1073. 식사 - refeição
1074. 파티 - festa
1075. 테이블 - mesa
1076. 화내다 - ficar zangado
1077. 나는 실수를 하고 화냈다. - Cometi um erro e fiquei zangado.
1078. 너는 지연에 화낸다. - Está zangado com o atraso.
1079. 그들은 문제를 보고 화낼 것이다. - Eles vão ver o problema e vão ficar zangados.
1080. 화났나요? - Estás zangado?
1081. 네, 화났어요. - Sim, estou zangado.
1082. 달래다 - Para apaziguar
1083. 나는 친구를 달랬다. - Eu acalmei o meu amigo.
1084. 너는 아이를 달랜다. - Tu vais apaziguar a criança.
1085. 그녀는 동료를 달랠 것이다. - Ela vai apaziguar o colega de trabalho.
1086. 달랐나요? - Foi diferente?
1087. 네, 달랐어요. - Sim, foi diferente.
1088. 축하하다 - Para festejar
1089. 나는 동생의 졸업을 축하했다. - Felicitei o meu irmão pela sua formatura.
1090. 너는 친구의 생일을 축하한다. - Tu festejas o aniversário do teu amigo.
1091. 우리는 성공을 축하할 것이다. - Nós vamos celebrar o nosso sucesso.
1092. 축하할까요? - Vamos festejar?
1093. 네, 축하해요. - Sim, vamos festejar.
1094. 감사하다 - Ser grato
1095. 나는 도움을 받고 감사했다. - Ajudaram-me e agradeceram-me.
1096. 너는 선생님께 감사한다. - Estás grato ao teu professor.

1097. 그들은 지원에 감사할 것이다. - Eles ficarão gratos pelo apoio.
1098. 감사해요? - Estás grato?
1099. 네, 감사해요. - Sim, estou grato.
1100. 사과하다 - Pedir desculpa
1101. 나는 실수에 대해 사과했다. - Eu pedi desculpa pelo meu erro.
1102. 너는 지각에 대해 사과한다. - Pedes desculpa pelo teu atraso.
1103. 그는 오해에 대해 사과할 것이다. - Ele vai pedir desculpa pelo mal-entendido.
1104. 사과할까요? - Devo pedir desculpa?
1105. 네, 사과해요. - Sim, peço desculpa.
1106. 용서하다 - Perdoar
1107. 나는 친구의 실수를 용서했다. - Eu perdoei o erro do meu amigo.
1108. 너는 그의 잘못을 용서한다. - Tu perdoas o erro dele.
1109. 그녀는 오해를 용서할 것이다. - Ela vai perdoar o mal-entendido.
1110. 용서할까요? - Vamos perdoar?
1111. 네, 용서해요. - Sim, eu perdoo.
1112. 선물하다 - Dar uma prenda
1113. 나는 친구에게 선물을 했다. - Eu dei uma prenda ao meu amigo.
1114. 너는 선생님께 선물한다. - Tu dás uma prenda ao teu professor.
1115. 그들은 기념일에 선물할 것이다. - Eles vão dar uma prenda no seu aniversário.
1116. 선물할까요? - Devo dar uma prenda?
1117. 네, 선물해요. - Sim, dou uma prenda.
1118. 넣다 - Colocar
1119. 나는 서류를 파일에 넣었다. - Eu ponho os papéis no dossier.
1120. 너는 책을 책장에 넣는다. - Tu pões os livros na estante.
1121. 그는 돈을 저금통에 넣을 것이다. - Ele vai pôr o dinheiro no mealheiro.
1122. 넣을까요? - Ponho-o lá dentro?
1123. 네, 넣어요. - Sim, põe-no.
1124. 버리다 - Deitar fora
1125. 나는 깨진 그릇을 버렸다. - Deitei fora a tigela partida.
1126. 너는 오래된 신문을 버린다. - Deita-se fora o jornal velho.
1127. 그녀는 사용하지 않는 옷을 버릴 것이다. - Ela vai deitar fora as

roupas que não usa.
1128. 버릴까요? - Vamos deitá-las fora?
1129. 네, 버려요. - Sim, deitar fora.
1130. 차리다 - Para pôr a mesa
1131. 나는 저녁 식탁을 차렸다. - Arrumei a mesa para o jantar (Eu ponho a mesa para o jantar).
1132. 너는 아침 식사를 차린다. - Tu pões a mesa para o pequeno-almoço.
1133. 우리는 파티를 위해 테이블을 차릴 것이다. - Nós vamos pôr a mesa para a festa.
1134. 차릴까요? - Vamos pôr a mesa?
1135. 네, 차려요. - Sim, vamos pôr a mesa.
1136. 12. 명사 단어들 외우기, 필수 10개 동사의 단어들을 가지고 50문장 연습하기 - 12. Memorizar os substantivos, praticar 50 frases com as palavras dos 10 verbos essenciais
1137. 저녁 - jantar
1138. 식사 - refeição
1139. 방 - sala
1140. 책상 - secretária
1141. 이웃 - vizinho
1142. 사다리 - escada
1143. 친구 - amigo
1144. 책 - livro
1145. 차 - carro
1146. 빚 - Dívida
1147. 은행 - banco
1148. 대출 - empréstimo
1149. 돈 - dinheiro
1150. 소식 - Notícias
1151. 소리 - som
1152. 발표 - anúncio
1153. 어둠 - escuridão
1154. 높이 - altura
1155. 실패 - Falha
1156. 시험 - Teste

1157. 결과 - Resultados
1158. 여행 - viagem
1159. 계획 - planeamento
1160. 답장 - Resposta
1161. 확인 - verificar
1162. 해결 - resolver
1163. 지각 - Atraso
1164. 실수 - Erros
1165. 지연 - Atraso
1166. 아이 - Criança
1167. 동료 - colega de trabalho
1168. 승진 - Promoção
1169. 성공 - Sucesso
1170. 기념일 - Aniversário
1171. 치우다 - arrumar
1172. 나는 저녁 식사 후에 정리했다. - Arrumei tudo depois do jantar.
1173. 너는 방을 치운다. - Arrumas o teu quarto.
1174. 그는 책상을 치울 것이다. - Ele vai arrumar a secretária.
1175. 치울까요? - Devo arrumar?
1176. 네, 치워요. - Sim, guarda-o.
1177. 빌리다 - Pedir emprestado
1178. 나는 이웃에게 사다리를 빌렸다. - Pedi um escadote emprestado ao meu vizinho.
1179. 너는 친구에게 책을 빌린다. - Pedes um livro emprestado a um amigo.
1180. 그들은 차를 빌릴 것이다. - Eles vão levar o carro emprestado.
1181. 빌릴까요? - Emprestas-me o carro?
1182. 네, 빌려요. - Sim, vamos pedir emprestado.
1183. 갚다 - Para pagar
1184. 나는 친구에게 빚을 갚았다. - Paguei a minha dívida ao meu amigo.
1185. 너는 은행에 대출을 갚는다. - Tu pagas o empréstimo ao banco.
1186. 그는 돈을 갚을 것이다. - Ele vai devolver o dinheiro.
1187. 갚을까요? - Devo pagar-lhe?
1188. 네, 갚아요. - Sim, eu devolvo-o.

1189. 놀라다 - Para ficar surpreso
1190. 나는 소식을 듣고 놀랐다. - Fiquei surpreso ao ouvir a notícia.
1191. 너는 갑작스러운 소리에 놀란다. - Surpreendeu-se com o som repentino.
1192. 그녀는 발표를 듣고 놀랄 것이다. - Ela vai ficar surpreendida ao ouvir o anúncio.
1193. 놀랐나요? - Estás surpreendido?
1194. 네, 놀랐어요. - Sim, fiquei surpreendido.
1195. 두렵다 - para Frightened (assustado)
1196. 나는 어둠이 두려웠다. - Eu tinha medo do escuro.
1197. 너는 높이가 두렵다. - Tens medo das alturas.
1198. 그들은 실패가 두려울 것이다. - Eles têm medo do fracasso.
1199. 두려워요? - Tens medo?
1200. 네, 두려워요. - Sim, tenho medo.
1201. 걱정하다 - preocupar-se
1202. 나는 시험을 걱정했다. - Estava preocupado com o exame.
1203. 너는 결과를 걱정한다. - Preocupa-te com os resultados.
1204. 그는 여행 계획을 걱정할 것이다. - Ele vai preocupar-se com os seus planos de viagem.
1205. 걱정이 많으세요? - Preocupa-se muito?
1206. 아니요, 조금요. - Não, um pouco.
1207. 안심하다 - ficar aliviado
1208. 나는 답장을 받고 안심했다. - Fiquei aliviado por receber uma resposta.
1209. 너는 확인하고 안심한다. - Está aliviado por receber a confirmação.
1210. 그녀는 해결되면 안심할 것이다. - Ela ficará aliviada quando o assunto estiver resolvido.
1211. 안심됐어요? - Estás aliviado?
1212. 네, 안심됐어요. - Sim, estou aliviada.
1213. 화내다 - estar com raiva (estar zangado)
1214. 나는 지각에 화냈다. - Estou zangado com o atraso.
1215. 너는 실수에 화낸다. - Está zangado com o erro.
1216. 그는 지연에 화낼 것이다. - Ele vai ficar zangado com o atraso.
1217. 화낼 거예요? - Vais ficar zangado?

1218. 아니요, 안 화낼래요. - Não, não vou ficar zangado.
1219. 달래다 - Para acalmar
1220. 나는 울던 아이를 달랬다. - Acalmei a criança que chorava.
1221. 너는 친구를 달랜다. - Tu acalmarás o teu amigo.
1222. 그녀는 동료를 달랠 것이다. - Ela vai confortar a colega de trabalho.
1223. 달랠 수 있어요? - Podes apaziguar?
1224. 네, 달랠게요. - Sim, eu acalmo.
1225. 축하하다 - Celebrar
1226. 나는 승진을 축하했다. - Celebrei a minha promoção.
1227. 너는 성공을 축하한다. - Tu festejas o teu sucesso.
1228. 우리는 기념일을 축하할 것이다. - Vamos festejar o nosso aniversário.
1229. 축하해줄까요? - Devo felicitar-te?
1230. 네, 축하해요. - Sim, vamos festejar.
1231. 13. 명사 단어들 외우기, 필수 10개 동사의 단어들을 가지고 50문장 연습하기 - 13. memorizar palavras substantivas, praticar 50 frases com as 10 palavras verbais essenciais
1232. 도움 - ajudar
1233. 지원 - apoiar
1234. 협력 - cooperação
1235. 잘못 - errado
1236. 실수 - erro
1237. 오해 - mal-entendido
1238. 거짓말 - mentira
1239. 생일 - aniversário
1240. 선물 - prenda
1241. 졸업 - licenciatura
1242. 책 - livro
1243. 운동 - exercício físico
1244. 여행지 - destino de viagem
1245. 조언 - conselho
1246. 조용 - tranquilo
1247. 정리 - organizar
1248. 제출 - apresentar
1249. 흡연 - fumar

1250. 출입 - ir e vir
1251. 사용 - usar
1252. 요청 - pedir
1253. 출발 - partir
1254. 참여 - participação
1255. 제안 - proposta
1256. 초대 - convidar
1257. 감사하다 - Agradecer
1258. 나는 도움에 감사했다. - Estou grato pela ajuda.
1259. 너는 지원에 감사한다. - Agradece o apoio.
1260. 그들은 협력에 감사할 것이다. - Eles agradecem a cooperação.
1261. 감사드려도 돼요? - Posso agradecer-vos?
1262. 네, 감사해요. - Sim, obrigado.
1263. 사과하다 - para pedir desculpa
1264. 나는 잘못을 사과했다. - Pedi desculpa pelo meu erro.
1265. 너는 늦은 것에 사과한다. - Pedes desculpa pelo atraso.
1266. 그는 실수에 대해 사과할 것이다. - Ele vai pedir desculpa pelo seu erro.
1267. 사과해야 하나요? - Devo pedir desculpa?
1268. 네, 사과하세요. - Sim, pedir desculpa.
1269. 용서하다 - Para perdoar
1270. 나는 실수를 용서했다. - Eu perdoei o erro.
1271. 너는 오해를 용서한다. - Tu perdoas o mal-entendido.
1272. 그녀는 거짓말을 용서할 것이다. - Ela vai perdoar a mentira.
1273. 용서해줄 수 있어요? - Podes perdoar-me?
1274. 네, 용서해요. - Sim, eu perdoo-te.
1275. 선물하다 - Dar uma prenda
1276. 나는 생일 선물을 했다. - Eu dei uma prenda de aniversário.
1277. 너는 감사의 표시로 선물한다. - Dá-se uma prenda como sinal de gratidão.
1278. 우리는 졸업 선물을 할 것이다. - Vamos dar uma prenda de fim de curso.
1279. 선물 좋아하세요? - Gostas de prendas?
1280. 네, 좋아해요. - Sim, gosto.

1281. 권하다 - Recomendar
1282. 나는 책을 권했다. - Eu recomendei um livro.
1283. 너는 운동을 권한다. - Você recomenda exercícios.
1284. 그는 여행지를 권할 것이다. - Ele vai recomendar um destino de viagem.
1285. 추천해줄까요? - Queres que eu recomende alguma coisa?
1286. 네, 추천해주세요. - Sim, por favor, recomenda.
1287. 요청하다 - Pedir
1288. 나는 도움을 요청했다. - Eu pedi ajuda.
1289. 너는 조언을 요청한다. - Você pede conselhos.
1290. 그들은 지원을 요청할 것이다. - Eles vão pedir apoio.
1291. 도와달라고 할까요? - Devo pedir ajuda?
1292. 네, 부탁해요. - Sim, por favor.
1293. 명령하다 - Para ordenar
1294. 나는 조용히 할 것을 명령했다. - Eu ordenei que você ficasse quieto.
1295. 너는 정리를 명령한다. - Ordenei-te que te arrumasses.
1296. 그녀는 제출을 명령할 것이다. - Ela ordena-te que o entregues.
1297. 명령할게요? - Queres que te dê uma ordem?
1298. 아니요, 괜찮아요. - Não, obrigado.
1299. 금지하다 - proibir
1300. 나는 흡연을 금지했다. - Proíbo-o de fumar.
1301. 너는 출입을 금지한다. - Está proibido de entrar.
1302. 그들은 사용을 금지할 것이다. - Eles vão proibir o uso.
1303. 금지된 건가요? - É proibido?
1304. 네, 금지예요. - Sim, é proibido.
1305. 허락하다 - Conceder autorização
1306. 나는 요청을 허락했다. - Concedi o pedido.
1307. 너는 출발을 허락한다. - Podem ir-se embora.
1308. 우리는 참여를 허락할 것이다. - Daremos autorização para participar.
1309. 허락될까요? - Posso participar?
1310. 네, 허락돼요. - Sim, é-lhe permitido.
1311. 거절하다 - recusar
1312. 나는 제안을 거절했다. - Eu recusei a oferta.
1313. 너는 초대를 거절한다. - Tu declinaste o convite.

1314. 그는 요청을 거절할 것이다. - Ele vai recusar o pedido.
1315. 거절해도 돼요? - Não há problema em recusar?
1316. 네, 괜찮아요. - Sim, não faz mal.
1317. 14. 명사 단어들 외우기, 필수 10개 동사의 단어들을 가지고 50문장 연습하기 - 14. memorizar palavras substantivas, praticar 50 frases com as 10 palavras verbais essenciais
1318. 계획 - planear
1319. 의견 - opinião
1320. 제안 - proposta
1321. 결정 - decisão
1322. 방침 - política
1323. 정책 - Política
1324. 새벽 - madrugada
1325. 직원 - empregado
1326. 파트너 - parceiro
1327. 규칙 - regra
1328. 방법 - método
1329. 절차 - procedimento
1330. 여행 - viagem
1331. 미래 - futuro
1332. 꿈 - sonho
1333. 경험 - experiência
1334. 상황 - situação
1335. 권리 - certo
1336. 입장 - entrada
1337. 문제 - problema
1338. 해결책 - solução
1339. 중요성 - importância
1340. 필요성 - Necessidade
1341. 안전 - segurança
1342. 동의하다 - Concordo
1343. 나는 계획에 동의했다. - Concordei com o plano.
1344. 너는 의견에 동의한다. - Concordas com a opinião.
1345. 그녀는 제안에 동의할 것이다. - Ela vai concordar com a proposta.

1346. 동의할 수 있나요? - Pode concordar?
1347. 네, 동의해요. - Sim, estou de acordo.
1348. 반대하다 - Opor-se (opor-se)
1349. 나는 결정에 반대했다. - Opus-me à decisão.
1350. 너는 방침에 반대한다. - You are against the policy.
1351. 우리는 정책에 반대할 것이다. - Vamos opor-nos à política.
1352. 반대해야 하나요? - Devo opor-me?
1353. 아니요, 고민해보세요. - Não, pensa nisso.
1354. 인사하다 - Cumprimentar
1355. 나는 새벽에 인사했다. - Eu cumprimentei ao amanhecer.
1356. 너는 도착하자마자 인사한다. - Tu cumprimentas à chegada.
1357. 그들은 만날 때 인사할 것이다. - Eles cumprimentar-se-ão quando se encontrarem.
1358. 인사드려도 될까요? - Posso cumprimentar?
1359. 네, 인사하세요. - Sim, por favor, cumprimenta.
1360. 소개하다 - para apresentar
1361. 나는 친구를 소개했다. - Eu apresentei o meu amigo.
1362. 너는 새 직원을 소개한다. - Tu apresentas o novo empregado.
1363. 그는 파트너를 소개할 것이다. - Ele vai apresentar o seu colega.
1364. 소개시켜줄까요? - Queres que te apresente?
1365. 네, 소개해주세요. - Sim, por favor, apresente-me.
1366. 설명하다 - para Explicar
1367. 나는 규칙을 설명했다. - Eu expliquei as regras.
1368. 너는 방법을 설명한다. - Tu explicas o método.
1369. 그녀는 절차를 설명할 것이다. - Ela vai explicar o procedimento.
1370. 설명해드릴까요? - Queres que eu explique?
1371. 네, 부탁해요. - Sim, por favor.
1372. 이야기하다 - falar sobre
1373. 나는 여행에 대해 이야기했다. - Falei sobre a viagem.
1374. 너는 계획에 대해 이야기한다. - Tu falas de planos.
1375. 우리는 미래에 대해 이야기할 것이다. - Nós vamos falar sobre o futuro.
1376. 이야기해볼까요? - Vamos falar?
1377. 네, 해봐요. - Sim, vamos a isso.

1378. 묘사하다 - para Descrever
1379. 나는 꿈을 묘사했다. - Eu descrevi um sonho.
1380. 너는 경험을 묘사한다. - Tu descreves uma experiência.
1381. 그는 상황을 묘사할 것이다. - Ele vai descrever uma situação.
1382. 묘사해줄 수 있어요? - Consegues descrevê-la?
1383. 네, 묘사할게요. - Sim, vou descrevê-la.
1384. 주장하다 - Afirmar
1385. 나는 의견을 주장했다. - Eu afirmei uma opinião.
1386. 너는 권리를 주장한다. - Tu afirmas um direito.
1387. 그녀는 입장을 주장할 것이다. - Ela vai afirmar uma posição.
1388. 주장할 건가요? - Vais afirmar?
1389. 네, 주장할래요. - Sim, vou afirmar.
1390. 논의하다 - Discutir
1391. 나는 문제를 논의했다. - Eu discuti o problema.
1392. 너는 계획을 논의한다. - Você discute o plano.
1393. 우리는 해결책을 논의할 것이다. - Nós vamos discutir a solução.
1394. 논의해볼까요? - Vamos discutir?
1395. 네, 논의합시다. - Sim, vamos discutir.
1396. 강조하다 - para enfatizar
1397. 나는 중요성을 강조했다. - I emphasized the importance.
1398. 너는 필요성을 강조한다. - Tu enfatizas a necessidade.
1399. 그들은 안전을 강조할 것이다. - Eles vão dar ênfase à segurança.
1400. 강조해야 할까요? - Devemos enfatizar?
1401. 네, 강조하세요. - Sim, enfatizar.
1402. 15. 명사 단어들 외우기, 필수 10개 동사의 단어들을 가지고 50문장 연습하기 - 15. memorizar os substantivos, praticar 50 frases com as palavras dos 10 verbos essenciais
1403. 지각 - tardio
1404. 실수 - erro
1405. 불참 - não aparecer
1406. 자료 - dados
1407. 책 - livro
1408. 문서 - documento
1409. 데이터 - dados

1410. 결과 - resultado
1411. 추세 - Tendências
1412. 길이 - comprimento
1413. 무게 - peso
1414. 온도 - temperatura
1415. 날씨 - tempo
1416. 경기 - jogo
1417. 스코어 - pontuação
1418. 문제 - problema
1419. 논의 - Argumento
1420. 회의 - reunião
1421. 식당 - restaurante
1422. 영화 - filme
1423. 여행지 - destino de viagem
1424. 프로젝트 - projeto
1425. 성능 - desempenho
1426. 보고서 - relatório
1427. 계약서 - contrato
1428. 제안 - proposta
1429. 약속 - promessa
1430. 시간 - hora
1431. 주소 - endereço
1432. 예약 - reserva
1433. 변명하다 - para desculpar
1434. 나는 지각에 대해 변명했다. - Eu desculpei-me por ter chegado atrasado.
1435. 너는 실수에 대해 변명한다. - Tu dás desculpas pelos teus erros.
1436. 그는 불참에 대해 변명할 것이다. - Ele vai desculpar-se pela sua ausência.
1437. 변명할까요? - Devo desculpar-me?
1438. 아니요, 솔직히 말해요. - Não, sê honesto.
1439. 분류하다 - Para classificar
1440. 나는 자료를 분류했다. - Eu classifiquei os materiais.
1441. 너는 책을 분류한다. - Tu classificas os livros.

1442. 그녀는 문서를 분류할 것이다. - Ela vai classificar os documentos.
1443. 분류해야 하나요? - Preciso de classificar?
1444. 네, 분류해주세요. - Sim, por favor, classifique.
1445. 분석하다 - Para analisar
1446. 나는 데이터를 분석했다. - Eu analisei os dados.
1447. 너는 결과를 분석한다. - Tu analisas os resultados.
1448. 우리는 추세를 분석할 것이다. - Nós vamos analisar a tendência.
1449. 분석할까요? - Vamos analisar?
1450. 네, 분석해 주세요. - Sim, por favor, analisa.
1451. 측정하다 - Para medir
1452. 나는 길이를 측정했다. - Eu medi o comprimento.
1453. 너는 무게를 측정한다. - Tu medes o peso.
1454. 그는 온도를 측정할 것이다. - Ele vai medir a temperatura.
1455. 크기 확인할까요? - Queres verificar o tamanho?
1456. 네, 확인해 주세요. - Sim, por favor, verifica.
1457. 예측하다 - Para prever
1458. 나는 날씨를 예측했다. - Eu previ o tempo.
1459. 너는 결과를 예측한다. - Você prevê o resultado.
1460. 그녀는 경기 스코어를 예측할 것이다. - Ela vai prever o resultado do jogo.
1461. 미래 맞출 수 있나요? - Consegues adivinhar o futuro?
1462. 아마도 가능할 거예요. - Provavelmente sim.
1463. 결론내다 - Concluir
1464. 나는 문제의 결론을 내렸다. - Concluí o problema.
1465. 너는 논의를 결론짓는다. - Você conclui a discussão.
1466. 우리는 회의를 결론낼 것이다. - Nós vamos concluir a reunião.
1467. 결론은 뭐예요? - Qual é a conclusão?
1468. 곧 결정할 거예요. - Decidiremos em breve.
1469. 추천하다 - Recomendar (recomendar)
1470. 나는 좋은 식당을 추천했다. - Eu recomendei um bom restaurante.
1471. 너는 영화를 추천한다. - Tu recomendas um filme.
1472. 그들은 여행지를 추천할 것이다. - Eles vão recomendar um destino de viagem.
1473. 어디 가볼까요? - Onde é que devemos ir?

1474. 이곳 추천해요. - Eu recomendo este sítio.
1475. 평가하다 - Para avaliar
1476. 나는 프로젝트를 평가했다. - Eu avaliei um projeto.
1477. 너는 성능을 평가한다. - Avalia o desempenho.
1478. 당신들은 결과를 평가할 것이다. - Vais avaliar os resultados.
1479. 어떻게 생각해요? - O que é que acha?
1480. 잘 했어요. - Muito bem.
1481. 검토하다 - Para rever
1482. 나는 보고서를 검토했다. - Eu revi o relatório.
1483. 너는 계약서를 검토한다. - Tu vais rever o contrato.
1484. 그는 제안을 검토할 것이다. - Ele vai rever a proposta.
1485. 다시 볼까요? - Vamos rever?
1486. 네, 확인해요. - Sim, vamos verificar.
1487. 확인하다 - para confirmar
1488. 나는 약속 시간을 확인했다. - Confirmei a hora do encontro.
1489. 너는 주소를 확인한다. - Confirma a morada.
1490. 그녀는 예약을 확인할 것이다. - Ela vai confirmar a marcação.
1491. 맞는지 봐줄래요? - Podes ver se está certo?
1492. 네, 볼게요. - Sim, vou verificar.
1493. 16. 명사 단어들 외우기, 필수 10개 동사의 단어들을 가지고 50문장 연습하기 - 16. memorizar os substantivos, praticar 50 frases com as palavras dos 10 verbos essenciais
1494. 카페 - café
1495. 비밀 - secret
1496. 보물 - tesouro
1497. 별 - estrela
1498. 행동 - ação
1499. 자연 - Natureza
1500. 실수 - Erro
1501. 장점 - Força
1502. 성과 - Realização
1503. 의견 - Opinião
1504. 규칙 - Regra
1505. 문화 - Cultura

1506. 친구 - Amigo
1507. 선생님 - Professor
1508. 고객 - Cliente
1509. 메시지 - Mensagem
1510. 소식 - Notícias
1511. 선물 - Presente
1512. 결과 - Resultado
1513. 상황 - Situação
1514. 진행 - Progresso
1515. 질문 - Pergunta
1516. 요청 - Pedidos
1517. 초대 - Convite
1518. 놀람 - Surpresa
1519. 기쁨 - Alegria
1520. 감사함 - Gratidão
1521. 문제 - Problema
1522. 도전 - Desafio
1523. 위기 - Crise
1524. 발견하다 - para descobrir
1525. 나는 새로운 카페를 발견했다. - Descobri um novo café.
1526. 너는 비밀을 발견한다. - Tu descobres um segredo.
1527. 그들은 보물을 발견할 것이다. - Eles vão descobrir um tesouro.
1528. 뭔가 찾았어요? - Descobriste alguma coisa?
1529. 네, 발견했어요. - Sim, encontrei-o.
1530. 관찰하다 - observar
1531. 나는 별을 관찰했다. - Eu observei as estrelas.
1532. 너는 행동을 관찰한다. - Tu observas o comportamento.
1533. 우리는 자연을 관찰할 것이다. - Nós vamos observar a natureza.
1534. 봐도 돼요? - Posso observar?
1535. 네, 같이 봐요. - Sim, vamos observar juntos.
1536. 인정하다 - para admitir
1537. 나는 실수를 인정했다. - Eu admiti o meu erro.
1538. 너는 장점을 인정한다. - Tu reconheces o mérito.
1539. 그녀는 성과를 인정할 것이다. - Ela reconhecerá os êxitos.

1540. 맞아요? - É verdade?
1541. 네, 인정해요. - Sim, eu admito-o.
1542. 존중하다 - para Respeitar
1543. 나는 상대방의 의견을 존중했다. - Respeitei a opinião da outra pessoa.
1544. 너는 규칙을 존중한다. - Tu respeitarás as regras.
1545. 우리는 문화를 존중할 것이다. - Nós vamos respeitar a cultura.
1546. 존중하는 거 맞죠? - Somos respeitadores, certo?
1547. 네, 맞아요. - Sim, respeitamos.
1548. 연락하다 - para Contactar
1549. 나는 친구에게 연락했다. - Eu contactei o meu amigo.
1550. 너는 선생님에게 연락한다. - Você vai contactar o seu professor.
1551. 그들은 고객에게 연락할 것이다. - Eles vão contactar o cliente.
1552. 연락할까요? - Devo contactá-los?
1553. 네, 해주세요. - Sim, por favor.
1554. 전달하다 - Para reencaminhar
1555. 나는 메시지를 전달했다. - Reencaminhei a mensagem.
1556. 너는 소식을 전달한다. - Tu entregas a notícia.
1557. 그녀는 선물을 전달할 것이다. - Ela vai entregar a prenda.
1558. 전해드려야 하나요? - Devo entregá-lo?
1559. 네, 부탁해요. - Sim, por favor.
1560. 보고하다 - Reportar
1561. 나는 결과를 보고했다. - Eu relatei os resultados.
1562. 너는 상황을 보고한다. - Você relata a situação.
1563. 당신들은 진행 상황을 보고할 것이다. - Vai informar sobre o progresso.
1564. 알려줘야 해요? - Devo informá-lo?
1565. 네, 알려주세요. - Sim, por favor, avise-me.
1566. 회답하다 - para responder
1567. 나는 질문에 회답했다. - Respondi à pergunta.
1568. 너는 요청에 회답한다. - Tu responderás ao pedido.
1569. 그는 초대에 회답할 것이다. - Ele responderá ao convite.
1570. 답할 수 있어요? - Podes responder?
1571. 네, 할게요. - Sim, respondo.

1572. 반응하다 - reagir
1573. 나는 놀람으로 반응했다. - Eu reagi com surpresa.
1574. 너는 기쁨으로 반응한다. - Tu reages com alegria.
1575. 그녀는 감사함으로 반응할 것이다. - Ela vai reagir com gratidão.
1576. 기뻐해야 할까요? - Devo alegrar-me?
1577. 네, 기뻐하세요. - Sim, regozija-te.
1578. 대응하다 - Reagir
1579. 나는 문제에 대응했다. - Eu respondi ao problema.
1580. 너는 도전에 대응한다. - Tu respondes ao desafio.
1581. 우리는 위기에 대응할 것이다. - Nós vamos reagir à crise.
1582. 준비됐나요? - Estás preparado?
1583. 네, 준비됐어요. - Sim, estou pronto.
1584. 17. 명사 단어들 외우기, 필수 10개 동사의 단어들을 가지고 50문장 연습하기 - 17. memorizar palavras substantivas, praticar 50 frases com palavras dos 10 verbos essenciais
1585. 아이 - criança
1586. 반려동물 - animal de estimação
1587. 정원 - jardim
1588. 짐 - carregar
1589. 우산 - guarda-chuva
1590. 선물 - prenda
1591. 여행 - viagem
1592. 파티 - festa
1593. 프로젝트 - projeto
1594. 팀 - equipa
1595. 메뉴 - menu
1596. 위원회 - Comité
1597. 모임 - classe
1598. 대회 - concurso
1599. 이벤트 - evento
1600. 계획 - plano
1601. 명령 - Comando
1602. 작전 - Operação
1603. 약속 - promessa

1604. 규칙 - regra
1605. 수업 - classe
1606. 회의 - reunião
1607. 활동 - atividade
1608. 캠페인 - campanha
1609. 박물관 - museu
1610. 친구 집 - casa de amigos
1611. 병원 - hospital
1612. 돌보다 - tomar conta
1613. 나는 아이를 돌보았다. - Eu tomei conta de uma criança.
1614. 너는 반려동물을 돌본다. - Tu tomas conta de um animal de estimação.
1615. 그들은 정원을 돌볼 것이다. - Eles tomam conta do jardim.
1616. 잘 지내나요? - Como é que eles estão?
1617. 네, 잘 지내요. - Sim, estou a ir bem.
1618. 챙기다 - fazer as malas
1619. 나는 짐을 챙겼다. - Fiz as malas.
1620. 너는 우산을 챙긴다. - Tu arrumas o teu guarda-chuva.
1621. 그녀는 선물을 챙길 것이다. - Ela vai arrumar as prendas.
1622. 필요한 거 있어요? - Precisas de alguma coisa?
1623. 아니요, 다 챙겼어요. - Não, já arrumei tudo.
1624. 계획하다 - Planear
1625. 나는 여행을 계획했다. - Eu planeei a viagem.
1626. 너는 파티를 계획한다. - Tu planeias uma festa.
1627. 우리는 프로젝트를 계획할 것이다. - Nós vamos planear um projeto.
1628. 언제 시작할까요? - Quando é que vamos começar?
1629. 곧 시작해요. - Vamos começar em breve.
1630. 구성하다 - Organizar
1631. 나는 팀을 구성했다. - Eu organizei a equipa.
1632. 너는 메뉴를 구성한다. - Tu organizas o menu.
1633. 그들은 위원회를 구성할 것이다. - Eles vão organizar o comité.
1634. 누가 포함되나요? - Quem é que vai ser incluído?
1635. 모두 포함될 거예요. - Toda a gente será incluída.
1636. 조직하다 - Organizar

1637. 나는 모임을 조직했다. - Eu organizei uma reunião.
1638. 너는 대회를 조직한다. - Tu organizas um concurso.
1639. 우리는 이벤트를 조직할 것이다. - Nós vamos organizar um evento.
1640. 준비됐어요? - Estás pronto?
1641. 네, 준비됐습니다. - Sim, estou pronto.
1642. 실행하다 - Para executar
1643. 나는 계획을 실행했다. - Eu executei o plano.
1644. 너는 명령을 실행한다. - Tu executas a ordem.
1645. 그는 작전을 실행할 것이다. - Ele vai executar a operação.
1646. 진행할까요? - Vamos prosseguir?
1647. 네, 시작해요. - Sim, vamos começar.
1648. 실천하다 - Para pôr em prática
1649. 나는 약속을 실천했다. - Eu pratiquei a minha promessa.
1650. 너는 규칙을 실천한다. - Tu praticas as regras.
1651. 그녀는 계획을 실천할 것이다. - Ela vai cumprir o seu plano.
1652. 지키고 있나요? - Estás a cumpri-lo?
1653. 네, 지키고 있어요. - Sim, estou a cumpri-lo.
1654. 참가하다 - Participar em
1655. 나는 대회에 참가했다. - Eu participei no concurso.
1656. 너는 수업에 참가한다. - Tu participas na aula.
1657. 그들은 회의에 참가할 것이다. - Eles vão juntar-se a uma conferência.
1658. 가입할 수 있나요? - Posso participar?
1659. 네, 가능해요. - Sim, podes.
1660. 참여하다 - para participar em
1661. 나는 프로젝트에 참여했다. - Eu participei num projeto.
1662. 너는 활동에 참여한다. - Tu participas numa atividade.
1663. 우리는 캠페인에 참여할 것이다. - Nós vamos participar numa campanha.
1664. 도울까요? - Queres ajudar?
1665. 네, 도와주세요. - Sim, por favor, ajuda.
1666. 방문하다 - Visitar
1667. 나는 박물관을 방문했다. - Visitei o museu.
1668. 너는 친구 집을 방문한다. - Você visitará a casa do seu amigo.
1669. 그는 병원을 방문할 것이다. - Ele vai visitar o hospital.

1670. 언제 갈까요? - Quando é que vamos?
1671. 이번 주말에 가요. - Vou este fim de semana.
1672. 18. 명사 단어들 외우기, 필수 10개 동사의 단어들을 가지고 50문장 연습하기 - 18. memorizar os substantivos, praticar 50 frases com as 10 palavras verbais essenciais
1673. 전시회 - Exposição
1674. 영화 - filme
1675. 공연 - espetáculo
1676. 도시 - cidade
1677. 명소 - vistas
1678. 섬 - ilha
1679. 유럽 - europa
1680. 국내 여행 - viagens domésticas
1681. 아시아 - Ásia
1682. 숲 - floresta
1683. 동굴 - caverna
1684. 사막 - deserto
1685. 연구 결과 - Resultados
1686. 프로젝트 - projeto
1687. 계획 - plano
1688. 연극 - teatro
1689. 무대 - palco
1690. 콘서트 - concerto
1691. TV 프로그램 - programa de TV
1692. 드라마 - drama
1693. 피아노 - piano
1694. 기타 - etc
1695. 바이올린 - violino
1696. 친구 결혼식 - casamento de amigos
1697. 샤워실 - casa de banho
1698. 가라오케 - karaoke
1699. 파티 - festa
1700. 클럽 - clube
1701. 축제 - festival

1702. 관람하다 - para ver
1703. 나는 전시회를 관람했다. - Eu fui a uma exposição.
1704. 너는 영화를 관람한다. - Tu vais ao cinema.
1705. 그녀는 공연을 관람할 것이다. - Ela vai a um concerto.
1706. 좋았나요? - Foi bom?
1707. 네, 멋졌어요. - Sim, foi ótimo.
1708. 관광하다 - Para passear
1709. 나는 도시를 관광했다. - Fui passear pela cidade.
1710. 너는 명소를 관광한다. - Você visita os pontos turísticos.
1711. 그들은 섬을 관광할 것이다. - Eles vão ver a ilha.
1712. 재밌었나요? - Divertiste-te?
1713. 네, 정말 재밌었어요. - Sim, foi muito divertido.
1714. 여행하다 - viajar
1715. 나는 유럽을 여행했다. - Viajei pela Europa.
1716. 너는 지금 국내 여행을 한다. - Agora está a viajar a nível nacional.
1717. 그는 내일 아시아로 여행할 것이다. - Ele vai viajar para a Ásia amanhã.
1718. 어디로 가고 싶어요? - Para onde queres ir?
1719. 제주도로 가고 싶어요. - Quero ir para a ilha de Jeju.
1720. 탐험하다 - explorar
1721. 나는 숲을 탐험했다. - Eu explorei a floresta.
1722. 너는 지금 동굴을 탐험한다. - Agora explora a gruta.
1723. 그들은 내일 사막을 탐험할 것이다. - Eles vão explorar o deserto amanhã.
1724. 무엇을 찾고 있나요? - De que andas à procura?
1725. 보물을 찾고 있어요. - Estou à procura de um tesouro.
1726. 발표하다 - publicar
1727. 나는 연구 결과를 발표했다. - Apresentei os resultados da minha investigação.
1728. 너는 지금 프로젝트를 발표한다. - Estás a apresentar o teu projeto agora.
1729. 그녀는 내일 계획을 발표할 것이다. - Ela vai apresentar os seus planos amanhã.
1730. 언제 발표해요? - Quando é que ela vai apresentar?

1731. 오후 3시에 발표해요. - Vou apresentar-me às 3:00 p.m.
1732. 공연하다 - Atuar
1733. 나는 연극을 공연했다. - Eu apresentei uma peça.
1734. 너는 지금 무대에서 공연한다. - Estás a atuar no palco agora.
1735. 우리는 내일 콘서트를 공연할 것이다. - Amanhã vamos dar um concerto.
1736. 무슨 공연이에요? - Que tipo de concerto é esse?
1737. 뮤지컬 공연이에요. - É uma atuação musical.
1738. 출연하다 - Aparecer em
1739. 나는 TV 프로그램에 출연했다. - Apareci em um programa de TV.
1740. 너는 지금 영화에 출연한다. - Você está atuando em um filme agora.
1741. 그는 내일 드라마에 출연할 것이다. - Ele vai aparecer numa telenovela amanhã.
1742. 어디에 나와요? - Onde estás a atuar?
1743. TV에서 나와요. - Estou na televisão.
1744. 연주하다 - Jogar
1745. 나는 피아노를 연주했다. - Eu costumava tocar piano.
1746. 너는 지금 기타를 연주한다. - Agora tocas guitarra.
1747. 그녀는 내일 바이올린을 연주할 것이다. - Ela vai tocar violino amanhã.
1748. 어떤 악기를 다루나요? - Que instrumento tocas?
1749. 바이올린을 다루요. - Eu toco violino.
1750. 노래하다 - Para cantar
1751. 나는 친구 결혼식에서 노래했다. - Eu cantei no casamento do meu amigo.
1752. 너는 지금 샤워실에서 노래한다. - Agora estás a cantar no chuveiro.
1753. 우리는 내일 가라오케에서 노래할 것이다. - Amanhã vamos cantar no karaoke.
1754. 좋아하는 노래 있어요? - Tens uma canção preferida?
1755. 네, 많아요. - Sim, tenho muitas.
1756. 춤추다 - Para dançar
1757. 나는 파티에서 춤췄다. - Dancei na festa.
1758. 너는 지금 클럽에서 춤춘다. - Você está dançando no clube agora.
1759. 그들은 내일 축제에서 춤출 것이다. - Eles vão dançar no festival amanhã.

1760. 어떤 춤을 추나요? - Que tipo de dança é que fazes?
1761. 힙합을 춰요. - Eu danço hip-hop.
1762. 19. 명사 단어들 외우기, 필수 10개 동사의 단어들을 가지고 50문장 연습하기 - 19. memorizar os substantivos, praticar 50 frases com as palavras dos 10 verbos essenciais
1763. 풍경화 - paisagem
1764. 초상화 - retrato
1765. 벽화 - mural
1766. 바다 - oceano
1767. 보고서 - relatório
1768. 이메일 - correio eletrónico
1769. 계약서 - contrato
1770. 일기 - diário
1771. 회의 내용 - Detalhes da reunião
1772. 실험 결과 - Resultado da experiência
1773. 사진 - fotografia
1774. 컴퓨터 - computador
1775. 문서 - documento
1776. 데이터 - dados
1777. 클라우드 - nuvem
1778. 중요 문서 - documento importante
1779. 파일 - ficheiro
1780. 앱 - aplicação
1781. 음악 - música
1782. 소프트웨어 - software
1783. 소셜 미디어 - redes sociais
1784. 비디오 - vídeo
1785. 웹사이트 - site
1786. 프로그램 - programa
1787. 게임 - jogo
1788. 바이러스 - vírus
1789. 악성 소프트웨어 - software malicioso
1790. 오류 - erro
1791. 그리다 - desenhar

1792. 나는 풍경화를 그렸다. - Eu desenhei uma paisagem.
1793. 너는 지금 초상화를 그린다. - Agora pintas um retrato.
1794. 그녀는 내일 벽화를 그릴 것이다. - Ela vai pintar um mural amanhã.
1795. 무엇을 그리고 싶어요? - O que queres desenhar?
1796. 바다를 그리고 싶어요. - Quero desenhar o mar.
1797. 작성하다 - Para escrever
1798. 나는 보고서를 작성했다. - Eu escrevi um relatório.
1799. 너는 지금 이메일을 작성한다. - Escreve um e-mail agora.
1800. 그는 내일 계약서를 작성할 것이다. - Ele vai escrever o contrato amanhã.
1801. 언제 끝낼 수 있어요? - Quando é que podes acabar?
1802. 한 시간 안에 끝낼 수 있어요. - Posso acabar numa hora.
1803. 기록하다 - Para registar
1804. 나는 일기를 기록했다. - Eu registei o meu diário.
1805. 너는 지금 회의 내용을 기록한다. - Está a gravar a reunião agora.
1806. 그들은 내일 실험 결과를 기록할 것이다. - Eles vão registar os resultados da experiência amanhã.
1807. 기록 필요해요? - Precisas de gravar?
1808. 네, 필요해요. - Sim, preciso.
1809. 저장하다 - para Guardar
1810. 나는 사진을 컴퓨터에 저장했다. - Guardei a fotografia no meu computador.
1811. 너는 지금 문서를 저장한다. - Guarda o documento agora.
1812. 그녀는 내일 데이터를 클라우드에 저장할 것이다. - Ela vai guardar os dados na nuvem amanhã.
1813. 어디에 저장할까요? - Onde é que ela os vai guardar?
1814. 클라우드에 저장해요. - Na nuvem.
1815. 복사하다 - para Copiar
1816. 나는 중요 문서를 복사했다. - Eu copiei um documento importante.
1817. 너는 지금 사진을 복사한다. - Copia a fotografia agora.
1818. 그는 내일 파일을 복사할 것이다. - Ele copiará o ficheiro amanhã.
1819. 몇 부 복사해야 하나요? - Quantas cópias preciso de fazer?
1820. 3부 복사해 주세요. - Por favor, faça 3 cópias.
1821. 삭제하다 - para Apagar

1822. 나는 오래된 이메일을 삭제했다. - Apaguei um e-mail antigo.
1823. 너는 지금 불필요한 파일을 삭제한다. - Apague os ficheiros desnecessários agora.
1824. 그녀는 내일 앱을 삭제할 것이다. - Ela vai apagar a aplicação amanhã.
1825. 지울까요? - Devo apagá-la?
1826. 네, 지워주세요. - Sim, por favor, apague-a.
1827. 다운로드하다 - para Descarregar
1828. 나는 음악을 다운로드했다. - Descarreguei a música.
1829. 너는 지금 앱을 다운로드한다. - Descarrega a aplicação agora.
1830. 우리는 내일 소프트웨어를 다운로드할 것이다. - Amanhã descarregamos o software.
1831. 어떤 앱을 받을까요? - Que aplicação devo comprar?
1832. 최신 버전 받아요. - Quero a versão mais recente.
1833. 업로드하다 - Para fazer upload
1834. 나는 사진을 소셜 미디어에 업로드했다. - Carreguei uma fotografia para as redes sociais.
1835. 너는 지금 비디오를 업로드한다. - Está a carregar um vídeo agora.
1836. 그는 내일 문서를 웹사이트에 업로드할 것이다. - Ele vai carregar o documento no sítio Web amanhã.
1837. 지금 올릴까요? - Queres carregá-lo agora?
1838. 네, 올려주세요. - Sim, por favor carregue-o.
1839. 설치하다 - para Instalar
1840. 나는 프로그램을 설치했다. - Eu instalei o programa.
1841. 너는 지금 게임을 설치한다. - Instala o jogo agora.
1842. 그녀는 내일 앱을 설치할 것이다. - Ela vai instalar a aplicação amanhã.
1843. 설치 도와드릴까요? - Posso ajudar-te a instalar?
1844. 네, 부탁드려요. - Sim, por favor.
1845. 제거하다 - para Remover
1846. 나는 바이러스를 제거했다. - Removi o vírus.
1847. 너는 지금 악성 소프트웨어를 제거한다. - Remova o software malicioso agora.
1848. 그들은 내일 오류를 제거할 것이다. - Eles vão remover o erro

amanhã.
1849. 제거 시작할까요? - Vamos começar a remoção?
1850. 네, 시작해주세요. - Sim, por favor, comece.
1851. 20. 명사 단어들 외우기, 필수 10개 동사의 단어들을 가지고 50문장 연습하기 - 20. memorizar palavras substantivas, praticar 50 frases com as palavras dos 10 verbos essenciais
1852. 시스템 - sistema
1853. 소프트웨어 - software
1854. 앱 - aplicação
1855. 휴대폰 - telemóvel
1856. 노트북 - computador portátil
1857. 전기차 - carro elétrico
1858. 배터리 - bateria
1859. 기기 - dispositivo
1860. 시계 - relógio
1861. 타이어 - pneu
1862. 필터 - filtro
1863. 창문 - janela
1864. 문서 - documento
1865. 오류 - erro
1866. 계획 - plano
1867. 보고서 - relatório
1868. 아이디어 - ideia
1869. 작업 환경 - ambiente de trabalho
1870. 프로세스 - processo
1871. 제품 - produto
1872. 데이터 - dados
1873. 파일 - ficheiro
1874. 건강 - saúde
1875. 체력 - saúde
1876. 신뢰 - confiança
1877. 상처 - ferida
1878. 마음 - a mente
1879. 관계 - relação

1880. 업데이트하다 - atualizar
1881. 나는 시스템을 업데이트했다. - Eu actualizei o sistema.
1882. 너는 지금 소프트웨어를 업데이트한다. - Actualiza o software agora.
1883. 그는 내일 앱을 업데이트할 것이다. - Ele vai atualizar a aplicação amanhã.
1884. 지금 업데이트해야 하나요? - Devo actualizá-la agora?
1885. 네, 해야 해요. - Sim, deves.
1886. 충전하다 - para carregar
1887. 나는 휴대폰을 충전했다. - Carreguei o meu telemóvel.
1888. 너는 노트북을 충전한다. - Você carrega o seu portátil.
1889. 그는 전기차를 충전할 것이다. - Ele vai carregar o seu carro elétrico.
1890. 충전할까? - Carrego-o?
1891. 네, 해. - Sim, vamos a isso.
1892. 방전하다 - para Descarregar
1893. 나는 배터리가 방전됐다. - Tenho uma bateria descarregada.
1894. 너는 기기가 방전된다. - Vais descarregar o teu aparelho.
1895. 그녀는 시계가 방전될 것이다. - Ela vai descarregar o seu relógio.
1896. 방전됐어? - Está descarregado?
1897. 네, 됐어. - Sim, está descarregado.
1898. 교체하다 - para substituir
1899. 나는 타이어를 교체했다. - Mudei o pneu.
1900. 너는 필터를 교체한다. - Tu mudas o filtro.
1901. 그들은 창문을 교체할 것이다. - Vão substituir as janelas.
1902. 교체할까? - Substituímos?
1903. 네, 교체해. - Sim, substituir.
1904. 수정하다 - para corrigir
1905. 나는 문서를 수정했다. - Eu corrigi o documento.
1906. 너는 오류를 수정한다. - Corrige o erro.
1907. 그녀는 계획을 수정할 것이다. - Ela vai rever o plano.
1908. 수정할까? - Devo corrigi-lo?
1909. 네, 수정해. - Sim, corrija-o.
1910. 보완하다 - para complementar
1911. 나는 보고서를 보완했다. - Eu complementei o relatório.
1912. 너는 아이디어를 보완한다. - Tu complementas a ideia.

1913. 그는 시스템을 보완할 것이다. - Ele vai complementar o sistema.
1914. 보완할까? - Vamos complementar?
1915. 네, 보완해. - Sim, complementar.
1916. 개선하다 - Para melhorar
1917. 나는 작업 환경을 개선했다. - Eu melhorei o ambiente de trabalho.
1918. 너는 프로세스를 개선한다. - Tu vais melhorar o processo.
1919. 그녀는 제품을 개선할 것이다. - Ela vai melhorar o produto.
1920. 개선할까? - Vamos melhorar?
1921. 네, 개선해. - Sim, melhorem-no.
1922. 복구하다 - to Recover (recuperar)
1923. 나는 데이터를 복구했다. - Eu recuperei os dados.
1924. 너는 시스템을 복구한다. - Tu recuperas o sistema.
1925. 그들은 파일을 복구할 것이다. - Eles vão recuperar os ficheiros.
1926. 복구할까? - Recuperamos?
1927. 네, 복구해. - Sim, recuperar.
1928. 회복하다 - para recuperar
1929. 나는 건강을 회복했다. - Recuperei a minha saúde.
1930. 너는 체력을 회복한다. - Recupera-se a força física.
1931. 그는 신뢰를 회복할 것이다. - Ele vai recuperar a sua confiança.
1932. 회복할까? - Vamos recuperar?
1933. 네, 회복해. - Sim, recuperar.
1934. 치유하다 - Para curar
1935. 나는 상처를 치유했다. - Eu curei a ferida.
1936. 너는 마음을 치유한다. - Tu curas o coração.
1937. 그녀는 관계를 치유할 것이다. - Ela vai curar a relação.
1938. 치유할까? - Vamos curar-nos?
1939. 네, 치유해. - Sim, curar.
1940. 21. 명사 단어들 외우기, 필수 10개 동사의 단어들을 가지고 50문장 연습하기 - 21. Memorizar palavras substantivas, praticar 50 frases com as 10 palavras verbais essenciais
1941. 운동 - Exercícios
1942. 프로그램 - programa
1943. 치료 - terapia
1944. 재료 - ingrediente

1945. 색깔 - cor
1946. 소스 - molho
1947. 빵 - pão
1948. 고기 - carne
1949. 케이크 - bolo
1950. 야채 - legumes
1951. 면 - macarrão
1952. 쌀 - arroz
1953. 계란 - ovo
1954. 감자 - batata
1955. 브로콜리 - brócolos
1956. 떡 - bolo de arroz
1957. 생선 - peixe
1958. 만두 - bolinho de massa
1959. 유리 - copo
1960. 기록 - registo
1961. 치킨 - galinha
1962. 수프 - sopa
1963. 물 - água
1964. 밥 - arroz
1965. 차 - carro
1966. 국 - sopa
1967. 음료 - bebida
1968. 재활하다 - reabilitar
1969. 나는 운동으로 재활했다. - Reabilitei-me com exercício.
1970. 너는 프로그램으로 재활한다. - Reabilita-se com um programa.
1971. 그는 치료로 재활할 것이다. - Ele vai reabilitar-se com a terapia.
1972. 재활할까? - Vamos reabilitar-nos?
1973. 네, 재활해. - Sim, reabilitar.
1974. 섞다 - misturar
1975. 나는 재료를 섞었다. - Eu misturei os ingredientes.
1976. 너는 색깔을 섞는다. - Tu misturas as cores.
1977. 그녀는 소스를 섞을 것이다. - Ela vai misturar o molho.
1978. 섞을까? - Vamos misturar?

1979. 네, 섞어. - Sim, misturar.
1980. 굽다 - para cozer
1981. 나는 빵을 굽었다. - Eu cozi o pão.
1982. 너는 고기를 굽는다. - Tu cozinhas a carne.
1983. 그들은 케이크를 굽을 것이다. - Eles vão fazer um bolo.
1984. 굽을까? - Vamos cozer?
1985. 네, 굽자. - Sim, vamos cozer.
1986. 볶다 - para fritar
1987. 나는 야채를 볶았다. - Salteei os legumes.
1988. 너는 면을 볶는다. - Tu fritas os noodles.
1989. 그는 쌀을 볶을 것이다. - Ele vai fritar o arroz.
1990. 볶을까? - Vamos fritar?
1991. 네, 볶아. - Sim, fritar.
1992. 삶다 - para cozer
1993. 나는 계란을 삶았다. - Cozinhei os ovos.
1994. 너는 감자를 삶는다. - Tu vais cozer as batatas.
1995. 그녀는 브로콜리를 삶을 것이다. - Ela vai cozer os brócolos.
1996. 삶을까? - Vamos cozer?
1997. 네, 삶아. - Sim, cozer.
1998. 찌다 - para cozer a vapor
1999. 나는 떡을 찐다. - Eu cozinho os bolos de arroz a vapor.
2000. 너는 생선을 찐다. - Tu cozinhas o peixe a vapor.
2001. 그들은 만두를 찔 것이다. - Eles vão cozer os bolinhos a vapor.
2002. 찔까? - Cozinhar a vapor?
2003. 네, 찌자. - Sim, vamos cozê-los a vapor.
2004. 깨다 - partir
2005. 나는 유리를 깼다. - Eu parti o copo.
2006. 너는 계란을 깬다. - Parte-se um ovo.
2007. 그녀는 기록을 깰 것이다. - Ela vai bater o recorde.
2008. 깰까? - Vamos partir?
2009. 네, 깨. - Sim, partir.
2010. 튀기다 - fritar
2011. 나는 감자를 튀겼다. - I fried the potatoes.
2012. 너는 치킨을 튀긴다. - Tu fritas o frango.

2013. 그는 생선을 튀길 것이다. - Ele vai fritar o peixe.
2014. 튀길까? - Vamos fritar?
2015. 네, 튀겨. - Sim, fritar.
2016. 데우다 - para aquecer
2017. 나는 수프를 데웠다. - Aqueci a sopa.
2018. 너는 물을 데운다. - Tu aqueces a água.
2019. 그녀는 밥을 데울 것이다. - Ela vai aquecer o arroz.
2020. 데울까? - Aqueço-o?
2021. 네, 데워. - Sim, aquece.
2022. 식히다 - para arrefecer
2023. 나는 차를 식혔다. - Eu arrefeci o chá.
2024. 너는 국을 식힌다. - Tu arrefeces a sopa.
2025. 그들은 음료를 식힐 것이다. - Eles vão arrefecer a bebida.
2026. 식힐까? - Devo arrefecer?
2027. 네, 식혀줘. - Sim, por favor, arrefeça-a.
2028. 22. 명사 단어들 외우기, 필수 10개 동사의 단어들을 가지고 50문장 연습하기 - 22. memorizar os substantivos, praticar 50 frases com as 10 palavras verbais essenciais
2029. 물 - água
2030. 주스 - sumo
2031. 아이스크림 - gelado
2032. 얼음 - gelo
2033. 초콜릿 - chocolate
2034. 버터 - manteiga
2035. 밀가루 - farinha
2036. 반죽 - massa
2037. 소스 - molho
2038. 떡 - bolo de arroz
2039. 만두 - bolinho de massa
2040. 쿠키 - bolacha
2041. 벽 - parede
2042. 그림 - pintura
2043. 문 - porta
2044. 집 - casa

2045. 건물 - construção
2046. 사과 - pedir desculpa
2047. 옷 - roupa
2048. 선물 - prenda
2049. 잡초 - erva daninha
2050. 번호 - número
2051. 당첨자 - vencedor
2052. 책 - livro
2053. USB - USB
2054. 카드 - cartão
2055. 설탕 - açúcar
2056. 소금 - sal
2057. 향신료 - especiarias
2058. 얼리다 - para congelar
2059. 나는 물을 얼렸다. - Eu congelei água.
2060. 너는 주스를 얼린다. - Tu congelas sumo.
2061. 그는 아이스크림을 얼릴 것이다. - Ele vai congelar o gelado.
2062. 얼릴까? - Congelo-o?
2063. 네, 얼려. - Sim, congela-o.
2064. 녹이다 - Derreter
2065. 나는 얼음을 녹였다. - Eu derreto o gelo.
2066. 너는 초콜릿을 녹인다. - Tu derreteste o chocolate.
2067. 그녀는 버터를 녹일 것이다. - Ela vai derreter a manteiga.
2068. 녹일까? - Vamos derretê-la?
2069. 네, 녹여. - Sim, derreter.
2070. 저미다 - Para mexer
2071. 나는 밀가루를 저었다. - Eu mexi a farinha.
2072. 너는 반죽을 저민다. - Tu mexes a massa.
2073. 그는 소스를 저을 것이다. - Ele vai mexer o molho.
2074. 저을까? - Vamos mexer?
2075. 네, 저어. - Sim, mexer.
2076. 빚다 - para fazer
2077. 나는 떡을 빚었다. - Eu fiz bolos de arroz.
2078. 너는 만두를 빚는다. - Tu vais fazer bolinhos.

2079. 그녀는 쿠키를 빚을 것이다. - Ela vai fazer bolachas.
2080. 빚을까? - Vamos cozer?
2081. 네, 빚어. - Sim, fazer bolos.
2082. 칠하다 - Para pintar
2083. 나는 벽을 칠했다. - Eu pintei a parede.
2084. 너는 그림을 칠한다. - Tu pintas o quadro.
2085. 그들은 문을 칠할 것이다. - Eles vão pintar a porta.
2086. 칠할까? - Vamos pintar?
2087. 네, 칠해. - Sim, pintar.
2088. 철거하다 - Demolir
2089. 나는 오래된 집을 철거했다. - Eu demoli a casa velha.
2090. 너는 벽을 철거한다. - Tu demoliste a parede.
2091. 그는 건물을 철거할 것이다. - Ele vai demolir o edifício.
2092. 철거할까? - Vamos demolir?
2093. 네, 철거해. - Sim, demolir.
2094. 고르다 - Apanhar
2095. 나는 사과를 골랐다. - Eu apanhei uma maçã.
2096. 너는 옷을 고른다. - Tu escolhes a roupa.
2097. 그녀는 선물을 고를 것이다. - Ela vai escolher uma prenda.
2098. 고를까? - Escolhemos?
2099. 네, 골라. - Sim, escolher.
2100. 뽑다 - Para arrancar
2101. 나는 잡초를 뽑았다. - Eu arranquei as ervas daninhas.
2102. 너는 번호를 뽑는다. - Vocês tiram os números.
2103. 그들은 당첨자를 뽑을 것이다. - Eles vão tirar o vencedor.
2104. 뽑을까? - Vamos tirar?
2105. 네, 뽑아. - Sim, arrancar.
2106. 빼다 - Para subtrair
2107. 나는 책을 뺐다. - Eu subtraí o livro.
2108. 너는 USB를 뺀다. - Tu subtrais o USB.
2109. 그는 카드를 뺄 것이다. - Ele vai subtrair o cartão.
2110. 뺄까? - Devo subtrair?
2111. 네, 빼. - Sim, subtrai.
2112. 추가하다 - Para acrescentar

2113. 나는 설탕을 추가했다. - Eu adicionei açúcar.
2114. 너는 소금을 추가한다. - Tu adicionas sal.
2115. 그녀는 향신료를 추가할 것이다. - Ela vai acrescentar especiarias.
2116. 추가할까? - Devo acrescentar?
2117. 네, 추가해줘. - Sim, por favor, acrescente.
2118. 23. 명사 단어들 외우기, 필수 10개 동사의 단어들을 가지고 50문장 연습하기 - 23. memorizar palavras substantivas, praticar 50 frases com as 10 palavras verbais essenciais
2119. 램프 - lâmpada
2120. 플래시 - flash
2121. 빛 - luz
2122. 목록 - lista
2123. 옵션 - opção
2124. 장점 - Vantagens
2125. 가지 - fábrica de ovos
2126. 장단점 - prós e contras
2127. 결과 - resultado
2128. 자료 - dados
2129. 파일 - ficheiro
2130. 개 - cão
2131. 요소 - elemento
2132. 아이디어 - ideia
2133. 기계 - máquina
2134. 문제 - problema
2135. 시스템 - sistema
2136. 의자 - cadeira
2137. 화면 - ecrã
2138. 테이블 - mesa
2139. 옷 - roupa
2140. 종이 - papel
2141. 지도 - mapa
2142. 매트 - tapete
2143. 책 - livro
2144. 포스터 - cartaz

2145. 숨다 - esconder
2146. 나는 숨었다. - Eu escondo-me.
2147. 너는 숨는다. - Tu escondes-te.
2148. 그들은 숨을 것이다. - Eles vão esconder-se.
2149. 숨을까? - Vamos esconder-nos?
2150. 네, 숨어. - Sim, escondemo-nos.
2151. 비추다 - Para iluminar
2152. 나는 램프를 비췄다. - Eu iluminei o candeeiro.
2153. 너는 플래시를 비춘다. - Tu acendes o flash.
2154. 그는 빛을 비출 것이다. - Ele fará brilhar a luz.
2155. 비출까? - Devo brilhar?
2156. 네, 비춰. - Sim, brilha.
2157. 나열하다 - Para listar
2158. 나는 목록을 나열했다. - Eu listei a lista.
2159. 너는 옵션을 나열한다. - Tu enumeras as opções.
2160. 그녀는 장점을 나열할 것이다. - Ela vai enumerar as vantagens.
2161. 나열할까? - Vamos fazer a lista?
2162. 네, 나열해. - Sim, liste.
2163. 대조하다 - para Contrastar
2164. 나는 두 가지를 대조했다. - I contrasted two things.
2165. 너는 장단점을 대조한다. - You contrast the pros and cons.
2166. 그는 결과를 대조할 것이다. - Ele vai contrastar os resultados.
2167. 색깔 다른가? - As cores são diferentes?
2168. 예, 다르다. - Sim, são diferentes.
2169. 정렬하다 - Para ordenar
2170. 너는 자료를 정렬했다. - Tu classificaste os materiais.
2171. 그는 목록을 정렬한다. - Ele vai ordenar a lista.
2172. 그녀는 파일을 정렬할 것이다. - Ela vai ordenar os ficheiros.
2173. 순서 맞나요? - Está em ordem?
2174. 네, 맞아요. - Sim, está.
2175. 결합하다 - Para combinar
2176. 그는 두 개를 결합했다. - Ele vai combinar duas coisas.
2177. 그녀는 요소를 결합한다. - Ela vai combinar os elementos.
2178. 우리는 아이디어를 결합할 것이다. - Nós vamos combinar ideias.

2179. 같이 할까요? - Fazemo-lo juntos?
2180. 좋아요. - Eu estou bem.
2181. 분해하다 - Para desmontar
2182. 그녀는 기계를 분해했다. - Ela desmontou a máquina.
2183. 우리는 문제를 분해한다. - Vamos desconstruir o problema.
2184. 당신들은 시스템을 분해할 것이다. - Vais desmontar o sistema.
2185. 어렵나요? - É difícil?
2186. 아니요. - Não, não é.
2187. 회전하다 - Para rodar
2188. 우리는 의자를 회전했다. - Rodámos a cadeira.
2189. 당신들은 화면을 회전한다. - Vocês vão rodar o ecrã.
2190. 그들은 테이블을 회전할 것이다. - Eles vão rodar a mesa.
2191. 돌릴까요? - Vamos rodar?
2192. 그래요. - Sim, rodamos.
2193. 접다 - Para dobrar
2194. 당신들은 옷을 접었다. - Tu dobras a roupa.
2195. 그들은 종이를 접는다. - Eles dobram o papel.
2196. 나는 지도를 접을 것이다. - Eu vou dobrar um mapa.
2197. 이걸 접어요? - Estás a dobrar isto?
2198. 네, 접어요. - Sim, estou a dobrá-lo.
2199. 펼치다 - Revelar
2200. 그들은 매트를 펼쳤다. - Desdobraram o tapete.
2201. 나는 책을 펼친다. - Eu desdobro um livro.
2202. 너는 포스터를 펼칠 것이다. - Tu desdobrarias um cartaz.
2203. 여기에 놓을까요? - Ponho-o aqui?
2204. 네, 놓아줘 - Sim, coloca-o aqui.
2205. 24. 명사 단어들 외우기, 필수 10개 동사의 단어들을 가지고 50문장 연습하기 - 24. memorizar os substantivos, praticar 50 frases com as 10 palavras verbais essenciais
2206. 깃발 - bandeira
2207. 스카프 - lenço
2208. 카펫 - tapete
2209. 신발끈 - atacador
2210. 선물 - prenda

2211. 머리 - cabeça
2212. 문제 - problema
2213. 노트 - nota
2214. 수수께끼 - Enigma
2215. 상자 - Caixa
2216. 책 - livro
2217. 블록 - bloco
2218. 물 - água
2219. 쌀 - arroz
2220. 콩 - feijão
2221. 병 - festa
2222. 가방 - saco
2223. 그릇 - tigela
2224. 통 - recipiente
2225. 바구니 - cesto
2226. 컵 - chávena
2227. 씨앗 - semente
2228. 페인트 - pintura
2229. 장애물 - obstáculo
2230. 줄넘기 - corda de saltar
2231. 울타리 - vedação
2232. 말다 - para enrolar
2233. 나는 깃발을 말았다. - Eu enrolei uma bandeira
2234. 너는 스카프를 말다. - Tu enrolas um lenço.
2235. 그는 카펫을 말 것이다. - Ele vai enrolar o tapete.
2236. 도와줄까요? - Queres que eu te ajude?
2237. 네, 부탁해요. - Sim, por favor.
2238. 묶다 - para atar
2239. 너는 신발끈을 묶었다. - Tu atas os teus atacadores.
2240. 그는 선물을 묶는다. - Ele vai atar o presente.
2241. 그녀는 머리를 묶을 것이다. - Ela vai atar o cabelo.
2242. 더 조여요? - Apertar mais?
2243. 예, 조여요. - Sim, aperta.
2244. 풀다 - resolver

2245. 그는 문제를 풀었다. - Ele resolveu o problema.
2246. 그녀는 노트를 푼다. - Ela vai resolver as suas notas.
2247. 우리는 수수께끼를 풀 것이다. - Nós vamos resolver o enigma.
2248. 어떻게 해요? - Como é que o fazemos?
2249. 생각해봐요. - Pensa nisso.
2250. 쌓다 - empilhar
2251. 그녀는 상자를 쌓았다. - Ela empilhou as caixas.
2252. 우리는 책을 쌓는다. - Nós empilhamos os livros.
2253. 당신들은 블록을 쌓을 것이다. - Vais empilhar blocos.
2254. 높게 쌓을까요? - Vamos empilhá-los bem alto?
2255. 조심해요. - Tem cuidado.
2256. 쏟다 - para Derramar
2257. 우리는 물을 쏟았다. - Nós entornamos água.
2258. 당신들은 쌀을 쏟는다. - Vocês entornam arroz.
2259. 그들은 콩을 쏟을 것이다. - Eles vão entornar feijão.
2260. 다 쏟았어요? - Derramaste tudo?
2261. 다 쏟았어요. - Eu entornei tudo.
2262. 채우다 - para encher
2263. 당신들은 병을 채웠다. - Tu enches a garrafa.
2264. 그들은 가방을 채운다. - Eles enchem o saco.
2265. 나는 그릇을 채울 것이다. - Eu vou encher a tigela.
2266. 가득할까요? - Vai ficar cheia?
2267. 가득해요. - Está cheia.
2268. 비우다 - Para esvaziar
2269. 그들은 통을 비웠다. - Eles esvaziaram o barril.
2270. 나는 바구니를 비운다. - Eu esvazio o cesto.
2271. 너는 컵을 비울 것이다. - Tu vais esvaziar o copo.
2272. 이것도 비울까요? - Esvaziamos este também?
2273. 네, 비워요. - Sim, esvaziem-no.
2274. 뿌리다 - Semear
2275. 나는 씨앗을 뿌렸다. - Eu semeei as sementes.
2276. 너는 물을 뿌린다. - Tu borrifas água.
2277. 그는 페인트를 뿌릴 것이다. - Ele vai deitar tinta.
2278. 여기에요? - Aqui?

2279. 여기에요. - Aqui.
2280. 건너뛰다 - Para saltar
2281. 너는 장애물을 건너뛰었다. - Tu saltaste o obstáculo.
2282. 그는 줄넘기를 한다. - Ele vai saltar à corda.
2283. 그녀는 울타리를 건너뛸 것이다. - Ela vai saltar a vedação.
2284. 저기로 갈까요? - Vamos para ali?
2285. 저기로 가요. - Vamos até ali.
2286. 기울이다 - Para inclinar
2287. 나는 병을 기울였다. - Eu inclinei a garrafa.
2288. 너는 컵을 기울인다. - Tu inclinas a chávena.
2289. 그는 그릇을 기울일 것이다. - Ele vai inclinar a taça.
2290. 컵을 기울여? - Inclinar a chávena?
2291. 예, 기울여줘. - Sim, inclina-a.
2292. 25. 명사 단어들 외우기, 필수 10개 동사의 단어들을 가지고 50문장 연습하기 - 25. memorizar palavras substantivas, praticar 50 frases com as 10 palavras verbais essenciais
2293. 버튼 - botão
2294. 스위치 - interrutor
2295. 페달 - pedal
2296. 스티커 - autocolante
2297. 라벨 - etiqueta
2298. 포스터 - cartaz
2299. 사진 - imagem
2300. 메모 - memorando
2301. 공지 - notificação
2302. 선 - linha
2303. 원 - um
2304. 사각형 - quadrado
2305. 글자 - carta
2306. 오류 - erro
2307. 데이터 - dados
2308. 이름 - nome
2309. 주소 - endereço
2310. 번호 - número

2311. 비용 - despesa
2312. 합계 - soma
2313. 예산 - orçamento
2314. 별 - estrela
2315. 사과 - desculpa
2316. 페이지 - Página
2317. 결과 - resultado
2318. 날씨 - tempo
2319. 승자 - vencedor
2320. 프로젝트 - projeto
2321. 누르다 - para premir
2322. 나는 버튼을 눌렀다. - Eu carreguei no botão.
2323. 너는 스위치를 누른다. - Tu carregas no interrutor.
2324. 그녀는 페달을 누를 것이다. - Ela vai carregar no pedal.
2325. 스위치 누를까? - Carrego no interrutor?
2326. 네, 눌러. - Sim, carrega.
2327. 떼다 - para tirar
2328. 나는 스티커를 뗐다. - Retirei o adesivo.
2329. 너는 라벨을 뗀다. - Tira-se a etiqueta.
2330. 우리는 포스터를 뗄 것이다. - Nós tiramos o cartaz.
2331. 라벨 떼어도 돼? - Posso tirar a etiqueta?
2332. 그래, 떼. - Sim, descasca.
2333. 붙이다 - para Colar
2334. 나는 사진을 붙였다. - Eu colei a fotografia.
2335. 너는 메모를 붙인다. - Tu colas notas.
2336. 당신들은 공지를 붙일 것이다. - Vais etiquetar um aviso.
2337. 메모 붙일까? - Devo colar um bilhete?
2338. 예, 붙여. - Sim, cola.
2339. 긋다 - para traçar uma linha
2340. 나는 선을 그었다. - Eu desenhei uma linha.
2341. 너는 원을 그린다. - Tu vais desenhar um círculo.
2342. 그들은 사각형을 그을 것이다. - Eles vão desenhar um quadrado.
2343. 선 긋기 좋아? - Gostas de desenhar linhas?
2344. 네, 좋아. - Sim, ótimo.

2345. 지우다 - para apagar
2346. 나는 글자를 지웠다. - Apaguei as letras.
2347. 너는 오류를 지운다. - Apagaste o erro.
2348. 그는 데이터를 지울 것이다. - Ele vai apagar os dados.
2349. 오류 지울까? - Apago o erro?
2350. 그래, 지워. - Sim, apaga.
2351. 적다 - Para escrever
2352. 나는 이름을 적었다. - Eu escrevo o nome.
2353. 너는 주소를 적는다. - Tu escreves a morada.
2354. 그녀는 번호를 적을 것이다. - Ela escreve o número.
2355. 주소 적어 줄래? - Podes escrever a morada?
2356. 좋아, 적어. - Está bem, escreve.
2357. 계산하다 - para calcular
2358. 나는 비용을 계산했다. - Eu calculei o custo.
2359. 너는 합계를 계산한다. - Tu calculas o total.
2360. 우리는 예산을 계산할 것이다. - Nós vamos calcular o orçamento.
2361. 합계 계산할까? - Vamos calcular o total?
2362. 네, 계산해. - Sim, vamos calcular.
2363. 세다 - Para contar
2364. 나는 별을 셌다. - Eu contei as estrelas.
2365. 너는 사과를 센다. - Tu contas as maçãs.
2366. 당신들은 페이지를 셀 것이다. - Tu contas as páginas.
2367. 사과 몇 개야? - Quantas maçãs?
2368. 지금 세. - Conta agora.
2369. 추측하다 - Adivinhar
2370. 나는 결과를 추측했다. - Eu adivinhei o resultado.
2371. 너는 날씨를 추측한다. - Tu adivinhas o tempo.
2372. 그들은 승자를 추측할 것이다. - Eles vão adivinhar o vencedor.
2373. 날씨 어때? - Como é que está o tempo?
2374. 비 올까 봐. - Acho que vai chover.
2375. 가정하다 - Assumir
2376. 나는 그가 올 것이라고 가정했다. - Presumi que ele viria.
2377. 너는 그녀가 승리할 것이라고 가정한다. - Presume que ela vai ganhar.
2378. 우리는 프로젝트가 성공할 것이라고 가정할 것이다. - Vamos partir do

princípio que o projeto vai ser bem sucedido.
2379. 그녀가 승리할까? - Ela vai ganhar?
2380. 아마 그럴것이다. - Provavelmente sim.
2381. 26. 명사 단어들 외우기, 필수 10개 동사의 단어들을 가지고 50문장 연습하기 - 26. Memorizar palavras substantivas, praticar 50 frases com as 10 palavras verbais necessárias
2382. 상황 - situação
2383. 의도 - intenção
2384. 결과 - resultado
2385. 계획 - plano
2386. 날짜 - data
2387. 장소 - localização
2388. 요청 - pedido
2389. 제안 - proposta
2390. 계약 - contrato
2391. 의견 - parecer
2392. 변경사항 - Alterações
2393. 조언 - conselho
2394. 문제 - problema
2395. 프로젝트 - projeto
2396. 해결책 - solução
2397. 주제 - assunto
2398. 모드 - modo
2399. 파일 - ficheiro
2400. 형식 - formulário
2401. 데이터 - dados
2402. 이슈 - questão
2403. 포인트 - ponto
2404. 질문 - questão
2405. 호출 - chamar
2406. 온도 - temperatura
2407. 볼륨 - volume
2408. 속도 - velocidade
2409. 판단하다 - para julgar

2410. 나는 상황을 판단했다. - Eu julguei a situação.
2411. 너는 그의 의도를 판단한다. - Tu julgas as suas intenções.
2412. 그녀는 결과를 판단할 것이다. - Ela julgará o resultado.
2413. 옳은 거야? - Está correto?
2414. 판단해 봐. - Julgar.
2415. 확정하다 - Finalizar (finalizar)
2416. 나는 계획을 확정했다. - Eu finalizei o plano.
2417. 너는 날짜를 확정한다. - Tu finalizarás a data.
2418. 그들은 장소를 확정할 것이다. - Eles confirmarão o local.
2419. 날짜 확정됐어? - A data está finalizada?
2420. 예, 됐어. - Sim, já está marcada.
2421. 승인하다 - para Aprovar
2422. 나는 요청을 승인했다. - Eu aprovo o pedido.
2423. 너는 제안을 승인한다. - Aprovam a proposta.
2424. 우리는 계약을 승인할 것이다. - Nós aprovamos o contrato.
2425. 제안 승인할까? - Aprovamos a proposta?
2426. 네, 승인해. - Sim, aprovem-na.
2427. 반영하다 - para Refletir
2428. 나는 의견을 반영했다. - Reflecti os comentários.
2429. 너는 변경사항을 반영한다. - Reflectirá as alterações.
2430. 그는 조언을 반영할 것이다. - Ele terá em conta os conselhos.
2431. 의견 반영됐어? - Reflectiu?
2432. 예, 반영됐어. - Sim, foi refletido.
2433. 접근하다 - to Approach (abordar)
2434. 나는 문제에 접근했다. - Eu abordei o problema.
2435. 너는 프로젝트에 접근한다. - Você aborda o projeto.
2436. 그녀는 해결책에 접근할 것이다. - Ela vai abordar a solução.
2437. 해결책 찾았어? - Encontraste uma solução?
2438. 찾는 중이야. - Estou a procurá-la.
2439. 전환하다 - Para mudar
2440. 나는 주제를 전환했다. - Mudei de assunto.
2441. 너는 모드를 전환한다. - Tu mudas de modo.
2442. 우리는 계획을 전환할 것이다. - Vamos mudar de planos.
2443. 모드 바꿀까? - Vamos mudar de modo?

2444. 네, 바꿔. - Sim, trocar.
2445. 변환하다 - para Converter
2446. 나는 파일을 변환했다. - Eu converti o ficheiro.
2447. 너는 형식을 변환한다. - Tu convertes um formato.
2448. 그들은 데이터를 변환할 것이다. - Eles vão converter os dados.
2449. 형식 맞춰줄래? - Consegues formatá-lo?
2450. 좋아, 맞출게. - Está bem, eu formato-o.
2451. 조명하다 - para iluminar
2452. 나는 이슈를 조명했다. - Iluminei a questão.
2453. 너는 포인트를 조명한다. - Tu iluminas um ponto.
2454. 그녀는 주제를 조명할 것이다. - Ela vai iluminar o tópico.
2455. 주제 뭘까? - Qual é o tema?
2456. 곧 알려줄게. - Dir-lhe-ei em breve.
2457. 응답하다 - Para responder
2458. 나는 질문에 응답했다. - Eu respondi à pergunta.
2459. 너는 요청에 응답한다. - Tu respondes ao pedido.
2460. 우리는 호출에 응답할 것이다. - Nós respondemos ao apelo.
2461. 답변 줄 수 있어? - Pode dar-me uma resposta?
2462. 네, 할 수 있어. - Sim, posso.
2463. 조절하다 - regular
2464. 나는 온도를 조절했다. - Eu regulei a temperatura.
2465. 너는 볼륨을 조절한다. - Tu ajustas o volume.
2466. 그들은 속도를 조절할 것이다. - Eles vão ajustar a velocidade.
2467. 볼륨 낮출까? - Queres que eu baixe o volume?
2468. 네, 낮춰 줘. - Sim, por favor, baixe-o.
2469. 27. 명사 단어들 외우기, 필수 10개 동사의 단어들을 가지고 50문장 연습하기 - 27. memorizar palavras substantivas, praticar 50 frases com as 10 palavras verbais essenciais
2470. 시스템 - sistema
2471. 드론 - drone
2472. 로봇 - robot
2473. 프로젝트 - projeto
2474. 팀 - equipa
2475. 회사 - empresa

2476. 가게 - loja
2477. 사이트 - sítio
2478. 카페 - café
2479. 주문 - encomenda
2480. 신청 - aplicação
2481. 문제 - problema
2482. 기술 - tecnologia
2483. 능력 - capacidade
2484. 경험 - experiência
2485. 지식 - conhecimento
2486. 사업 - atividade
2487. 영역 - área
2488. 시장 - mercado
2489. 비용 - despesa
2490. 규모 - Escala
2491. 지출 - despesas
2492. 매출 - vendas
2493. 노력 - Esforço
2494. 효율 - Eficiência
2495. 제어하다 - para Controlo
2496. 나는 시스템을 제어했다. - Eu controlo o sistema.
2497. 너는 드론을 제어한다. - Tu controlas o drone.
2498. 우리는 로봇을 제어할 것이다. - Nós vamos controlar o robot.
2499. 드론 조종해 봤어? - Já pilotaste um drone?
2500. 아니, 안 해봤어. - Não, não pilotei.
2501. 관리하다 - para Gerir
2502. 나는 프로젝트를 관리했다. - Eu geri o projeto.
2503. 너는 팀을 관리한다. - Você gere a equipa.
2504. 그는 회사를 관리할 것이다. - Ele vai gerir a empresa.
2505. 팀 잘 돼가? - Como está a equipa?
2506. 네, 잘 돼. - Sim, está a correr bem.
2507. 운영하다 - Dirigir
2508. 나는 가게를 운영했다. - Eu geri a loja.
2509. 너는 사이트를 운영한다. - Tu geres o site.

2510. 그녀는 카페를 운영할 것이다. - Ela vai gerir o café.
2511. 사이트 잘 운영돼? - O sítio está a funcionar bem?
2512. 예, 잘 돼. - Sim, está a correr bem.
2513. 처리하다 - para processar
2514. 나는 주문을 처리했다. - Eu processei a encomenda.
2515. 너는 신청을 처리한다. - Tu processas o pedido.
2516. 우리는 문제를 처리할 것이다. - Nós tratamos do problema.
2517. 신청 처리됐어? - Processaste o pedido?
2518. 네, 처리됐어. - Sim, foi processado.
2519. 처리하다 - para processar
2520. 나는 주문을 처리했다. - Eu processei o pedido.
2521. 너는 신청을 처리한다. - Tu processas o pedido.
2522. 그는 문제를 처리할 것이다. - Ele vai tratar do problema.
2523. 신청 처리됐어? - Processaste o pedido?
2524. 됐어. - Está feito.
2525. 발전하다 - Para avançar
2526. 그녀는 기술을 발전시켰다. - Ela desenvolveu as suas capacidades.
2527. 우리는 능력을 발전시킨다. - Nós desenvolvemos as nossas capacidades.
2528. 당신들은 시스템을 발전시킬 것이다. - Vais fazer avançar o sistema.
2529. 기술 좋아졌니? - Melhoraste as tuas capacidades?
2530. 네, 좋아. - Sim, é bom.
2531. 성장하다 - crescer
2532. 그들은 빠르게 성장했다. - Eles cresceram depressa.
2533. 나는 경험을 성장시킨다. - Eu cresço em experiência.
2534. 너는 지식을 성장시킬 것이다. - Tu vais crescer em conhecimento.
2535. 경험 많아졌어? - Cresceste em experiência?
2536. 많아. - Eu tenho muita.
2537. 확장하다 - para expandir
2538. 나는 사업을 확장했다. - Expandi o meu negócio.
2539. 너는 영역을 확장한다. - Vais expandir o teu território.
2540. 그는 시장을 확장할 것이다. - Ele vai expandir o mercado.
2541. 시장 크니? - O mercado é grande?
2542. 네, 크다. - Sim, é grande.

2543. 축소하다 - Diminuir
2544. 그녀는 비용을 축소했다. - Ela reduziu os seus custos.
2545. 우리는 규모를 축소한다. - Estamos a reduzir.
2546. 당신들은 지출을 축소할 것이다. - Vais reduzir as tuas despesas.
2547. 비용 줄었어? - Reduziste as despesas?
2548. 네, 줄었어. - Sim, diminuíram.
2549. 증가하다 - para aumentar
2550. 그들은 매출을 증가시켰다. - Eles aumentaram as vendas.
2551. 나는 노력을 증가시킨다. - I increase effort.
2552. 너는 효율을 증가시킬 것이다. - Tu vais aumentar a eficiência.
2553. 매출 올랐어? - As vendas aumentaram?
2554. 네, 올랐어. - Sim, aumentaram.
2555. 28. 명사 단어들 외우기, 필수 10개 동사의 단어들을 가지고 50문장 연습하기 - 28. memorizar palavras substantivas, praticar 50 frases com as 10 palavras verbais essenciais
2556. 오류 - erro
2557. 리스크 - risco
2558. 부채 - fã
2559. 앱 - app
2560. 소프트웨어 - software
2561. 기술 - tecnologia
2562. 기계 - máquina
2563. 아이디어 - ideia
2564. 제품 - produto
2565. 예술작품 - obra de arte
2566. 콘텐츠 - conteúdo
2567. 비전 - visão
2568. 해결책 - solução
2569. 정보 - informação
2570. 답 - resposta
2571. 우주 - universo
2572. 신세계 - novo mundo
2573. 바다 - oceano
2574. 시장 - mercado

2575. 사건 - evento
2576. 현상 - fenómeno
2577. 도움 - ajuda
2578. 지원 - apoio
2579. 협력 - Cooperação
2580. 계획 - plano
2581. 전략 - estratégia
2582. 제안 - proposta
2583. 조건 - condição
2584. 요청 - pedido
2585. 감소하다 - para Reduzir
2586. 나는 오류를 감소시켰다. - Reduzi os erros.
2587. 너는 리스크를 감소시킨다. - Tu reduzes o risco.
2588. 그는 부채를 감소시킬 것이다. - Ele vai reduzir a dívida.
2589. 리스크 적어졌어? - Menos risco?
2590. 적어. - Menos.
2591. 개발하다 - Desenvolver
2592. 그녀는 앱을 개발했다. - Ela desenvolveu uma aplicação.
2593. 우리는 소프트웨어를 개발한다. - Nós desenvolvemos software.
2594. 당신들은 기술을 개발할 것이다. - Vocês vão desenvolver tecnologia.
2595. 앱 나왔어? - A aplicação já foi lançada?
2596. 나왔어. - Já saiu.
2597. 발명하다 - Para inventar
2598. 그들은 기계를 발명했다. - Eles inventaram uma máquina.
2599. 나는 아이디어를 발명한다. - Eu invento uma ideia.
2600. 너는 제품을 발명할 것이다. - Tu vais inventar um produto.
2601. 기계 새로운 거야? - A máquina é nova?
2602. 새로워. - New (nova).
2603. 창조하다 - Para criar
2604. 나는 예술작품을 창조했다. - Eu crio uma obra de arte.
2605. 너는 콘텐츠를 창조한다. - Tu vais criar conteúdo.
2606. 그는 비전을 창조할 것이다. - Ele vai criar uma visão.
2607. 콘텐츠 재밌어? - O conteúdo é engraçado?
2608. 재밌어. - É divertido.

2609. 찾아내다 - para descobrir
2610. 그녀는 해결책을 찾아냈다. - Ela encontrou uma solução.
2611. 우리는 정보를 찾아낸다. - Nós encontramos informação.
2612. 당신들은 답을 찾아낼 것이다. - Vais encontrar a resposta.
2613. 정보 찾았어? - Encontraste a informação?
2614. 찾았어. - Encontrei.
2615. 탐사하다 - explorar
2616. 그들은 우주를 탐사했다. - Eles exploraram o universo.
2617. 나는 신세계를 탐사한다. - Eu exploro novos mundos.
2618. 너는 바다를 탐사할 것이다. - Tu vais explorar o oceano.
2619. 우주 멋져? - O espaço é fixe?
2620. 멋져. - É fixe.
2621. 조사하다 - investigar
2622. 나는 시장을 조사했다. - Eu investiguei o mercado.
2623. 너는 사건을 조사한다. - You will investigate the case.
2624. 그는 현상을 조사할 것이다. - Ele vai investigar o fenómeno.
2625. 사건 해결됐어? - O caso está resolvido?
2626. 해결돼. - Está resolvido.
2627. 청하다 - Pedir
2628. 그녀는 도움을 청했다. - Ela pediu ajuda.
2629. 우리는 지원을 청한다. - Estamos a pedir ajuda.
2630. 당신들은 협력을 청할 것이다. - Ser-vos-á pedido que cooperem.
2631. 도움 필요해? - Precisas de ajuda?
2632. 필요해. - Eu preciso.
2633. 제안하다 - Propor
2634. 그들은 계획을 제안했다. - Eles propuseram um plano.
2635. 나는 아이디어를 제안한다. - Eu proponho uma ideia.
2636. 너는 전략을 제안할 것이다. - Tu vais propor uma estratégia.
2637. 아이디어 있어? - Tens uma ideia?
2638. 있어. - Eu tenho.
2639. 승낙하다 - Aceitar
2640. 나는 제안을 승낙했다. - Eu aceito a proposta.
2641. 너는 조건을 승낙한다. - Tu aceitas as condições.
2642. 그는 요청을 승낙할 것이다. - Ele aceitará o pedido.

2643. 조건 괜찮아? - As condições estão correctas?
2644. 괜찮아. - Estou ótimo.
2645. 29. 명사 단어들 외우기, 필수 10개 동사의 단어들을 가지고 50문장 연습하기 - 29. Memorizar palavras substantivas, praticar 50 frases com as 10 palavras verbais necessárias
2646. 문제 - problema
2647. 주제 - assunto
2648. 해결책 - solução
2649. 의견 - opinião
2650. 친구 - amigo
2651. 여행 - viajar
2652. 부모님 - pais
2653. 조언 - conselho
2654. 위험 - perigo
2655. 소식 - notícias
2656. 정보 - informação
2657. 변화 - mudança
2658. 사랑 - amor
2659. 마음 - mente
2660. 진심 - Sinceridade
2661. 문서 - documento
2662. 이미지 - imagem
2663. 자료 - dados
2664. 표 - gráfico
2665. 보고서 - relatório
2666. 그래프 - gráfico
2667. 부분 - trabalho a tempo parcial
2668. 문장 - frase
2669. 영상 - vídeo
2670. 장면 - cena
2671. 답 - resposta
2672. 장소 - localização
2673. 주소 - endereço
2674. 토론하다 - para discutir

2675. 그는 어제 문제에 대해 토론했다. - Ele discutiu o problema ontem.
2676. 그녀는 지금 중요한 주제를 토론한다. - Ela discute temas importantes agora.
2677. 우리는 내일 해결책을 토론할 것이다. - Amanhã discutiremos a solução.
2678. 의견 있어? - Tens uma opinião?
2679. 네, 있어. - Sim, tenho.
2680. 설득하다 - persuadir
2681. 그녀는 친구를 여행 가기로 설득했다. - Ela convenceu a sua amiga a ir na viagem.
2682. 나는 지금 부모님을 설득한다. - Estou a convencer os meus pais agora.
2683. 너는 내일 그들을 설득할 것이다. - Vais convencê-los amanhã.
2684. 설득됐어? - Convencido?
2685. 응, 됐어. - Sim, estou convencido.
2686. 조언하다 - Para aconselhar
2687. 그들은 나에게 좋은 조언을 해주었다. - Eles deram-me bons conselhos.
2688. 나는 지금 친구에게 조언한다. - Eu aconselho o meu amigo agora.
2689. 너는 내일 조언을 할 것이다. - Amanhã vais dar conselhos.
2690. 조언 필요해? - Precisas de conselhos?
2691. 필요해, 고마워. - Preciso, obrigado.
2692. 경고하다 - avisar
2693. 그녀는 위험에 대해 경고했다. - Ela avisou-o do perigo.
2694. 우리는 지금 위험을 경고한다. - Nós avisamos do perigo agora.
2695. 당신들은 내일 그들을 경고할 것이다. - Amanhã vais avisá-los.
2696. 경고 들었어? - Ouviste o aviso?
2697. 네, 들었어. - Sim, ouvi.
2698. 알리다 - informar
2699. 그는 어제 소식을 알렸다. - Ele deu a conhecer a notícia ontem.
2700. 그녀는 지금 정보를 알린다. - Ela informa a informação agora.
2701. 우리는 내일 변화를 알릴 것이다. - Amanhã anunciaremos a mudança.
2702. 소식 알아? - Sabes as novidades?
2703. 아니, 몰라. - Não, não sei.

2704. 고백하다 - confessar
2705. 그녀는 그에게 사랑을 고백했다. - Ela confessou-lhe o seu amor.
2706. 나는 지금 마음을 고백한다. - Confesso o meu coração agora.
2707. 너는 내일 진심을 고백할 것이다. - Vais confessar o teu coração amanhã.
2708. 고백할 거야? - Vais confessar-te?
2709. 응, 할 거야. - Sim, vou.
2710. 붙여넣다 - para Colar
2711. 그는 문서에 이미지를 붙여넣었다. - Ele colou a imagem no documento.
2712. 그녀는 지금 자료에 표를 붙여넣는다. - Ela está agora a colar uma tabela no documento.
2713. 우리는 내일 보고서에 그래프를 붙여넣을 것이다. - Amanhã colamos o gráfico no relatório.
2714. 완성됐어? - Já acabaste?
2715. 거의 다 됐어. - Estou quase a acabar.
2716. 잘라내다 - cortar
2717. 그들은 불필요한 부분을 잘라냈다. - Eles cortam as partes desnecessárias.
2718. 나는 지금 문서에서 문장을 잘라낸다. - Estou a cortar frases do documento agora.
2719. 너는 내일 영상에서 장면을 잘라낼 것이다. - Amanhã vais cortar cenas do vídeo.
2720. 줄일 필요 있어? - Precisas de cortar alguma coisa?
2721. 응, 있어. - Sim, preciso.
2722. 검색하다 - Para procurar
2723. 그녀는 정보를 검색했다. - Ela procurou informação.
2724. 나는 지금 자료를 검색한다. - Estou a procurar material agora.
2725. 너는 내일 답을 검색할 것이다. - Amanhã vais procurar respostas.
2726. 정보 찾고 있어? - Estás à procura de informação?
2727. 찾고 있어. - Estou a procurar.
2728. 찾아보다 - Procurar
2729. 그는 옛 친구를 찾아보았다. - Ele procurou o seu velho amigo.
2730. 그녀는 지금 문서를 찾아본다. - Ela está agora à procura do

documento.
2731. 우리는 내일 그 장소를 찾아볼 것이다. - Amanhã vamos procurar o sítio.
2732. 주소 찾았어? - Encontraste a morada?
2733. 아직 못 찾았어. - Não, ainda não o encontrei.
2734. 30. 명사 단어들 외우기, 필수 10개 동사의 단어들을 가지고 50문장 연습하기 - 30. memorizar palavras substantivas, praticar 50 frases com as 10 palavras verbais essenciais
2735. 리더 - líder
2736. 메뉴 - menu
2737. 색상 - cor
2738. 프로젝트 - projeto
2739. 계획 - plano
2740. 아이디어 - ideia
2741. 스케줄 - horário
2742. 예약 - reserva
2743. 보안 - segurança
2744. 비밀번호 - palavra-passe
2745. 규칙 - regra
2746. 입장 - Entrada
2747. 영향력 - Influência
2748. 제한 - limite
2749. 프로세스 - processo
2750. 시스템 - sistema
2751. 웹사이트 - Sítio Web
2752. 기능 - função
2753. 계정 - conta
2754. 서비스 - serviço
2755. 알림 - alarme
2756. 옵션 - opção
2757. 컴퓨터 - computador
2758. 인터넷 - Internet
2759. 기기 - aparelho
2760. 부분 - trabalho a tempo parcial

2761. 요소 - Elemento
2762. 구성 - composição
2763. 선택하다 - para Escolher
2764. 그들은 새 리더를 선택했다. - Eles escolheram um novo leitor.
2765. 나는 지금 메뉴를 선택한다. - Eu escolho o menu agora.
2766. 너는 내일 색상을 선택할 것이다. - Amanhã vais escolher uma cor.
2767. 쉽게 고를 수 있어? - É fácil escolher?
2768. 네, 쉬워. - Sim, é fácil.
2769. 구상하다 - imaginar
2770. 그녀는 새 프로젝트를 구상했다. - Ela concebeu um novo projeto.
2771. 나는 지금 계획을 구상한다. - Eu concebo um plano agora.
2772. 우리는 내일 아이디어를 구상할 것이다. - Amanhã vamos idealizar.
2773. 아이디어 있어? - Tens algumas ideias?
2774. 응, 많아. - Sim, tenho muitas.
2775. 변경하다 - mudar
2776. 그는 계획을 변경했다. - Ele mudou os seus planos.
2777. 그녀는 지금 스케줄을 변경한다. - Ela mudou a sua agenda agora.
2778. 당신들은 내일 예약을 변경할 것이다. - Vocês vão remarcar amanhã.
2779. 날짜 바꿀래? - Queres mudar a data?
2780. 그래, 바꿀래. - Sim, eu mudo-a.
2781. 강화하다 - Para apertar
2782. 그들은 보안을 강화했다. - Eles aumentaram a segurança.
2783. 나는 지금 비밀번호를 강화한다. - Estou a reforçar a minha palavra-passe.
2784. 너는 내일 규칙을 강화할 것이다. - Amanhã vais reforçar as regras.
2785. 보안 더 필요해? - Precisas de mais segurança?
2786. 네, 필요해. - Sim, preciso.
2787. 약화하다 - enfraquecer
2788. 그녀는 입장을 약화시켰다. - Ela enfraqueceu a sua posição.
2789. 우리는 지금 영향력을 약화시킨다. - Nós enfraquecemos a nossa influência agora.
2790. 당신들은 내일 제한을 약화시킬 것이다. - Amanhã enfraquecerá as restrições.
2791. 영향 줄어들었어? - Menos influência?

2792. 응, 줄었어. - Sim, diminuiu.
2793. 최적화하다 - para otimizar
2794. 그는 프로세스를 최적화했다. - Ele optimizou o processo.
2795. 그녀는 지금 시스템을 최적화한다. - Ela optimiza o sistema agora.
2796. 우리는 내일 웹사이트를 최적화할 것이다. - Vamos otimizar o site amanhã.
2797. 성능 좋아졌어? - O desempenho está melhor?
2798. 많이 좋아졌어. - Está muito melhor.
2799. 활성화하다 - para ativar
2800. 그들은 기능을 활성화했다. - Eles activaram a funcionalidade.
2801. 나는 지금 계정을 활성화한다. - Estou a ativar a conta agora.
2802. 너는 내일 서비스를 활성화할 것이다. - Vai ativar o serviço amanhã.
2803. 작동하나요? - Está a funcionar?
2804. 응, 잘 돼. - Sim, funciona.
2805. 비활성화하다 - para Desativar
2806. 그녀는 알림을 비활성화했다. - Ela desactivou as notificações.
2807. 우리는 지금 옵션을 비활성화한다. - Desactivamos a opção agora.
2808. 당신들은 내일 기능을 비활성화할 것이다. - Vocês vão desativar a funcionalidade amanhã.
2809. 더 이상 안 나와? - Já não vai aparecer?
2810. 아니, 안 나와. - Não, não vai.
2811. 연결하다 - para ligar
2812. 나는 컴퓨터를 연결했다. - Liguei o meu computador.
2813. 너는 인터넷을 연결한다. - Tu ligas a Internet.
2814. 그는 기기를 연결할 것이다. - Ele vai ligar o dispositivo.
2815. 연결 됐어? - Está ligado?
2816. 됐어. - Já está.
2817. 분리하다 - Para separar
2818. 그녀는 두 부분을 분리했다. - Ela separou as duas partes.
2819. 우리는 요소들을 분리한다. - Separamos os elementos.
2820. 당신들은 구성을 분리할 것이다. - Tu vais separar a composição.
2821. 분리해야 해? - Temos de separar?
2822. 해야 해. - Deves.
2823. 31. 명사 단어들 외우기, 필수 10개 동사의 단어들을 가지고 50문장 연습

하기 - 31. memorizar os substantivos, praticar 50 frases com as 10 palavras verbais essenciais
2824. 가구 - mobiliário
2825. 모델 - Modelo
2826. 장난감 - brinquedo
2827. 기계 - máquina
2828. 구조 - estrutura
2829. 시스템 - sistema
2830. 선물 - prenda
2831. 상품 - bens
2832. 박스 - caixa
2833. 편지 - carta
2834. 패키지 - pacote
2835. 상자 - Caixa
2836. 볼륨 - volume
2837. 뚜껑 - Tampa
2838. 핸들 - pega
2839. 페이지 - Página
2840. 채널 - canal
2841. 장 - página
2842. 종이 - papel
2843. 천 - pano
2844. 나무 - a árvore
2845. 국물 - sopa
2846. 음료 - bebida
2847. 소스 - molho
2848. 요리 - cozinhar
2849. 스무디 - batido
2850. 케이크 - bolo
2851. 목욕 - banho
2852. 온천 - Spa
2853. 조립하다 - para montar
2854. 그들은 가구를 조립했다. - Eles montaram os móveis.
2855. 나는 모델을 조립한다. - Eu monto a maqueta.

2856. 너는 장난감을 조립할 것이다. - Tu vais montar o brinquedo.
2857. 도와줄까? - Queres que eu te ajude?
2858. 좋아. - Sim.
2859. 해체하다 - Para desmontar
2860. 그녀는 기계를 해체했다. - Ela desmontou a máquina.
2861. 우리는 구조를 해체한다. - Nós desmantelamos a estrutura.
2862. 당신들은 시스템을 해체할 것이다. - Tu vais desmantelar o sistema.
2863. 해체 필요해? - Precisas de desmontar?
2864. 필요해. - Preciso.
2865. 포장하다 - Para embrulhar
2866. 나는 선물을 포장했다. - Embrulhei a prenda.
2867. 너는 상품을 포장한다. - Tu embalas a mercadoria.
2868. 그는 박스를 포장할 것이다. - Ele embala as caixas.
2869. 끝났어? - Já acabaste?
2870. 아직. - Ainda não.
2871. 개봉하다 - Para abrir
2872. 그녀는 편지를 개봉했다. - Ela abriu a carta.
2873. 우리는 패키지를 개봉한다. - Nós abrimos o pacote.
2874. 당신들은 상자를 개봉할 것이다. - Tu abres a caixa.
2875. 열어볼까? - Vamos abri-la?
2876. 열어봐. - Abrir.
2877. 돌리다 - para virar
2878. 그들은 볼륨을 돌렸다. - Eles rodaram o volume.
2879. 나는 뚜껑을 돌린다. - Eu viro a tampa.
2880. 너는 핸들을 돌릴 것이다. - Tu viras o manípulo.
2881. 돌려야 돼? - Tenho de a rodar?
2882. 응, 돼. - Sim, podes.
2883. 넘기다 - virar
2884. 그녀는 페이지를 넘겼다. - Ela virou a página.
2885. 우리는 채널을 넘긴다. - Nós viramos o canal.
2886. 당신들은 장을 넘길 것이다. - Tu vais virar o capítulo.
2887. 넘길까? - Vamos virar?
2888. 넘겨. - Virar.
2889. 자르다 - Para cortar

2890. 나는 종이를 자르다. - Eu corto o papel.
2891. 너는 천을 자른다. - Tu cortas o pano.
2892. 그는 나무를 자를 것이다. - Ele vai cortar madeira.
2893. 자를까? - Vamos cortar?
2894. 자르자. - Vamos cortar.
2895. 저다 - O apoio
2896. 그녀는 국물을 저었다. - Ela mexeu o caldo.
2897. 우리는 음료를 젓는다. - Nós mexemos a bebida.
2898. 당신들은 소스를 저을 것이다. - Vocês mexem o molho.
2899. 더 저을까? - Vamos mexer mais um pouco?
2900. 응, 저어. - Sim, mexam.
2901. 맛보다 - Para provar
2902. 그들은 새 요리를 맛보았다. - Eles provaram o novo prato.
2903. 나는 스무디를 맛본다. - Eu provei o batido.
2904. 너는 케이크를 맛볼 것이다. - Tu vais provar o bolo.
2905. 맛있어? - É delicioso?
2906. 맛있어. - Está delicioso.
2907. 목욕하다 - tomar banho
2908. 그녀는 긴 목욕을 했다. - Ela tomou um longo banho.
2909. 우리는 온천에서 목욕한다. - Nós banhamo-nos nas fontes termais.
2910. 당신들은 집에서 목욕할 것이다. - Tu vais tomar banho em casa.
2911. 뜨거워? - Está quente?
2912. 적당해. - Está ótimo.
2913. 32. 명사 단어들 외우기, 필수 10개 동사의 단어들을 가지고 50문장 연습하기 - 32. memorizar os substantivos, praticar 50 frases com as palavras dos 10 verbos essenciais
2914. 샤워 - tomar banho
2915. 드레스 - vestir
2916. 유니폼 - uniforme
2917. 옷 - roupa
2918. 잠옷 - pijama
2919. 신발 - sapatos
2920. 코트 - casaco
2921. 파티복 - roupa de festa

2922. 운동복 - Roupa de desporto
2923. 머리 - cabeça
2924. 고양이 - gato
2925. 말 - palavra
2926. 방 - quarto
2927. 트리 - árvore
2928. 집 - a casa
2929. 문서 - documento
2930. 보고서 - relatório
2931. 이메일 - e-mail
2932. 그림 - pintura
2933. 스케치 - esboço
2934. 만화 - banda desenhada
2935. 길 - estrada
2936. 눈길 - linha de visão
2937. 정글 - selva
2938. 샤워하다 - tomar um duche
2939. 나는 아침에 샤워했다. - Tomei um duche de manhã.
2940. 너는 지금 샤워한다. - Agora tomas banho.
2941. 그는 저녁에 샤워할 것이다. - Ele vai tomar duche à noite.
2942. 빨리 할까? - Vamos fazê-lo rapidamente?
2943. 빨리 해. - Tomar rapidamente.
2944. 입다 - Para vestir
2945. 그녀는 드레스를 입었다. - Ela vestiu o vestido.
2946. 우리는 유니폼을 입는다. - Nós vestimos os uniformes.
2947. 당신들은 새 옷을 입을 것이다. - Vocês vão usar roupas novas.
2948. 예뻐? - É bonito?
2949. 예뻐. - É bonito.
2950. 벗다 - tirar
2951. 그들은 잠옷을 벗었다. - Eles tiraram o pijama.
2952. 나는 신발을 벗는다. - Eu tiro os meus sapatos.
2953. 너는 코트를 벗을 것이다. - Vais tirar o teu casaco.
2954. 춥지 않아? - Não tens frio?
2955. 괜찮아. - Estou ótimo.

2956. 갈아입다 - mudar de roupa
2957. 그녀는 파티복으로 갈아입었다. - Ela vestiu a roupa de festa.
2958. 우리는 운동복으로 갈아입는다. - Nós vamos vestir as nossas roupas desportivas.
2959. 당신들은 편안한 옷으로 갈아입을 것이다. - Tu vais vestir uma roupa confortável.
2960. 빨리 할 수 있어? - Consegues fazê-lo rapidamente?
2961. 할 수 있어. - Posso fazê-lo.
2962. 빗다 - pentear
2963. 나는 머리를 빗었다. - Penteei o meu cabelo.
2964. 너는 고양이를 빗는다. - Tu escovas o gato.
2965. 그는 말을 빗을 것이다. - Ele vai pentear o cavalo.
2966. 도와줄까? - Queres que eu te ajude?
2967. 좋아. - Está bem.
2968. 꾸미다 - Decorar
2969. 그녀는 방을 꾸몄다. - Ela decorou o seu quarto.
2970. 우리는 트리를 꾸민다. - Nós decoramos a árvore.
2971. 당신들은 집을 꾸밀 것이다. - Tu vais decorar a casa.
2972. 예쁘게 할까? - Vamos pô-la bonita?
2973. 그래, 예쁘게. - Sim, embelezar.
2974. 단장하다 - vestir-se
2975. 그들은 축제에 맞춰 단장했다. - They dressed up for the festival.
2976. 나는 면접에 맞춰 단장한다. - Estou a vestir-me para uma entrevista de emprego.
2977. 너는 결혼식에 맞춰 단장할 것이다. - Vais vestir-te bem para o casamento.
2978. 준비 됐어? - Estás pronto?
2979. 됐어. - Estou pronto.
2980. 교정하다 - revisar
2981. 그녀는 문서를 교정했다. - Ela fez a revisão do documento.
2982. 우리는 보고서를 교정한다. - Nós revemos o relatório.
2983. 당신들은 이메일을 교정할 것이다. - Vocês vão rever o e-mail.
2984. 오류 있어? - Há erros?
2985. 없어. - Não.

2986. 채색하다 - Para colorir
2987. 나는 그림에 채색했다. - Eu colori o desenho.
2988. 너는 스케치를 채색한다. - Tu vais colorir o desenho.
2989. 그는 만화를 채색할 것이다. - Ele vai colorir o desenho animado.
2990. 끝났어? - Já acabaste?
2991. 거의. - Quase.
2992. 헤치다 - para se proteger
2993. 그녀는 길을 헤쳤다. - Ela tapou o caminho.
2994. 우리는 눈길을 헤친다. - Nós aramos a neve.
2995. 당신들은 정글을 헤칠 것이다. - Tu vais conseguir atravessar a selva.
2996. 힘들어? - Difícil?
2997. 좀 힘들어. - É um pouco difícil.
2998. 33. 명사 단어들 외우기, 필수 10개 동사의 단어들을 가지고 50문장 연습하기 - 33. Memorizar os substantivos, praticar 50 frases com as palavras dos 10 verbos essenciais
2999. 팬케이크 - panqueca
3000. 책장 - estante
3001. 매트 - tapete
3002. 공원 - parque
3003. 해변 - praia
3004. 산길 - caminho de montanha
3005. 줄넘기 - corda de saltar
3006. 장애물 - obstáculo
3007. 역사 - história
3008. 수학 - matemática
3009. 과학 - ciência
3010. 기술 - tecnologia
3011. 레시피 - receita
3012. 노래 - cantar
3013. 시 - cidade
3014. 공식 - oficial
3015. 단어 - palavra
3016. 시장 - mercado
3017. 문화 - cultura

3018. 생태계 - ecossistema
3019. 우주 - universo
3020. 인간 마음 - mente humana
3021. 심해 - mar profundo
3022. 방법 - método
3023. 화학 반응 - reação química
3024. 생물학적 실험 - experiência biológica
3025. 제품 - produto
3026. 능력 - capacidade
3027. 뒤집다 - virar
3028. 그들은 팬케이크를 뒤집었다. - Eles viraram as panquecas.
3029. 나는 책장을 뒤집는다. - Eu viro a estante.
3030. 너는 매트를 뒤집을 것이다. - Tu vais virar o tapete.
3031. 잘 됐어? - Correu bem?
3032. 잘 됐어. - Correu bem.
3033. 뛰다 - correr
3034. 그녀는 공원을 뛰었다. - Ela correu pelo parque.
3035. 우리는 해변을 뛴다. - Nós corremos na praia.
3036. 당신들은 산길을 뛸 것이다. - Vocês vão correr nos trilhos da montanha.
3037. 피곤해? - Estás cansado?
3038. 아니, 괜찮아. - Não, estou ótimo.
3039. 점프하다 - Para saltar
3040. 나는 높이 점프했다. - Eu saltei alto.
3041. 너는 줄넘기를 점프한다. - Tu vais saltar à corda.
3042. 그는 장애물을 점프할 것이다. - Ele vai saltar o obstáculo.
3043. 할 수 있어? - Consegues fazê-lo?
3044. 할 수 있어. - Eu consigo.
3045. 공부하다 - estudar
3046. 그녀는 역사를 공부했다. - Ela estudou história.
3047. 우리는 수학을 공부한다. - Nós estudamos matemática.
3048. 당신들은 과학을 공부할 것이다. - Vocês vão estudar ciências.
3049. 어려워? - É difícil?
3050. 조금 어려워. - Um pouco difícil.

3051. 익히다 - dominar
3052. 그들은 새로운 기술을 익혔다. - Eles dominaram uma nova habilidade.
3053. 나는 레시피를 익힌다. - Eu domino uma receita.
3054. 너는 노래를 익힐 것이다. - Tu vais dominar a canção.
3055. 쉬워? - É fácil?
3056. 쉬워. - É fácil.
3057. 암기하다 - Memorizar
3058. 그녀는 시를 암기했다. - Ela memorizou o poema.
3059. 우리는 공식을 암기한다. - Nós memorizamos fórmulas.
3060. 당신들은 단어를 암기할 것이다. - Tu vais memorizar as palavras.
3061. 외웠어? - Memorizaste?
3062. 외웠어. - Eu memorizei-o.
3063. 연구하다 - estudar
3064. 나는 시장을 연구했다. - Eu estudei o mercado.
3065. 너는 문화를 연구한다. - Tu estudas a cultura.
3066. 그는 생태계를 연구할 것이다. - Ele vai estudar o ecossistema.
3067. 발견했어? - Encontraste-o?
3068. 발견했어. - Encontrei-o.
3069. 탐구하다 - explorar
3070. 그녀는 우주를 탐구했다. - Ela explorou o universo.
3071. 우리는 인간 마음을 탐구한다. - Nós exploramos a mente humana.
3072. 당신들은 심해를 탐구할 것이다. - Vais explorar as profundezas do mar.
3073. 무엇을 탐구해? - Explorar o quê?
3074. 심해를 탐구해. - Explorar o mar profundo.
3075. 실험하다 - experimentar
3076. 나는 새로운 방법을 실험했다. - Experimentei um novo método.
3077. 너는 화학 반응을 실험한다. - Vais fazer experiências com reacções químicas.
3078. 그는 생물학적 실험을 할 것이다. - Ele vai fazer uma experiência biológica.
3079. 성공했어? - Conseguiste?
3080. 네, 성공했어. - Sim, foi bem sucedida.
3081. 시험하다 - para testar

3082. 그들은 제품을 시험했다. - Eles testaram o produto.
3083. 나는 내 능력을 시험한다. - Eu testo as minhas capacidades.
3084. 너는 새 기술을 시험할 것이다. - Tu vais testar as tuas novas capacidades.
3085. 어때? - Como é que está a correr?
3086. 잘 작동해. - Está a funcionar bem.
3087. 34. 명사 단어들 외우기, 필수 10개 동사의 단어들을 가지고 50문장 연습하기 - 34. memorizar palavras substantivas, praticar 50 frases com as 10 palavras verbais essenciais
3088. 친구 - amigo
3089. 대화 - conversa
3090. 주제 - assunto
3091. 세계 평화 - paz no mundo
3092. 팀 - equipa
3093. 가족 - família
3094. 다국어 - multilingue
3095. 질문 - pergunta
3096. 퀴즈 - Questionário
3097. 인터뷰 질문 - perguntas de entrevista
3098. 사건 - evento
3099. 독립 기념일 - quarto
3100. 업적 - Conquistas
3101. 졸업 - licenciatura
3102. 승진 - promoção
3103. 생일 - aniversário
3104. 영웅 - herói
3105. 역사적 사건 - incidente histórico
3106. 인물 - Personagem
3107. 사람 - pessoa
3108. 학생 - estudante
3109. 노력 - esforço
3110. 성취 - realização
3111. 성공 - sucesso
3112. 실수 - erro

3113. 부정적 행동 - comportamento negativo
3114. 불공정 - injusto
3115. 대화하다 - para Converse
3116. 그녀는 친구와 깊은 대화를 했다. - Ela teve uma conversa profunda com a sua amiga.
3117. 우리는 중요한 주제에 대해 대화한다. - Falamos sobre temas importantes.
3118. 당신들은 세계 평화에 대해 대화할 것이다. - Vão falar sobre a paz mundial.
3119. 흥미로워? - Interessante?
3120. 매우 흥미로워. - Muito interessante.
3121. 소통하다 - to Communicate (comunicar)
3122. 나는 팀과 효과적으로 소통했다. - Eu comuniquei eficazmente com a minha equipa.
3123. 너는 가족과 소통한다. - Tu comunicas com a tua família.
3124. 그는 다국어로 소통할 것이다. - Ele comunicará em várias línguas.
3125. 쉬워? - É fácil?
3126. 노력이 필요해. - É preciso esforço.
3127. 답하다 - para responder
3128. 그들은 내 질문에 답했다. - Eles responderam à minha pergunta.
3129. 나는 퀴즈에 답한다. - Eu respondo ao questionário.
3130. 너는 인터뷰 질문에 답할 것이다. - Vais responder às perguntas da entrevista.
3131. 준비됐어? - Estás pronto?
3132. 예, 준비됐어. - Sim, estou pronto.
3133. 기념하다 - to commemorate (comemorar)
3134. 그녀는 중요한 사건을 기념했다. - Ela comemorou um acontecimento importante.
3135. 우리는 독립 기념일을 기념한다. - We celebrate Independence Day (comemoramos o Dia da Independência).
3136. 당신들은 업적을 기념할 것이다. - Vais comemorar um feito.
3137. 언제야? - Quando é que é?
3138. 내일이야. - Amanhã.
3139. 경축하다 - celebrar

3140. 나는 졸업을 경축했다. - Comemorei minha formatura.
3141. 너는 승진을 경축한다. - Você vai comemorar sua promoção.
3142. 그는 생일을 경축할 것이다. - Ele vai festejar o seu aniversário.
3143. 파티 할 거야? - Vão festejar?
3144. 그래, 파티할 거야. - Sim, nós vamos festejar.
3145. 추모하다 - Para memorizar
3146. 그녀는 영웅을 추모했다. - Ela homenageou o herói.
3147. 우리는 역사적 사건을 추모한다. - Nós comemoramos eventos históricos.
3148. 당신들은 위대한 인물을 추모할 것이다. - Vais homenagear uma grande pessoa.
3149. 슬픈 날이야? - É um dia triste?
3150. 네, 매우 슬퍼. - Sim, muito triste.
3151. 위로하다 - consolar
3152. 나는 친구를 위로했다. - Eu consolei o meu amigo.
3153. 너는 슬픈 이를 위로한다. - Tu consolas a pessoa triste.
3154. 그는 가족을 위로할 것이다. - Ele vai consolar a sua família.
3155. 괜찮아졌어? - Sentes-te melhor?
3156. 조금 나아졌어. - Estou a sentir-me um pouco melhor.
3157. 격려하다 - para Encourage (encorajar)
3158. 그들은 서로를 격려했다. - Eles encorajaram-se um ao outro.
3159. 나는 너를 격려한다. - Eu encorajo-te.
3160. 너는 팀을 격려할 것이다. - Você vai encorajar a equipa.
3161. 힘낼래? - Vais animar?
3162. 네, 힘낼게! - Sim, vou animar-vos!
3163. 칭찬하다 - To praise (elogiar)
3164. 그녀는 학생의 노력을 칭찬했다. - Ela elogiou o esforço do aluno.
3165. 우리는 성취를 칭찬한다. - Nós elogiamos as realizações.
3166. 당신들은 성공을 칭찬할 것이다. - Vais elogiar o teu sucesso.
3167. 잘했어? - Fizeste bem?
3168. 너무 잘했어! - Fizeste muito bem!
3169. 비난하다 - Para criticar
3170. 나는 실수를 비난했다. - Eu censurei o erro.
3171. 너는 부정적 행동을 비난한다. - Condenarás o comportamento

negativo.
3172. 그는 불공정을 비난할 것이다. - Ele vai condenar a injustiça.
3173. 그게 맞아? - Isso é correto?
3174. 아니, 잘못됐어. - Não, está errado.
3175. 35. 명사 단어들 외우기, 필수 10개 동사의 단어들을 가지고 50문장 연습하기 - 35. memorizar palavras substantivas, praticar 50 frases com as 10 palavras verbais essenciais
3176. 정책 - Política
3177. 아이디어 - ideia
3178. 계획 - plano
3179. 동료 - colega
3180. 리더 - líder
3181. 파트너 - parceiro
3182. 경고 - aviso
3183. 조언 - conselho
3184. 위험 - perigo
3185. 변경사항 - Alterações
3186. 결정 - decisão
3187. 결과 - resultado
3188. 회의 일정 - calendário de reuniões
3189. 이벤트 - acontecimento
3190. 변경 - alteração
3191. 데이터 - dados
3192. 시스템 - sistema
3193. 기계 - máquina
3194. 스케줄 - calendário
3195. 전략 - estratégia
3196. 규칙 - regra
3197. 방침 - política
3198. 기회 - oportunidade
3199. 자원 - recurso
3200. 정보 - informação
3201. 계약 - contrato
3202. 멤버십 - Filiação

3203. 라이선스 - Licenças
3204. 비판하다 - para criticar
3205. 그들은 정책을 비판했다. - Eles criticaram a política.
3206. 나는 아이디어를 비판한다. - Eu critico a ideia.
3207. 너는 계획을 비판할 것이다. - Tu criticarás o plano.
3208. 개선 필요해? - Precisa de ser melhorado?
3209. 네, 필요해. - Sim, precisa.
3210. 신뢰하다 - Confiar
3211. 그녀는 동료를 신뢰했다. - Ela confiava no seu colega de trabalho.
3212. 우리는 리더를 신뢰한다. - Nós confiamos nos nossos líderes.
3213. 당신들은 파트너를 신뢰할 것이다. - Confiará no seu parceiro.
3214. 믿을 수 있어? - Podes confiar nele?
3215. 물론이야. - Claro que sim.
3216. 주의하다 - Para atender
3217. 나는 경고를 주의했다. - Eu dei ouvidos ao aviso.
3218. 너는 조언을 주의한다. - Tu segues o conselho.
3219. 그는 위험을 주의할 것이다. - Ele vai ter cuidado com o perigo.
3220. 조심해야 해? - Devo ter cuidado?
3221. 예, 조심해. - Sim, tem cuidado.
3222. 통보하다 - notificar
3223. 그들은 변경사항을 통보했다. - Eles notificaram a mudança.
3224. 나는 결정을 통보한다. - I will inform the decision.
3225. 너는 결과를 통보할 것이다. - Tu informarás o resultado.
3226. 알려줄 거야? - Vais informar-me?
3227. 네, 알려줄게. - Sim, eu informo-o.
3228. 공지하다 - anunciar
3229. 그녀는 회의 일정을 공지했다. - Ela anunciou a reunião.
3230. 우리는 이벤트를 공지한다. - Anunciaremos o evento.
3231. 당신들은 변경을 공지할 것이다. - Tu anunciarás a mudança.
3232. 언제 시작해? - Quando é que começa?
3233. 내일 시작해. - Começamos amanhã.
3234. 조작하다 - Manipular
3235. 나는 데이터를 조작했다. - Eu manipulei os dados.
3236. 너는 시스템을 조작한다. - Tu manipulas o sistema.

3237. 그는 기계를 조작할 것이다. - Ele vai operar a máquina.
3238. 쉬워? - É fácil?
3239. 아니, 어려워. - Não, é difícil.
3240. 조정하다 - Coordenar
3241. 그들은 계획을 조정했다. - Eles coordenaram os seus planos.
3242. 나는 스케줄을 조정한다. - Eu ajusto o horário.
3243. 너는 전략을 조정할 것이다. - Vais ajustar a tua estratégia.
3244. 변경됐어? - Mudou?
3245. 네, 변경됐어. - Sim, mudou.
3246. 적용하다 - para Aplicar
3247. 그녀는 규칙을 적용했다. - Ela aplicou a regra.
3248. 우리는 정책을 적용한다. - Nós aplicamos a política.
3249. 당신들은 방침을 적용할 것이다. - Tu vais aplicar a política.
3250. 필요해? - Precisas dela?
3251. 네, 필요해. - Sim, preciso.
3252. 활용하다 - Utilizar
3253. 나는 기회를 활용했다. - Eu utilizei a oportunidade.
3254. 너는 자원을 활용한다. - Tu vais utilizar os recursos.
3255. 그는 정보를 활용할 것이다. - Ele vai utilizar a informação.
3256. 유용해? - Útil?
3257. 매우 유용해. - É muito útil.
3258. 갱신하다 - para renovar
3259. 그들은 계약을 갱신했다. - Eles renovaram o contrato.
3260. 나는 멤버십을 갱신한다. - Eu renovo a minha inscrição.
3261. 너는 라이선스를 갱신할 것이다. - Vais renovar a tua licença.
3262. 필요한 거야? - Precisas dela?
3263. 예, 필요해. - Sim, preciso.
3264. 36. 명사 단어들 외우기, 필수 10개 동사의 단어들을 가지고 50문장 연습하기 - 36. memorizar palavras substantivas, praticar 50 frases com as 10 palavras verbais essenciais
3265. 소프트웨어 - software
3266. 시스템 - sistema
3267. 하드웨어 - hardware
3268. 파일 - ficheiro

3269. 아이콘 - ícone
3270. 이미지 - imagem
3271. 그룹 - grupo
3272. 경로 - Rota
3273. 계획 - plano
3274. 위험 - perigo
3275. 루틴(습관) - rotina (hábito)
3276. 지루함 - aborrecimento
3277. 문제 - problema
3278. 책임 - responsabilidade
3279. 현장 - local
3280. 도둑 - ladrão
3281. 꿈 - sonho
3282. 목표 - alvo
3283. 고양이 - gato
3284. 행복 - felicidade
3285. 성공 - sucesso
3286. 순간 - momento
3287. 기회 - oportunidade
3288. 장면 - cena
3289. 변화 - mudança
3290. 상황 - situação
3291. 필요 - necessário
3292. 업그레이드하다 - para Atualizar
3293. 그녀는 소프트웨어를 업그레이드했다. - Ela actualizou o seu software.
3294. 우리는 시스템을 업그레이드한다. - Nós actualizamos o sistema.
3295. 당신들은 하드웨어를 업그레이드할 것이다. - Vocês vão atualizar o hardware.
3296. 더 좋아질까? - Vai ser melhor?
3297. 분명히 그래. - Tenho a certeza que sim.
3298. 드래그하다 - Para arrastar
3299. 나는 파일을 드래그했다. - Eu arrastei um ficheiro.
3300. 너는 아이콘을 드래그한다. - Tu arrastaste um ícone.
3301. 그는 이미지를 드래그할 것이다. - Ele vai arrastar imagens.

3302. 쉬운 일이야? - É fácil?
3303. 네, 매우 쉬워. - Sim, muito fácil.
3304. 이탈하다 - para sair
3305. 그들은 그룹에서 이탈했다. - Eles desviaram-se do grupo.
3306. 나는 경로에서 이탈한다. - Eu desvio-me do caminho.
3307. 너는 계획에서 이탈할 것이다. - Tu vais desviar-te do plano.
3308. 계획 변경해? - Mudar o plano?
3309. 네, 변경해. - Sim, muda-o.
3310. 탈출하다 - para escapar
3311. 그녀는 위험에서 탈출했다. - Ela fugiu do perigo.
3312. 우리는 루틴에서 탈출한다. - Nós fugimos da rotina.
3313. 당신들은 지루함에서 탈출할 것이다. - Tu vais escapar do tédio.
3314. 벗어날 수 있어? - Podes fugir?
3315. 예, 벗어날 수 있어. - Sim, podes fugir.
3316. 도망치다 - fugir de (fugir)
3317. 나는 문제에서 도망쳤다. - Fugi dos problemas (fugi de dois problemas).
3318. 너는 책임에서 도망친다. - Tu foges da responsabilidade.
3319. 그는 현장에서 도망칠 것이다. - Ele vai fugir da cena do crime.
3320. 두려워? - Tens medo?
3321. 아니, 두렵지 않아. - Não, não tenho medo.
3322. 추격하다 - Perseguir
3323. 그들은 도둑을 추격했다. - Eles perseguiram o ladrão.
3324. 나는 꿈을 추격한다. - Eu persigo sonhos.
3325. 너는 목표를 추격할 것이다. - Tu vais perseguir o teu objetivo.
3326. 따라잡을 수 있어? - Consegues apanhar-me?
3327. 네, 할 수 있어. - Sim, consigo.
3328. 쫓다 - Para perseguir
3329. 그녀는 고양이를 쫓았다. - Ela perseguiu o gato.
3330. 우리는 행복을 쫓는다. - Nós perseguimos a felicidade.
3331. 당신들은 성공을 쫓을 것이다. - Tu vais perseguir o sucesso.
3332. 성공할까? - Vais ter sucesso?
3333. 네, 분명히 성공해. - Sim, de certeza que vais conseguir.
3334. 포착하다 - aproveitar

3335. 나는 순간을 포착했다. - Eu aproveitei o momento.
3336. 너는 기회를 포착한다. - Tu aproveitas a oportunidade.
3337. 그는 장면을 포착할 것이다. - Ele vai captar a cena.
3338. 멋진 사진이야? - É uma fotografia gira?
3339. 네, 정말 멋져. - Sim, é muito gira.
3340. 감지하다 - Sentir
3341. 나는 변화를 감지했다. - Eu senti uma mudança.
3342. 너는 위험을 감지한다. - Tu pressentes o perigo.
3343. 그는 기회를 감지할 것이다. - Ele vai sentir uma oportunidade.
3344. 뭔가 느껴져? - Sentes alguma coisa?
3345. 네, 뭔가 느껴져. - Sim, sinto alguma coisa.
3346. 인지하다 - aperceber-se
3347. 그녀는 문제를 인지했다. - Ela apercebeu-se de um problema.
3348. 우리는 상황을 인지한다. - Nós apercebemo-nos de uma situação.
3349. 당신들은 필요를 인지할 것이다. - Reconhecerás a necessidade.
3350. 알고 있어? - Reconheces?
3351. 네, 알고 있어. - Sim, estou ciente.
3352. 37. 명사 단어들 외우기, 필수 10개 동사의 단어들을 가지고 50문장 연습하기 - 37. Memorizar palavras substantivas, praticar 50 frases com as 10 palavras verbais essenciais
3353. 핵심 - núcleo
3354. 진실 - verdade
3355. 해결책 - solução
3356. 발표 - apresentação
3357. 기타 - etc
3358. 스피치(말) - discurso (palavras)
3359. 영어 - inglês
3360. 코딩 - codificação
3361. 요리 - culinária
3362. 게임 - jogo
3363. 악기 - instrumento
3364. 기술 - tecnologia
3365. 환경 - ambiente
3366. 변화 - mudança

3367. 도전 - desafio
3368. 규칙 - regra
3369. 조건 - condição
3370. 기준 - norma
3371. 칼 - faca
3372. 배트 - taco
3373. 막대기 - barra
3374. 공 - bola
3375. 종이비행기 - avião de papel
3376. 주사위 - dados
3377. 손 - mão
3378. 기회 - oportunidade
3379. 아기 - bebé
3380. 강아지 - cachorrinho
3381. 책 - livro
3382. 파악하다 - para agarrar
3383. 우리는 핵심을 파악했다. - Nós agarramos o núcleo.
3384. 당신들은 진실을 파악한다. - Vocês compreendem a verdade.
3385. 그들은 해결책을 파악할 것이다. - Eles vão descobrir a solução.
3386. 이해했어? - Compreendes?
3387. 네, 이해했어. - Sim, percebo.
3388. 연습하다 - para praticar
3389. 나는 발표를 연습했다. - Eu pratiquei a minha apresentação.
3390. 너는 기타를 연습한다. - Tu praticas a guitarra.
3391. 그는 스피치를 연습할 것이다. - Ele vai praticar o seu discurso.
3392. 열심히 하고 있니? - Estás a praticar muito?
3393. 응, 열심히 해. - Sim, estou a praticar muito.
3394. 숙달하다 - dominar
3395. 그녀는 영어를 숙달했다. - Ela domina o inglês.
3396. 우리는 코딩을 숙달한다. - Nós dominamos a codificação.
3397. 당신들은 요리를 숙달할 것이다. - Vocês vão dominar a cozinha.
3398. 잘하게 됐어? - Tornaste-te bom nisso?
3399. 네, 잘하게 됐어. - Sim, dominei-a.
3400. 마스터하다 - para dominar

3401. 우리는 게임을 마스터했다. - Nós dominámos o jogo.
3402. 당신들은 악기를 마스터한다. - Tu dominas um instrumento.
3403. 그들은 기술을 마스터할 것이다. - Eles vão dominar uma habilidade.
3404. 전문가야? - És um perito?
3405. 네, 전문가야. - Sim, eles são peritos.
3406. 적응하다 - para adaptar
3407. 나는 새 환경에 적응했다. - Eu me adaptei ao novo ambiente.
3408. 너는 변화에 적응한다. - Tu adaptaste-te à mudança.
3409. 그는 도전에 적응할 것이다. - Ele vai adaptar-se ao desafio.
3410. 괜찮아지고 있어? - Estás a melhorar?
3411. 네, 괜찮아지고 있어. - Sim, estou a melhorar.
3412. 순응하다 - se conformar
3413. 그녀는 규칙에 순응했다. - Ela conformou-se com as regras.
3414. 우리는 조건에 순응한다. - Nós conformamo-nos com as condições.
3415. 당신들은 기준에 순응할 것이다. - Tu vais conformar-te com as normas.
3416. 쉽게 따라가? - Segue-as facilmente?
3417. 응, 쉽게 따라가. - Sim, sigo facilmente.
3418. 휘두르다 - brandir
3419. 나는 칼을 휘두렀다. - Eu empunhei uma espada.
3420. 너는 배트를 휘두른다. - Tu balanças o taco.
3421. 그는 막대기를 휘두를 것이다. - Ele vai balançar um pau.
3422. 잘 할 수 있어? - Consegues fazê-lo bem?
3423. 네, 잘 할 수 있어. - Sim, consigo fazê-lo bem.
3424. 던지다 - para atirar
3425. 그녀는 공을 던졌다. - Ela atirou a bola.
3426. 우리는 종이비행기를 던진다. - Nós atiramos aviões de papel.
3427. 당신들은 주사위를 던질 것이다. - Vais lançar os dados.
3428. 멀리 갈까? - Vai longe?
3429. 응, 멀리 갈 거야. - Sim, vai longe.
3430. 잡다 - para apanhar
3431. 그는 공을 잡았다. - Ele apanhou a bola.
3432. 너는 손을 잡는다. - Vocês dão as mãos.
3433. 그녀는 기회를 잡을 것이다. - Ela vai arriscar.

3434. 공 잡을래? - Vais apanhar a bola?
3435. 네, 잡을게. - Sim, eu apanho-a.
3436. 눕히다 - deitar
3437. 나는 아기를 눕혔다. - Deitei o bebé.
3438. 우리는 강아지를 눕힌다. - Pousámos o cãozinho.
3439. 당신들은 책을 눕힐 것이다. - Você vai largar o livro.
3440. 아기 재울래? - Queres deitar o bebé na cama?
3441. 네, 지금 할게. - Sim, vou fazê-lo agora.
3442. 38. 명사 단어들 외우기, 필수 10개 동사의 단어들을 가지고 50문장 연습하기 - 38. memorizar palavras substantivas, praticar 50 frases com as 10 palavras verbais essenciais
3443. 인형 - boneca
3444. 모형 - modelo
3445. 자전거 - bicicleta
3446. 음식 - comida
3447. 책 - livro
3448. 차 - carro
3449. 창문 - janela
3450. 문 - porta
3451. 상자 - caixa
3452. 가방 - saco
3453. 불 - fogo
3454. 컴퓨터 - computador
3455. 텔레비전 - televisão
3456. 라디오 - rádio
3457. 등 - etc.
3458. 엔진 - sala de máquinas
3459. 방 - sala
3460. 길 - estrada
3461. 화면 - ecrã
3462. 눈 - olho
3463. 그림 - pintura
3464. 감정 - emoção
3465. 실력 - habilidade

3466. 성과 - resultado
3467. 세우다 - montar
3468. 그녀는 인형을 세웠다. - Ela montou a boneca.
3469. 그들은 모형을 세운다. - Eles montaram um modelo.
3470. 나는 자전거를 세울 것이다. - Eu vou montar uma bicicleta.
3471. 모형 세울까? - Vamos montar um modelo?
3472. 좋아, 세우자. - Ok, vamos montá-lo.
3473. 덮다 - para cobrir
3474. 우리는 음식을 덮었다. - Nós cobrimos a comida.
3475. 당신은 책을 덮는다. - Tu cobres o livro.
3476. 그들은 차를 덮을 것이다. - Eles vão cobrir o carro.
3477. 이불 덮을래? - Queres cobrir a colcha?
3478. 아니, 괜찮아. - Não, está ótimo.
3479. 열다 - para abrir
3480. 그녀는 창문을 열었다. - Ela abriu a janela.
3481. 나는 문을 연다. - Eu abro a porta.
3482. 우리는 상자를 열 것이다. - Vamos abrir a caixa.
3483. 문 열까? - Abro a porta?
3484. 네, 열어줘. - Sim, abre-a para mim.
3485. 닫다 - Para fechar
3486. 그는 책을 닫았다. - Ele fechou o livro.
3487. 그녀는 상자를 닫는다. - Ela fecha a caixa.
3488. 너는 가방을 닫을 것이다. - Vais fechar o saco.
3489. 창문 닫을래? - Fechas a janela?
3490. 네, 닫을게. - Sim, eu fecho-a.
3491. 켜다 - Para acender
3492. 우리는 불을 켰다. - Nós acendemos a luz.
3493. 당신들은 컴퓨터를 켠다. - Vocês ligam o computador.
3494. 그들은 텔레비전을 켤 것이다. - Eles ligam a televisão.
3495. 불 켤까? - Vamos acender a luz?
3496. 좋아, 켜자. - Ok, vamos ligá-la.
3497. 끄다 - para desligar
3498. 나는 라디오를 껐다. - Eu desliguei o rádio.
3499. 그녀는 등을 끈다. - Ela apagou as luzes.

3500. 그는 차의 엔진을 끌 것이다. - Ele vai desligar o motor do carro.
3501. 등 끌래? - Queres desligar a luz?
3502. 네, 끌게. - Sim, eu desligo-a.
3503. 밝히다 - para iluminar
3504. 그녀는 방을 밝혔다. - Ela iluminou a sala.
3505. 우리는 등을 밝힌다. - Nós acendemos as luzes.
3506. 당신들은 길을 밝힐 것이다. - Tu iluminarás o caminho.
3507. 더 밝게 할까? - Iluminamos mais?
3508. 그래, 좋아. - Sim, está bem.
3509. 어둡게 하다 - Para escurecer
3510. 그는 화면을 어둡게 했다. - Ele escureceu o ecrã.
3511. 너는 방을 어둡게 한다. - Tu escureces o quarto.
3512. 그녀는 불빛을 어둡게 할 것이다. - Ela vai diminuir as luzes.
3513. 조명 낮출까? - Queres que eu diminua as luzes?
3514. 네, 부탁해. - Sim, por favor.
3515. 가리다 - para cobrir
3516. 나는 눈을 가렸다. - Cobri os meus olhos.
3517. 우리는 창문을 가린다. - Nós tapamos as janelas.
3518. 그들은 그림을 가릴 것이다. - Eles vão cobrir o quadro.
3519. 이걸로 가릴까? - Cobrimo-lo com isto?
3520. 좋아, 그게 좋겠어. - Está bem, isso seria ótimo.
3521. 보이다 - para mostrar
3522. 그녀는 감정을 보였다. - Ela mostrou emoção.
3523. 그는 실력을 보인다. - Ele mostra habilidade.
3524. 너는 성과를 보일 것이다. - You will show performance.
3525. 잘 보였어? - Fiquei bem?
3526. 응, 완벽해. - Sim, está perfeito.
3527. 39. 명사 단어들 외우기, 필수 10개 동사의 단어들을 가지고 50문장 연습하기 - 39. memorizar palavras substantivas, praticar 50 frases com as palavras dos 10 verbos essenciais
3528. 요리 - cozinhar
3529. 음료 - bebida
3530. 디저트 - sobremesa
3531. 천 - pano

3532. 표면 - superfície
3533. 소재 - Material
3534. 마음 - mente
3535. 주제 - assunto
3536. 문제 - problema
3537. 피아노 - piano
3538. 드럼 - tambor
3539. 기타 - etc
3540. 문 - porta
3541. 탁자 - mesa
3542. 어깨 - ombro
3543. 벌레 - inseto
3544. 머리 - cabeça
3545. 등 - etc.
3546. 눈 - olho
3547. 손 - mão
3548. 팔 - oito
3549. 창문 - a janela
3550. 거울 - o espelho
3551. 바닥 - o chão
3552. 마당 - pátio
3553. 길 - estrada
3554. 침대 - cama
3555. 소파 - sofá
3556. 해먹 - cama de rede
3557. 맛보다 - para saborear
3558. 우리는 새로운 요리를 맛보았다. - Nós provamos um prato novo.
3559. 당신들은 음료를 맛본다. - Tu provas uma bebida.
3560. 그들은 디저트를 맛볼 것이다. - Eles vão provar a sobremesa.
3561. 맛 좀 볼래? - Queres provar?
3562. 네, 감사해. - Sim, obrigado.
3563. 만지다 - tocar
3564. 그는 부드러운 천을 만졌다. - Ele tocou no pano macio.
3565. 그녀는 표면을 만진다. - Ela toca na superfície.

3566. 나는 새로운 소재를 만질 것이다. - Vou tocar num material novo.
3567. 이거 만져도 돼? - Posso tocar nisto?
3568. 네, 괜찮아. - Sim, não há problema.
3569. 건드리다 - tocar
3570. 나는 그의 마음을 건드렸다. - Toquei-lhe no coração.
3571. 우리는 주제를 건드린다. - Tocamos num assunto.
3572. 당신들은 문제를 건드릴 것이다. - Tu vais tocar no assunto.
3573. 이걸 건드려도 될까? - Posso tocar nisto?
3574. 아니, 말아줘. - Não, por favor, não toques.
3575. 치다 - tocar
3576. 그녀는 피아노를 쳤다. - Ela tocou piano.
3577. 그는 드럼을 친다. - Ele toca bateria.
3578. 너는 기타를 칠 것이다. - Tu vais tocar guitarra.
3579. 음악 칠까? - Vamos tocar música?
3580. 좋아, 시작해. - Está bem, força.
3581. 두드리다 - Para bater
3582. 그녀는 문을 두드렸다. - Ela bateu à porta.
3583. 우리는 탁자를 두드린다. - Nós batemos na mesa.
3584. 그들은 어깨를 두드릴 것이다. - Eles batem-nos no ombro.
3585. 더 두드려 볼까? - Vamos bater mais um pouco?
3586. 아니, 됐어. - Não, obrigado.
3587. 긁다 - para coçar
3588. 나는 벌레 물린 곳을 긁었다. - Cocei a picada do inseto.
3589. 그는 머리를 긁는다. - Ele coça a cabeça.
3590. 그녀는 등을 긁을 것이다. - Ela vai coçar as costas.
3591. 여기 긁어줄까? - Queres que eu coce aqui?
3592. 네, 부탁해. - Sim, por favor.
3593. 문지르다 - para esfregar
3594. 그녀는 눈을 문지렀다. - Ela esfregou os olhos.
3595. 우리는 손을 문지른다. - Nós esfregamos as mãos.
3596. 너는 팔을 문지를 것이다. - Vais esfregar o teu braço.
3597. 더 문지를까? - Vamos esfregar mais um pouco?
3598. 아니, 괜찮아. - Não, está tudo bem.
3599. 닦다 - para limpar

3600. 그는 창문을 닦았다. - Ele limpou a janela.
3601. 그녀는 거울을 닦는다. - Ela limpa o espelho.
3602. 우리는 바닥을 닦을 것이다. - Vamos limpar o chão.
3603. 이제 닦을까? - Limpamos agora?
3604. 좋아, 해줘. - Está bem, faz isso.
3605. 쓸다 - Para varrer
3606. 나는 바닥을 쓸었다. - Eu varri o chão.
3607. 당신들은 마당을 쓴다. - Vocês varrem o pátio.
3608. 그들은 길을 쓸 것이다. - Eles vão varrer o caminho.
3609. 계속 쓸까? - Devo continuar a varrer?
3610. 네, 계속해. - Sim, continua.
3611. 눕다 - deitar-se
3612. 그녀는 침대에 누웠다. - Ela deitou-se na cama.
3613. 너는 소파에 눕는다. - Tu deitas-te no sofá.
3614. 그는 해먹에 누울 것이다. - Ele vai deitar-se na rede.
3615. 이제 누울까? - Vamos deitar-nos agora?
3616. 응, 편해. - Sim, estou confortável.
3617. 40. 명사 단어들 외우기, 필수 10개 동사의 단어들을 가지고 50문장 연습하기 - 40. memorizar palavras substantivas, praticar 50 frases com as palavras dos 10 verbos essenciais
3618. 새벽 - amanhecer
3619. 잠 - dormir
3620. 꿈 - sonhar
3621. 손 - mão
3622. 얼굴 - cara
3623. 발 - o pé
3624. 물 - a água
3625. 샤워 - duche
3626. 아이 - criança
3627. 친구 - amigo
3628. 사람 - pessoa
3629. 기금 - fundo
3630. 옷 - roupa
3631. 돈 - dinheiro

3632. 책 - livro
3633. 장난감 - brinquedo
3634. 컴퓨터 - computador
3635. 프로젝트 - projeto
3636. 학생 - estudante
3637. 이벤트 - evento
3638. 깨다 - Acordar
3639. 우리는 새벽에 깼다. - Acordámos ao amanhecer.
3640. 그는 잠에서 깬다. - Ele acorda do sono.
3641. 그녀는 꿈에서 깰 것이다. - Ela vai acordar do seu sonho.
3642. 벌써 깼어? - Já estás acordado?
3643. 아니, 아직이야. - Não, ainda não.
3644. 잠들다 - Para adormecer
3645. 그는 빠르게 잠들었다. - Ele adormeceu rapidamente.
3646. 그녀는 조용히 잠든다. - Ela adormece calmamente.
3647. 우리는 일찍 잠들 것이다. - Vamos deitar-nos cedo.
3648. 잘 수 있을까? - Consegues dormir?
3649. 응, 잘 수 있어. - Sim, consigo dormir.
3650. 씻다 - lavar
3651. 나는 얼굴을 씻었다. - Lavei a cara.
3652. 당신들은 손을 씻는다. - Tu lavas as tuas mãos.
3653. 그들은 발을 씻을 것이다. - Eles vão lavar os pés.
3654. 손 씻었어? - Lavaste as mãos?
3655. 네, 씻었어. - Sim, lavei-as.
3656. 목욕하다 - tomar banho
3657. 그녀는 긴 목욕을 했다. - Ela tomou um longo banho.
3658. 우리는 따뜻한 물에 목욕한다. - Tomamos banho em água morna.
3659. 너는 편안하게 목욕할 것이다. - Vais tomar um banho relaxante.
3660. 목욕할 시간이야? - Está na hora do banho?
3661. 그래, 지금이야. - Sim, está na hora.
3662. 샤워하다 - tomar um duche
3663. 그는 아침에 샤워했다. - Ele tomou um duche de manhã.
3664. 그녀는 빠르게 샤워한다. - Ela toma um duche rápido.
3665. 우리는 저녁에 샤워할 것이다. - Tomamos duche à noite.

3666. 샤워 해야 하나? - Devo tomar um duche?
3667. 응, 해야 해. - Sim, tenho de o fazer.
3668. 달래다 - para acalmar
3669. 나는 울고 있는 아이를 달랬다. - Acalmei a criança que chorava.
3670. 그는 친구를 달랜다. - Ele vai confortar o seu amigo.
3671. 그녀는 슬픈 사람을 달랠 것이다. - Ela vai confortar a pessoa triste.
3672. 조금 달랠까? - Devo acalmá-la?
3673. 네, 부탁해. - Sim, por favor.
3674. 미소짓다 - sorrir
3675. 그녀는 따뜻하게 미소지었다. - Ela sorriu calorosamente.
3676. 우리는 서로에게 미소짓는다. - Sorrimos um para o outro.
3677. 너는 행복을 느끼며 미소질 것이다. - Tu sorris de felicidade.
3678. 미소질래? - Vais sorrir?
3679. 응, 물론이지. - Sim, claro que sim.
3680. 기부하다 - doar
3681. 그녀는 기금을 기부했다. - Ela doou os fundos.
3682. 우리는 옷을 기부한다. - Nós doamos roupa.
3683. 당신들은 돈을 기부할 것이다. - Vocês vão doar dinheiro.
3684. 기부 할래? - Querem doar?
3685. 네, 할래. - Sim, eu faço-o.
3686. 기증하다 - doar
3687. 나는 책을 기증했다. - Eu doei os livros.
3688. 너는 장난감을 기증한다. - Tu vais doar um brinquedo.
3689. 그는 컴퓨터를 기증할 것이다. - Ele vai doar o seu computador.
3690. 책 줄까? - Dou-lhe o livro?
3691. 네, 줘. - Sim, dá-lho.
3692. 후원하다 - Para patrocinar
3693. 그들은 프로젝트를 후원했다. - Eles patrocinaram o projeto.
3694. 나는 학생을 후원한다. - Eu patrocino um aluno.
3695. 너는 이벤트를 후원할 것이다. - Tu vais patrocinar um evento.
3696. 후원할래? - Queres patrocinar?
3697. 네, 할래. - Sim, eu vou.
3698. 41. 명사 단어들 외우기, 필수 10개 동사의 단어들을 가지고 50문장 연습하기 - 41. memorizar palavras substantivas, praticar 50 frases com as

10 palavras verbais essenciais
3699. 친구 - amigo
3700. 팀 - equipa
3701. 프로그램 - programa
3702. 동료 - colega
3703. 파트너 - parceiro
3704. 조직 - grupo
3705. 목표 - alvo
3706. 커뮤니티 - comunidade
3707. 회의 - reunião
3708. 워크숍(공동 연수) - Workshop (formação conjunta)
3709. 세미나 - seminário
3710. 파티 - festa
3711. 모임 - aula
3712. 이벤트 - evento
3713. 프로젝트 - projeto
3714. 논의 - Argumento
3715. 결정 - decisão
3716. 분쟁 - disputa
3717. 협상 - Negociação
3718. 문제해결 - resolução de problemas
3719. 대화 - conversa
3720. 논쟁 - argumentação
3721. 계획 - plano
3722. 작업 - trabalho
3723. 집중 - Concentração
3724. 싸움 - luta
3725. 오해 - mal-entendido
3726. 지원하다 - apoiar
3727. 그녀는 친구를 지원했다. - Ela apoiou a sua amiga.
3728. 우리는 팀을 지원한다. - Nós apoiamos a equipa.
3729. 당신들은 프로그램을 지원할 것이다. - Tu vais apoiar o programa.
3730. 도울까? - Queres ajudar?
3731. 네, 도와줘. - Sim, ajuda-me.

3732. 협력하다 - Para colaborar
3733. 나는 동료와 협력했다. - Colaborei com um colega de trabalho.
3734. 너는 파트너와 협력한다. - Tu colaboras com o teu colega.
3735. 그는 조직과 협력할 것이다. - Ele vai colaborar com a organização.
3736. 같이 할래? - Queres juntar-te a nós?
3737. 네, 할래. - Sim, eu faço-o.
3738. 협동하다 - Para cooperar
3739. 그들은 공동의 목표를 위해 협동했다. - Eles cooperaram para um objetivo comum.
3740. 나는 팀과 협동한다. - Eu colaboro com a equipa.
3741. 너는 커뮤니티와 협동할 것이다. - Tu vais colaborar com a comunidade.
3742. 협력할까? - Vamos colaborar?
3743. 네, 해. - Sim, eu colaboro.
3744. 참석하다 - frequentar
3745. 그녀는 회의에 참석했다. - Ela participou na reunião.
3746. 우리는 워크숍에 참석한다. - We will attend the workshop.
3747. 당신들은 세미나에 참석할 것이다. - Tu vais assistir ao seminário.
3748. 갈까? - Vamos?
3749. 네, 가자. - Sim, vamos.
3750. 불참하다 - Estar ausente
3751. 나는 파티에 불참했다. - Não fui à festa.
3752. 너는 모임에 불참한다. - Vais faltar à reunião.
3753. 그는 이벤트에 불참할 것이다. - Ele vai ausentar-se do evento.
3754. 안 갈래? - Não queres ir?
3755. 네, 안 갈래. - Não, eu não vou.
3756. 관여하다 - Estar envolvido em
3757. 그들은 프로젝트에 관여했다. - Eles estavam envolvidos no projeto.
3758. 나는 논의에 관여한다. - Estou envolvido na discussão.
3759. 너는 결정에 관여할 것이다. - Vais ser envolvido na decisão.
3760. 참여할래? - Vais participar?
3761. 네, 할래. - Sim, eu faço-o.
3762. 개입하다 - intervir
3763. 그녀는 분쟁에 개입했다. - Ela interveio na disputa.

3764. 우리는 협상에 개입한다. - Nós intervimos na negociação.
3765. 당신들은 문제해결에 개입할 것이다. - Tu intervirás no problema.
3766. 도울까? - Devo ajudar?
3767. 네, 도와줘. - Sim, ajuda-me.
3768. 참견하다 - intervir
3769. 나는 그들의 대화에 참견했다. - Intervi na conversa deles.
3770. 너는 논쟁에 참견한다. - Intrometeste-te na discussão.
3771. 그는 계획에 참견할 것이다. - Ele vai intrometer-se no plano.
3772. 끼어들까? - Devo interromper?
3773. 아니, 말아줘. - Não, por favor, não interrompa.
3774. 방해하다 - interromper
3775. 그들은 작업을 방해했다. - Eles interromperam o trabalho.
3776. 나는 집중을 방해한다. - Eu sou uma distração.
3777. 너는 회의를 방해할 것이다. - Vais interromper a reunião.
3778. 멈출까? - Vamos parar?
3779. 네, 멈춰. - Sim, parem.
3780. 저지하다 - para frustrar
3781. 그녀는 계획을 저지했다. - Ela frustrou o plano.
3782. 우리는 싸움을 저지한다. - Nós vamos parar a luta.
3783. 당신들은 오해를 저지할 것이다. - Tu vais parar o mal-entendido.
3784. 막을까? - Parar?
3785. 네, 막아. - Sim, pára.
3786. 42. 명사 단어들 외우기, 필수 10개 동사의 단어들을 가지고 50문장 연습하기 - 42. memorizar palavras substantivas, praticar 50 frases com as 10 palavras verbais essenciais
3787. 길 - estrada
3788. 진입 - entrar
3789. 문제 - problema
3790. 출구 - sair
3791. 소리 - som
3792. 소음 - ruído
3793. 광고 - publicidade
3794. 속도 - velocidade
3795. 사용 - utilização

3796. 접근 - Acesso
3797. 시간 - hora
3798. 조건 - condição
3799. 선택 - selecionar
3800. 가능성 - Possibilidade
3801. 규칙 - regra
3802. 행동 - ação
3803. 자유 - liberdade
3804. 감정 - emoção
3805. 충동 - impulso
3806. 성장 - crescimento
3807. 정보 - informação
3808. 사실 - de facto
3809. 증거 - evidência
3810. 패턴 - padrão
3811. 위험 - perigo
3812. 기회 - oportunidade
3813. 상황 - situação
3814. 개념 - conceito
3815. 진실 - verdade
3816. 중요성 - importância
3817. 가치 - valor
3818. 막다 - para bloquear
3819. 그는 길을 막았다. - Ele bloqueou o caminho.
3820. 그녀는 진입을 막는다. - Ela bloqueia a entrada.
3821. 우리는 문제를 막을 것이다. - Vamos parar o problema.
3822. 출구 막혔나요? - A saída está bloqueada?
3823. 네, 막혔어요. - Sim, está bloqueada.
3824. 차단하다 - Para bloquear
3825. 그녀는 소리를 차단했다. - Ela bloqueou o som.
3826. 우리는 소음을 차단한다. - Vamos bloquear o ruído.
3827. 당신들은 광고를 차단할 것이다. - Tu vais bloquear os anúncios.
3828. 소음 차단 됐나요? - O ruído está bloqueado?
3829. 네, 됐어요. - Sim, estamos bem.

3830. 제한하다 - limitar
3831. 그는 속도를 제한했다. - Ele limitou a sua velocidade.
3832. 그녀는 사용을 제한한다. - Ela limita a sua utilização.
3833. 우리는 접근을 제한할 것이다. - Vamos limitar o acesso.
3834. 시간 제한 있나요? - Existe um limite de tempo?
3835. 네, 있어요. - Sim, há.
3836. 제약하다 - restringir
3837. 그녀는 조건을 제약했다. - Ela restringiu as condições.
3838. 우리는 선택을 제약한다. - Nós restringimos a escolha.
3839. 당신들은 가능성을 제약할 것이다. - Tu restringirás as possibilidades.
3840. 조건 제약 있나요? - Restringe as condições?
3841. 네, 있어요. - Sim, existem.
3842. 구속하다 - condicionar
3843. 그는 규칙을 구속했다. - Ele restringiu as regras.
3844. 그녀는 행동을 구속한다. - Ela condiciona o comportamento.
3845. 우리는 자유를 구속할 것이다. - Nós vamos restringir a liberdade.
3846. 자유 구속됐나요? - Liberdade redimida?
3847. 네, 됐어요. - Sim, é isso mesmo.
3848. 억제하다 - restringir
3849. 그녀는 감정을 억제했다. - Ela reprimiu as suas emoções.
3850. 우리는 충동을 억제한다. - Nós restringiremos os impulsos.
3851. 당신들은 성장을 억제할 것이다. - Inibirás o teu crescimento.
3852. 감정 억제되나요? - Vocês reprimem as vossas emoções?
3853. 네, 되요. - Sim, estão.
3854. 검증하다 - verificar
3855. 그는 정보를 검증했다. - Ele verificou a informação.
3856. 그녀는 사실을 검증한다. - Ela verifica os factos.
3857. 우리는 증거를 검증할 것이다. - Vamos verificar as provas.
3858. 사실 검증됐나요? - Verificou os factos?
3859. 네, 됐어요. - Sim, está tudo bem.
3860. 식별하다 - para Identificar
3861. 그녀는 패턴을 식별했다. - Ela identificou um padrão.
3862. 우리는 위험을 식별한다. - Nós identificamos riscos.
3863. 당신들은 기회를 식별할 것이다. - Vocês vão identificar oportunidades.

3864. 위험 식별됐나요? - Risco identificado?
3865. 네, 됐어요. - Sim, estamos bem.
3866. 이해하다 - para Compreender
3867. 그는 문제를 이해했다. - Ele compreende o problema.
3868. 그녀는 상황을 이해한다. - Ela compreende a situação.
3869. 우리는 개념을 이해할 것이다. - Nós vamos compreender o conceito.
3870. 상황 이해돼요? - Compreendes a situação?
3871. 네, 이해돼요. - Sim, compreendo.
3872. 깨닫다 - perceber
3873. 그녀는 진실을 깨달았다. - Ela percebeu a verdade.
3874. 우리는 중요성을 깨닫는다. - Nós percebemos a importância.
3875. 당신들은 가치를 깨달을 것이다. - Tu vais perceber o valor.
3876. 진실 깨달았나요? - Apercebeste-te da verdade?
3877. 네, 깨달았어요. - Sim, apercebi-me.
3878. 43. 명사 단어들 외우기, 필수 10개 동사의 단어들을 가지고 50문장 연습하기 - 43. memorizar palavras substantivas, praticar 50 frases com as palavras dos 10 verbos essenciais
3879. 변화 - mudar
3880. 실수 - erro
3881. 기회 - oportunidade
3882. 규칙 - regra
3883. 세부사항 - pormenor
3884. 절차 - procedimento
3885. 기술 - tecnologia
3886. 발표 - apresentação
3887. 공연 - espetáculo
3888. 언어 - língua
3889. 전략 - estratégia
3890. 게임 - jogo
3891. 악기 - instrumento
3892. 분야 - campo
3893. 집 - casa
3894. 프로젝트 - projeto
3895. 시스템 - sistema

3896. 팀 - equipa
3897. 네트워크 - rede
3898. 관계 - relação
3899. 영상 - vídeo
3900. 콘텐츠 - conteúdo
3901. 제품 - produto
3902. 물건 - coisa
3903. 아이디어 - ideia
3904. 에너지 - energia
3905. 기계 - máquina
3906. 시설 - instalação
3907. 알아차리다 - notar
3908. 그는 변화를 알아차렸다. - Ele reparou na mudança.
3909. 그녀는 실수를 알아차린다. - Ela repara nos erros.
3910. 우리는 기회를 알아차릴 것이다. - Vamos reconhecer a oportunidade.
3911. 실수 알아차렸나요? - Reparaste no erro?
3912. 네, 알아차렸어요. - Sim, reparei.
3913. 숙지하다 - Estar familiarizado com
3914. 그녀는 규칙을 숙지했다. - Ela familiarizou-se com as regras.
3915. 우리는 세부사항을 숙지한다. - Nós familiarizamo-nos com os pormenores.
3916. 당신들은 절차를 숙지할 것이다. - Vais familiarizar-te com o procedimento.
3917. 규칙 숙지됐나요? - Conheces as regras?
3918. 네, 숙지됐어요. - Sim, tenho-as em mente.
3919. 연습하다 - praticar
3920. 그는 기술을 연습했다. - Ele praticou a técnica.
3921. 그녀는 발표를 연습한다. - Ela praticou a sua apresentação.
3922. 우리는 공연을 연습할 것이다. - Vamos ensaiar a atuação.
3923. 발표 연습했나요? - Praticaram a vossa apresentação?
3924. 네, 연습했어요. - Sim, praticámos.
3925. 숙달하다 - dominar
3926. 그녀는 언어를 숙달했다. - Ela dominou a língua.
3927. 우리는 기술을 숙달한다. - Nós dominamos uma habilidade.

3928. 당신들은 전략을 숙달할 것이다. - Tu dominarás a estratégia.
3929. 기술 숙달됐나요? - Já dominaste a técnica?
3930. 네, 숙달됐어요. - Sim, dominei-a.
3931. 마스터하다 - para dominar
3932. 그는 게임을 마스터했다. - Ele dominou o jogo.
3933. 그녀는 악기를 마스터한다. - Ela domina o instrumento.
3934. 우리는 분야를 마스터할 것이다. - Vamos dominar a disciplina.
3935. 악기 마스터했나요? - Dominaste o instrumento?
3936. 네, 마스터했어요. - Sim, dominei-o.
3937. 설계하다 - Para desenhar
3938. 그녀는 집을 설계했다. - Ela desenhou a casa.
3939. 우리는 프로젝트를 설계한다. - Nós desenharemos um projeto.
3940. 당신들은 시스템을 설계할 것이다. - Tu vais desenhar um sistema.
3941. 프로젝트 설계됐나요? - O projeto está concebido?
3942. 네, 설계됐어요. - Sim, está concebido.
3943. 구축하다 - Para construir
3944. 그는 팀을 구축했다. - Ele criou uma equipa.
3945. 그녀는 네트워크를 구축한다. - Ela constrói uma rede.
3946. 우리는 관계를 구축할 것이다. - Nós vamos construir uma relação.
3947. 네트워크 구축됐나요? - A rede está construída?
3948. 네, 구축됐어요. - Sim, está construída.
3949. 제작하다 - to Produce (produzir)
3950. 그녀는 영상을 제작했다. - Ela produziu um vídeo.
3951. 우리는 콘텐츠를 제작한다. - Nós vamos produzir conteúdo.
3952. 당신들은 제품을 제작할 것이다. - Vocês vão construir um produto.
3953. 콘텐츠 제작됐나요? - O conteúdo foi construído?
3954. 네, 제작됐어요. - Sim, foi produzido.
3955. 생산하다 - produzir
3956. 그는 물건을 생산했다. - Ele produziu coisas.
3957. 그녀는 아이디어를 생산한다. - Ela produz ideias.
3958. 우리는 에너지를 생산할 것이다. - Nós vamos produzir energia.
3959. 아이디어 생산되나요? - As ideias são produzidas?
3960. 네, 생산돼요. - Sim, são produzidas.
3961. 보수하다 - To repair (reparar)

3962. 그녀는 집을 보수했다. - Ela reparou a casa.
3963. 우리는 기계를 보수한다. - Nós reparamos máquinas.
3964. 당신들은 시설을 보수할 것이다. - Vai reparar as instalações.
3965. 기계 보수됐나요? - A máquina está reparada?
3966. 네, 보수됐어요. - Sim, foi reparada.
3967. 44. 명사 단어들 외우기, 필수 10개 동사의 단어들을 가지고 50문장 연습하기 - 44. memorizar palavras substantivas, praticar 50 frases com as 10 palavras verbais essenciais
3968. 차 - carro
3969. 장비 - equipamento
3970. 시스템 - sistema
3971. 창문 - janela
3972. 바닥 - chão
3973. 가구 - mobiliário
3974. 마당 - pátio
3975. 방 - quarto
3976. 거리 - distância
3977. 테이블 - mesa
3978. 유리 - vidro
3979. 집 - casa
3980. 축제 - festival
3981. 풍경 - vista
3982. 아이디어 - ideia
3983. 디자인 - desenho
3984. 옷 - roupa
3985. 웹사이트 - Sítio Web
3986. 앱 - aplicação
3987. 나무 - árvore
3988. 돌 - pedra
3989. 얼음 - gelo
3990. 시 - cidade
3991. 음악 - música
3992. 이야기 - história
3993. 산 - montanha

3994. 계단 - escadas
3995. 봉우리 - picos
3996. 정비하다 - fazer a manutenção
3997. 그는 차를 정비했다. - Ele fez a manutenção do seu carro.
3998. 그녀는 장비를 정비한다. - Ela faz a manutenção do equipamento.
3999. 우리는 시스템을 정비할 것이다. - Vamos fazer a revisão do sistema.
4000. 장비 정비됐나요? - O equipamento foi objeto de manutenção?
4001. 네, 정비됐어요. - Sim, foi objeto de manutenção.
4002. 닦다 - para limpar
4003. 그녀는 창문을 닦았다. - Ela lavou as janelas.
4004. 우리는 바닥을 닦는다. - Nós limpamos o chão.
4005. 당신들은 가구를 닦을 것이다. - Vocês vão polir os móveis.
4006. 바닥 닦았나요? - Limpaste o chão?
4007. 네, 닦았어요. - Sim, limpei-o.
4008. 쓸다 - Varrer
4009. 그는 마당을 쓸었다. - Ele varreu o pátio.
4010. 그녀는 방을 쓴다. - Ela varre o quarto.
4011. 우리는 거리를 쓸 것이다. - Nós vamos varrer a rua.
4012. 방 쓸었나요? - Varreste o quarto?
4013. 네, 쓸었어요. - Sim, varri-o.
4014. 문지르다 - esfregar
4015. 그녀는 테이블을 문질렀다. - Ela esfregou a mesa.
4016. 우리는 유리를 문지른다. - Nós esfregámos o vidro.
4017. 당신들은 바닥을 문지를 것이다. - Vocês vão esfregar o chão.
4018. 유리 문질렀나요? - Esfregaste o vidro?
4019. 네, 문질렀어요. - Sim, esfreguei-o.
4020. 장식하다 - decorar
4021. 그녀는 방을 장식했다. - Ela decorou o quarto.
4022. 우리는 집을 장식한다. - Nós decoramos a casa.
4023. 당신들은 축제를 장식할 것이다. - Tu vais decorar o festival.
4024. 장식 좋아해? - Gostas de decorar?
4025. 네, 좋아해. - Sim, gosto.
4026. 스케치하다 - esboçar
4027. 그는 풍경을 스케치했다. - Ele desenhou a paisagem.

4028. 우리는 아이디어를 스케치한다. - Nós esboçamos ideias.
4029. 그들은 새로운 디자인을 스케치할 것이다. - Eles vão esboçar um novo projeto.
4030. 그림 그리기 좋아해? - Gostas de desenhar?
4031. 응, 좋아해. - Sim, gosto.
4032. 디자인하다 - desenhar
4033. 그녀는 옷을 디자인했다. - Ela desenhou as roupas.
4034. 우리는 웹사이트를 디자인한다. - Nós desenhamos sítios Web.
4035. 당신들은 새로운 앱을 디자인할 것이다. - Vocês vão desenhar uma nova aplicação.
4036. 디자인 재밌어? - O design é divertido?
4037. 네, 재밌어. - Sim, é divertido.
4038. 조각하다 - esculpir
4039. 그는 나무를 조각했다. - Ele esculpiu madeira.
4040. 우리는 돌을 조각한다. - Nós esculpimos pedra.
4041. 그들은 얼음을 조각할 것이다. - Eles vão esculpir gelo.
4042. 조각하기 어려워? - É difícil esculpir?
4043. 아니, 쉬워. - Não, é fácil.
4044. 창작하다 - Para criar
4045. 그녀는 시를 창작했다. - Ela criou um poema.
4046. 우리는 음악을 창작한다. - Nós criamos música.
4047. 당신들은 이야기를 창작할 것이다. - Tu vais criar uma história.
4048. 창작 즐거워? - Gostas de criar?
4049. 응, 즐거워. - Sim, gosto.
4050. 오르다 - subir
4051. 그는 산을 올랐다. - Ele subiu a montanha.
4052. 우리는 계단을 오른다. - Nós subimos as escadas.
4053. 그들은 높은 봉우리를 오를 것이다. - Eles vão subir a um pico alto.
4054. 등산 좋아해? - Gostas de trepar?
4055. 네, 좋아해. - Sim, gosto.
4056. 45. 명사 단어들 외우기, 필수 10개 동사의 단어들을 가지고 50문장 연습하기 - 45. Memorizar palavras substantivas, praticar 50 frases com as 10 palavras verbais essenciais
4057. 영어 실력 - Competência em inglês

4058. 기술 - tecnologia
4059. 통신 - comunicação
4060. 계획 - planear
4061. 방향 - direção
4062. 생각 - pensamento
4063. 디자인 - conceção
4064. 구조 - estrutura
4065. 아이디어 - ideia
4066. 부품 - parte
4067. 재료 - ingrediente
4068. 시스템 - sistema
4069. 일정 - calendário
4070. 프로젝트 - projeto
4071. 알람 - alarme
4072. 규칙 - regra
4073. 비밀번호 - palavra-passe
4074. 기기 - dispositivo
4075. 컴퓨터 - computador
4076. 설정 - definição
4077. 데이터 - dados
4078. 기계 - máquina
4079. 프로그램 - programa
4080. 장치 - dispositivo
4081. 앱 - aplicação
4082. 기능 - função
4083. 향상하다 - para melhorar
4084. 그녀는 영어 실력을 향상시켰다. - Ela melhorou o seu inglês.
4085. 우리는 기술을 향상시킨다. - Nós melhoramos as nossas capacidades.
4086. 당신들은 통신을 향상시킬 것이다. - Vais melhorar a tua comunicação.
4087. 실력 늘었어? - Melhoraste as tuas capacidades?
4088. 응, 늘었어. - Sim, melhorei.
4089. 변화하다 - mudar
4090. 나는 계획을 변화했다. - Mudei os meus planos.
4091. 너는 방향을 변화한다. - You will change direction.

4092. 그는 생각을 변화할 것이다. - Ele vai mudar de ideias.
4093. 계획 바꿀래? - Queres mudar os teus planos?
4094. 네, 바꿀래. - Sim, quero mudar.
4095. 변형하다 - Transformar
4096. 그녀는 디자인을 변형했다. - Ela transformou o projeto.
4097. 우리는 구조를 변형한다. - Nós vamos transformar a estrutura.
4098. 당신들은 아이디어를 변형할 것이다. - Tu vais transformar a ideia.
4099. 디자인 바뀌었어? - Mudaste o desenho?
4100. 네, 바뀌었어. - Sim, mudou.
4101. 대체하다 - substituir
4102. 그들은 부품을 대체했다. - Eles substituíram as peças.
4103. 나는 재료를 대체한다. - Eu substituo o material.
4104. 너는 시스템을 대체할 것이다. - Vais substituir o sistema.
4105. 부품 바꿀까? - Substituímos as peças?
4106. 네, 바꿀까. - Sim, eu substituo-o.
4107. 조율하다 - Para coordenar
4108. 그녀는 계획을 조율했다. - Ela coordenou o plano.
4109. 우리는 일정을 조율한다. - Nós coordenaremos o horário.
4110. 당신들은 프로젝트를 조율할 것이다. - Vocês vão coordenar o projeto.
4111. 일정 맞출 수 있어? - Consegues cumprir o calendário?
4112. 네, 맞출 수 있어. - Sim, consigo.
4113. 설정하다 - Para configurar
4114. 그들은 시스템을 설정했다. - Eles montam o sistema.
4115. 나는 알람을 설정한다. - Eu ponho o alarme.
4116. 너는 규칙을 설정할 것이다. - Tu estabelecias as regras.
4117. 알람 켤까? - Devo ligar o alarme?
4118. 네, 켤까. - Sim, vamos ligá-lo.
4119. 재설정하다 - para repor
4120. 그녀는 비밀번호를 재설정했다. - Ela redefiniu a palavra-passe.
4121. 우리는 기기를 재설정한다. - Nós reiniciámos o dispositivo.
4122. 당신들은 계획을 재설정할 것이다. - Vocês vão reiniciar o plano.
4123. 다시 시작할까? - Vamos começar de novo?
4124. 네, 시작할까. - Sim, vamos começar.
4125. 초기화하다 - para inicializar

4126. 그들은 컴퓨터를 초기화했다. - Eles reinicializam o computador.
4127. 나는 설정을 초기화한다. - Eu vou inicializar as definições.
4128. 너는 데이터를 초기화할 것이다. - Tu vais inicializar os teus dados.
4129. 전부 지울까? - Queres apagar tudo?
4130. 네, 지울까. - Sim, vamos apagar tudo.
4131. 가동하다 - para arrancar
4132. 그녀는 기계를 가동했다. - Ela arrancou a máquina.
4133. 우리는 시스템을 가동한다. - Vamos iniciar o sistema.
4134. 당신들은 프로그램을 가동할 것이다. - Tu vais executar o programa.
4135. 시작할 시간이야? - Está na altura de começar?
4136. 네, 시작할 시간이야. - Sim, está na altura de começar.
4137. 작동하다 - para operar
4138. 그들은 장치를 작동했다. - Eles operaram o dispositivo.
4139. 나는 앱을 작동한다. - Eu vou operar a aplicação.
4140. 너는 기능을 작동할 것이다. - Tu vais operar a funcionalidade.
4141. 잘 되고 있어? - Como é que está a correr?
4142. 네, 잘 되고 있어. - Sim, está a correr bem.
4143. 46. 명사 단어들 외우기, 필수 10개 동사의 단어들을 가지고 50문장 연습하기 - 46. memorizar palavras substantivas, praticar 50 frases com as 10 palavras verbais essenciais
4144. 공부 - estudar
4145. 작업 - trabalhar
4146. 프로그램 - programa
4147. 프로젝트 - projeto
4148. 회의 - reunião
4149. 시스템 - sistema
4150. 연습 - prática
4151. 논의 - Argumento
4152. 계획 - plano
4153. 대화 - conversa
4154. 이야기 - história
4155. 이벤트 - evento
4156. 아이디어 - ideia
4157. 전략 - estratégia

4158. 꿈 - sonho
4159. 목표 - objetivo
4160. 작품 - trabalho
4161. 보고서 - relatório
4162. 과제 - missão
4163. 준비 - Preparação
4164. 과정 - Processo
4165. 재개하다 - para retomar
4166. 그녀는 공부를 재개했다. - Ela retomou os seus estudos.
4167. 우리는 작업을 재개한다. - Retomamos o nosso trabalho.
4168. 당신들은 프로그램을 재개할 것이다. - Vais retomar o programa.
4169. 다시 시작할까? - Retomamos?
4170. 네, 시작하자. - Sim, vamos começar.
4171. 재시작하다 - reiniciar
4172. 그는 프로젝트를 재시작했다. - Ele reiniciou o projeto.
4173. 우리는 회의를 재시작한다. - Estamos a reiniciar a reunião.
4174. 당신들은 시스템을 재시작할 것이다. - Vocês vão reiniciar o sistema.
4175. 다시 할 준비 됐어? - Estão prontos para o fazer de novo?
4176. 네, 준비 됐어. - Sim, estou pronto.
4177. 계속하다 - Continuar
4178. 그녀는 연습을 계속했다. - Ela continuou a praticar.
4179. 우리는 논의를 계속한다. - Continuamos a discussão.
4180. 당신들은 계획을 계속할 것이다. - Vocês vão continuar com o plano.
4181. 계속 진행해도 돼? - Podemos continuar?
4182. 네, 계속해. - Sim, continuem.
4183. 이어가다 - Continuar
4184. 그들은 회의를 이어갔다. - Continuaram a reunião.
4185. 우리는 프로젝트를 이어간다. - Nós continuamos o projeto.
4186. 당신들은 대화를 이어갈 것이다. - Continuem a conversa.
4187. 더 할 말 있어? - Mais alguma coisa?
4188. 아니, 괜찮아. - Não, obrigado.
4189. 진행하다 - para prosseguir
4190. 그녀는 계획을 진행했다. - Ela prosseguiu com o plano.
4191. 우리는 작업을 진행한다. - Nós prosseguimos com a tarefa.

4192. 당신들은 프로그램을 진행할 것이다. - Tu vais prosseguir com o programa.
4193. 잘 되고 있어? - Como é que está a correr?
4194. 네, 잘 되고 있어. - Sim, está a correr bem.
4195. 전개하다 - desenvolver
4196. 그는 이야기를 전개했다. - Ele desenvolveu a história.
4197. 우리는 계획을 전개한다. - Nós desenvolvemos um plano.
4198. 당신들은 이벤트를 전개할 것이다. - Vais desenvolver um acontecimento.
4199. 어떻게 될까? - Como é que vai correr?
4200. 잘 될 거야. - Vai correr bem.
4201. 구현하다 - Implementar
4202. 그녀는 아이디어를 구현했다. - Ela implementou a ideia.
4203. 우리는 전략을 구현한다. - Nós implementaremos a estratégia.
4204. 당신들은 시스템을 구현할 것이다. - Tu vais implementar o sistema.
4205. 실행 가능해? - Consegues fazê-lo?
4206. 네, 가능해. - Sim, é possível.
4207. 실현하다 - Constatar
4208. 그들은 꿈을 실현했다. - Eles realizaram o seu sonho.
4209. 우리는 목표를 실현한다. - Nós realizamos os nossos objectivos.
4210. 당신들은 계획을 실현할 것이다. - Tu vais realizar os teus planos.
4211. 꿈 이뤄질까? - Os meus sonhos realizar-se-ão?
4212. 네, 이뤄질 거야. - Sim, eles realizar-se-ão.
4213. 완성하다 - Completar
4214. 그녀는 작품을 완성했다. - Ela terminou o seu trabalho.
4215. 우리는 보고서를 완성한다. - We will finish the report.
4216. 당신들은 프로젝트를 완성할 것이다. - You will finish the project.
4217. 다 됐어? - Já acabaste?
4218. 네, 다 됐어. - Sim, já terminei.
4219. 완료하다 - para completar
4220. 그는 과제를 완료했다. - Ele terminou a tarefa.
4221. 우리는 준비를 완료한다. - Nós vamos terminar os preparativos.
4222. 당신들은 과정을 완료할 것이다. - Tu vais completar o curso.
4223. 끝났어? - Já acabaste?

4224. 네, 끝났어. - Sim, já terminei.
4225. 47. 명사 단어들 외우기, 필수 10개 동사의 단어들을 가지고 50문장 연습하기 - 47. memorizar palavras substantivas, praticar 50 frases com as palavras dos 10 verbos essenciais
4226. 회의 - reunião
4227. 세션(시간, 기간) - sessão (tempo, duração)
4228. 서비스 - serviço
4229. 프로젝트 - projeto
4230. 논의 - Argumento
4231. 작업 - trabalho
4232. 연구 - investigação
4233. 프로그램 - programa
4234. 기계 - máquina
4235. 계획 - plano
4236. 프로세스(처리기) - processo (manipulador)
4237. 활동 - atividade
4238. 결정 - decisão
4239. 발표 - apresentação
4240. 공부 - estudo
4241. 노래 - cantar
4242. 게임 - jogo
4243. 기록 - gravar
4244. 사진 - imagem
4245. 문서 - documentar
4246. 경험 - experiência
4247. 지식 - conhecimento
4248. 자원 - recurso
4249. 종료하다 - end(quit)
4250. 그들은 회의를 종료했다. - Eles terminaram a reunião.
4251. 우리는 세션을 종료한다. - Estamos a terminar a sessão.
4252. 당신들은 서비스를 종료할 것이다. - Vão encerrar o serviço.
4253. 이제 끝낼까? - Vamos terminar agora?
4254. 네, 끝내자. - Sim, vamos terminar.
4255. 마무리하다 - finalizar

4256. 그녀는 프로젝트를 마무리했다. - Ela finalizou o projeto.
4257. 우리는 논의를 마무리한다. - Estamos a concluir a nossa discussão.
4258. 당신들은 작업을 마무리할 것이다. - Vocês vão terminar o vosso trabalho.
4259. 모두 정리됐어? - Está tudo organizado?
4260. 네, 정리됐어. - Sim, está organizado.
4261. 개시하다 - para iniciar
4262. 그는 연구를 개시했다. - Ele abriu o estudo.
4263. 우리는 회의를 개시한다. - Nós estamos a abrir a reunião.
4264. 당신들은 프로그램을 개시할 것이다. - Vai iniciar um programa.
4265. 시작해도 괜찮아? - Estamos prontos para começar?
4266. 네, 시작해. - Sim, pode começar.
4267. 발동하다 - ativar
4268. 그녀는 기계를 발동했다. - Ela activou a máquina.
4269. 우리는 계획을 발동한다. - Vamos ativar um plano.
4270. 당신들은 프로세스를 발동할 것이다. - Tu vais ativar o processo.
4271. 작동할까? - Vai funcionar?
4272. 네, 작동할 거야. - Sim, vai funcionar.
4273. 정지하다 - Para parar
4274. 그들은 작업을 정지했다. - Eles pararam a tarefa.
4275. 우리는 활동을 정지한다. - Paramos uma atividade.
4276. 당신들은 프로젝트를 정지할 것이다. - Você vai parar o projeto.
4277. 멈출 시간이야? - Está na altura de parar?
4278. 네, 멈출 시간이야. - Sim, está na altura de parar.
4279. 보류하다 - To put on hold (pôr em espera)
4280. 그녀는 결정을 보류했다. - Ela pôs a sua decisão em espera.
4281. 우리는 계획을 보류한다. - Nós pusemos o plano em espera.
4282. 당신들은 발표를 보류할 것이다. - Vais pôr a apresentação em espera.
4283. 조금 기다릴까? - Vamos esperar?
4284. 네, 기다리겠습니다. - Sim, vamos esperar.
4285. 중단하다 - Para interromper
4286. 나는 공부를 중단했다. - Interrompi o meu estudo.
4287. 너는 노래를 중단한다. - Vais parar de cantar.

4288. 그는 게임을 중단할 것이다. - Ele vai parar de jogar o jogo.
4289. 멈출까? - Ele vai parar?
4290. 아니, 안 멈출 거야. - Não, eu não vou parar.
4291. 중지하다 - para parar
4292. 그녀는 작업을 중지했다. - Ela parou de trabalhar.
4293. 우리는 회의를 중지한다. - Estamos a cancelar a reunião.
4294. 당신들은 프로젝트를 중지할 것이다. - Vocês vão parar o projeto.
4295. 중지할까? - Vamos parar?
4296. 아니, 안 할 거야. - Não, não paramos.
4297. 보관하다 - Manter
4298. 그들은 기록을 보관했다. - Eles mantinham registos.
4299. 나는 사진을 보관한다. - Eu guardo fotografias.
4300. 너는 문서를 보관할 것이다. - Tu vais guardar documentos.
4301. 보관해둘까? - Devo guardá-los?
4302. 아니, 안 해도 돼. - Não, não é preciso.
4303. 축적하다 - Para acumular
4304. 그녀는 경험을 축적했다. - Ela acumulou experiência.
4305. 우리는 지식을 축적한다. - Nós acumulamos conhecimentos.
4306. 당신들은 자원을 축적할 것이다. - Tu acumularás recursos.
4307. 축적할까? - Vamos acumular?
4308. 아니, 필요 없어. - Não, não precisamos de o fazer.
4309. 48. 명사 단어들 외우기, 필수 10개 동사의 단어들을 가지고 50문장 연습하기 - 48. memorizar palavras substantivas, praticar 50 frases com as palavras dos 10 verbos essenciais
4310. 용기 - coragem
4311. 능력 - capacidade
4312. 진심 - Sinceridade
4313. 구덩이 - poço
4314. 정원 - jardim
4315. 채널 - canal
4316. 휴식 - descanso
4317. 휴가 - férias
4318. 창문 - janela
4319. 장난감 - brinquedo

4320. 장벽 - barreira
4321. 저녁 - jantar
4322. 식사 - refeição
4323. 평화 - paz
4324. 변화 - mudança
4325. 음식 - comida
4326. 책 - livro
4327. 우산 - guarda-chuva
4328. 기회 - oportunidade
4329. 쓰레기 - lixo
4330. 선물 - prenda
4331. 위험 - perigo
4332. 논쟁 - argumento
4333. 책임 - responsabilidade
4334. 보이다 - mostrar
4335. 나는 용기를 보였다. - Eu mostro coragem
4336. 너는 능력을 보인다. - Tu mostras competência
4337. 그는 진심을 보일 것이다. - Ele vai mostrar sinceridade.
4338. 보여줄까? - Devo mostrá-la?
4339. 아니, 괜찮아. - Não, não faz mal.
4340. 소리치다 - gritar
4341. 그녀는 기쁨을 소리쳤다. - Ela gritou de alegria.
4342. 우리는 승리를 소리친다. - Nós gritamos a vitória.
4343. 당신들은 이름을 소리칠 것이다. - Tu gritarás o teu nome.
4344. 소리쳐도 돼? - Posso gritar?
4345. 아니, 조용히 해. - Não, está calado.
4346. 파다 - para DIG
4347. 그들은 구덩이를 팠다. - Eles cavaram um poço.
4348. 나는 정원을 파낸다. - Eu cavo um jardim.
4349. 너는 채널을 파낼 것이다. - Tu vais cavar um canal.
4350. 계속 파도 될까? - Devo continuar a cavar?
4351. 아니, 그만 파. - Não, pára de cavar.
4352. 쉬다 - Descansar
4353. 그녀는 잠시 쉬었다. - Ela descansou durante algum tempo.

4354. 우리는 휴식을 취한다. - Fazemos uma pausa.
4355. 당신들은 휴가를 취할 것이다. - Vocês vão tirar umas férias.
4356. 잠깐 쉴까? - Vamos fazer uma pausa?
4357. 아니, 계속할게. - Não, eu continuo.
4358. 부수다 - para partir
4359. 그는 창문을 부쉈다. - Ele partiu a janela.
4360. 그녀는 장난감을 부수고 있다. - Ela está a partir os brinquedos.
4361. 우리는 장벽을 부술 것이다. - Vamos quebrar a barreira.
4362. 부술까요? - Vamos parti-la?
4363. 그래, 부셔요. - Sim, vamos parti-la.
4364. 요리하다 - cozinhar
4365. 나는 저녁을 요리했다. - Eu cozinhei o jantar.
4366. 너는 요리하고 있다. - Você está cozinhando.
4367. 그는 식사를 요리할 것이다. - Ele vai cozinhar a refeição.
4368. 뭐 요리할까? - O que é que eu cozinho?
4369. 간단한 거로 해. - Algo simples.
4370. 원하다 - querer
4371. 그녀는 휴식을 원했다. - Ela queria descansar.
4372. 우리는 평화를 원한다. - Nós queremos paz.
4373. 당신들은 변화를 원할 것이다. - Tu queres uma mudança.
4374. 무엇을 원해요? - O que é que tu queres?
4375. 조용한 시간이요. - Algum tempo de silêncio.
4376. 가져오다 - para trazer
4377. 그들은 음식을 가져왔다. - Eles trouxeram comida.
4378. 나는 책을 가져온다. - Eu trago um livro.
4379. 너는 우산을 가져올 것이다. - Tu trazes o guarda-chuva.
4380. 가져올까요? - Trago-o eu?
4381. 네, 부탁해요. - Sim, por favor.
4382. 가져가다 - Leva-o.
4383. 그녀는 기회를 가져갔다. - Ela arriscou.
4384. 우리는 쓰레기를 가져간다. - Nós levamos o lixo.
4385. 당신들은 선물을 가져갈 것이다. - Tu vais levar o presente.
4386. 가져갈게요? - Vais ficar com ele?
4387. 좋아요, 가져가세요. - Está bem, leva-o.

4388. 회피하다 - para evitar
4389. 나는 위험을 회피했다. - Evitei o perigo.
4390. 너는 논쟁을 회피하고 있다. - Está a evitar a discussão.
4391. 그는 책임을 회피할 것이다. - Ele vai esquivar-se à responsabilidade.
4392. 회피해야 하나요? - Devo evitar?
4393. 아니요, 마주해요. - Não, enfrenta-o.
4394. 49. 명사 단어들 외우기, 필수 10개 동사의 단어들을 가지고 50문장 연습하기 - 49. memorizar os substantivos, praticar 50 frases com as palavras dos 10 verbos essenciais
4395. 기쁨 - prazer
4396. 어려움 - dificuldade
4397. 성공 - sucesso
4398. 추위 - frio
4399. 성취감 - Realização
4400. 도움 - ajuda
4401. 지원 - apoio
4402. 협력 - Cooperação
4403. 결과 - resultado
4404. 여행 - viajar
4405. 실패 - fracasso
4406. 어둠 - escuridão
4407. 위험 - perigo
4408. 문제 - problema
4409. 슬픔 - tristeza
4410. 과학 - ciência
4411. 예술 - arte
4412. 취미 - hobby
4413. 주말 - fim de semana
4414. 선생님 - professor
4415. 부모님 - pais
4416. 리더 - líder
4417. 상황 - situação
4418. 경험하다 - para Experimentar
4419. 그녀는 기쁨을 경험했다. - Ela experimentou a alegria.

4420. 우리는 어려움을 경험하고 있다. - Estamos a passar por dificuldades.
4421. 당신들은 성공을 경험할 것이다. - Vais experimentar o sucesso.
4422. 경험해 볼래요? - Queres experimentar?
4423. 예, 해보고 싶어요. - Sim, gostava de experimentar.
4424. 느끼다 - sentir
4425. 그는 기쁨을 느꼈다. - Ele sentiu alegria.
4426. 나는 추위를 느낀다. - Eu sinto frio.
4427. 너는 성취감을 느낄 것이다. - Vais sentir uma sensação de realização.
4428. 행복해요? - Estás contente?
4429. 네, 매우 그래요. - Sim, muito.
4430. 약속하다 - Prometer
4431. 그녀는 도움을 약속했다. - Ela prometeu ajudar.
4432. 우리는 지원을 약속한다. - Nós prometemos apoio.
4433. 당신들은 협력을 약속할 것이다. - Tu prometes colaborar.
4434. 늦지 않겠죠? - Não te vais atrasar, pois não?
4435. 아니요, 시간 맞출게요. - Não, vou chegar a horas.
4436. 기대하다 - esperar
4437. 그들은 좋은 결과를 기대했다. - Eles esperavam um bom resultado.
4438. 나는 여행을 기대한다. - Eu espero viajar.
4439. 너는 성공을 기대할 것이다. - Tu esperas ter sucesso.
4440. 설레나요? - Estás entusiasmado?
4441. 네, 정말로요. - Sim, a sério.
4442. 두려워하다 - Ter medo
4443. 나는 실패를 두려워했다. - Eu tinha medo de falhar.
4444. 너는 어둠을 두려워한다. - Tens medo do escuro.
4445. 그는 위험을 두려워할 것이다. - Ele tem medo do risco.
4446. 겁나나요? - Tens medo?
4447. 조금요, 괜찮아요. - Um pouco, mas não faz mal.
4448. 웃어대다 - rir disso (rir-se)
4449. 그녀는 문제를 웃어넘겼다. - Ela riu-se do problema.
4450. 우리는 슬픔을 웃어낸다. - Rimo-nos das nossas tristezas.
4451. 당신들은 어려움을 웃어넘길 것이다. - Tu vais rir-te das tuas dificuldades.

4452. 웃을 수 있어요? - Consegues rir-te?
4453. 네, 물론이죠. - Sim, claro que sim.
4454. 관심가지다 - estar interessado em
4455. 그는 과학에 관심을 가졌다. - Ele estava interessado em ciência.
4456. 나는 예술에 관심을 가진다. - Eu interesso-me por arte.
4457. 너는 새 취미에 관심을 가질 것이다. - Vais interessar-te por um novo passatempo.
4458. 관심 있어요? - Estás interessado?
4459. 네, 많이요. - Sim, muito.
4460. 휴식하다 - para relaxar
4461. 그들은 주말에 휴식했다. - Eles descansaram no fim de semana.
4462. 나는 지금 휴식한다. - Estou a descansar agora.
4463. 너는 여행 후 휴식할 것이다. - Vais descansar depois da viagem.
4464. 쉬고 싶어요? - Queres descansar?
4465. 예, 필요해요. - Sim, estou a precisar.
4466. 존경하다 - honrar
4467. 나는 선생님을 존경했다. - Eu respeitava o meu professor.
4468. 너는 부모님을 존경한다. - Tu respeitas os teus pais.
4469. 그는 리더를 존경할 것이다. - Ele vai respeitar o líder.
4470. 존경해요? - Respeitas?
4471. 네, 존경해요. - Sim, admiro-os.
4472. 절망하다 - para Despair (desesperar)
4473. 그녀는 실패에 절망했다. - Ela desesperou com o fracasso.
4474. 우리는 상황을 절망한다. - Nós desesperamos com a situação.
4475. 당신들은 결과에 절망할 것이다. - Tu desesperarás com o resultado.
4476. 희망이 있어? - Há esperança?
4477. 네, 여전히 있어. - Sim, ainda há.
4478. 50. 명사 단어들 외우기, 필수 10개 동사의 단어들을 가지고 50문장 연습하기 - 50. memorizar palavras substantivas, praticar 50 frases com as 10 palavras verbais essenciais
4479. 대회 - Competição
4480. 경기 - jogo
4481. 시합 - jogo
4482. 도전 - desafio

4483. 시험 - teste
4484. 어린 시절 - infância
4485. 추억 - memória
4486. 순간 - Momento
4487. 도움 - ajuda
4488. 정보 - informação
4489. 지원 - apoio
4490. 조심 - cuidado
4491. 성실 - Sinceridade
4492. 주의 - cuidado
4493. 사업 - negócio
4494. 집 - casa
4495. 작업 - trabalho
4496. 자격 - Qualificação
4497. 기술 - tecnologia
4498. 능력 - capacidade
4499. 강좌 - palestra
4500. 프로그램 - programa
4501. 관계 - relações
4502. 건강 - saúde
4503. 균형 - equilíbrio
4504. 전통 - tradição
4505. 환경 - ambiente
4506. 문화 - cultura
4507. 승리하다 - ganhar
4508. 그는 대회에서 승리했다. - Ele ganhou o concurso.
4509. 나는 경기를 승리한다. - I win the match.
4510. 너는 시합을 승리할 것이다. - Tu vais ganhar o jogo.
4511. 기분 좋아요? - Sentes-te bem?
4512. 네, 매우 좋아요. - Sim, sinto-me muito bem.
4513. 패배하다 - Perder
4514. 그들은 경기에서 패배했다. - Eles perderam o jogo.
4515. 나는 도전에서 패배한다. - Eu perco o desafio.
4516. 너는 시험에서 패배할 것이다. - Tu vais perder o teste.

4517. 괜찮아요? - Estás bem?
4518. 네, 괜찮아요. - Sim, estou ótimo.
4519. 회상하다 - relembrar
4520. 나는 어린 시절을 회상했다. - Lembrei-me da minha infância.
4521. 너는 좋은 추억을 회상한다. - Tu recordas as boas recordações.
4522. 그는 행복한 순간을 회상할 것이다. - Ele vai recordar os momentos felizes.
4523. 추억 나눌래? - Queres recordar?
4524. 네, 좋아요. - Sim, gostava muito.
4525. 구하다 - pedir ajuda
4526. 그녀는 도움을 구했다. - Ela pediu ajuda.
4527. 우리는 정보를 구한다. - Nós procuramos informação.
4528. 당신들은 지원을 구할 것이다. - Tu vais procurar apoio.
4529. 도와줄까요? - Posso ajudar-vos?
4530. 네, 부탁해요. - Sim, por favor.
4531. 당부하다 - pedir
4532. 그는 조심을 당부했다. - Ele pediu cautela.
4533. 나는 성실을 당부한다. - Eu peço sinceridade.
4534. 너는 주의를 당부할 것이다. - Tu vais pedir cautela.
4535. 약속해요? - Prometes?
4536. 네, 약속해요. - Sim, prometo.
4537. 계약하다 - Para contratar
4538. 그들은 사업에 계약했다. - Eles contrataram o negócio.
4539. 나는 집을 계약한다. - Eu contrato uma casa.
4540. 너는 작업을 계약할 것이다. - Tu vais contratar um trabalho.
4541. 성공할까요? - Vai resultar?
4542. 네, 분명해요. - Sim, tenho a certeza.
4543. 인증하다 - Para certificar
4544. 그녀는 자격을 인증했다. - Ela certificou as suas qualificações.
4545. 우리는 기술을 인증한다. - Nós certificamos as competências.
4546. 당신들은 능력을 인증할 것이다. - Vocês vão certificar as vossas competências.
4547. 준비됐나요? - Estás pronto?
4548. 네, 완벽해요. - Sim, perfeito.

4549. 등록하다 - para Registar
4550. 나는 강좌에 등록했다. - Estou inscrito num curso.
4551. 너는 대회에 등록한다. - Inscreve-se no concurso.
4552. 그는 프로그램에 등록할 것이다. - Ele vai inscrever-se no programa.
4553. 참여할래? - Queres inscrever-te?
4554. 네, 신나요. - Sim, estou entusiasmado.
4555. 유지하다 - Manter
4556. 그들은 관계를 유지했다. - Eles mantiveram a sua relação.
4557. 나는 건강을 유지한다. - Eu mantenho a minha saúde.
4558. 너는 균형을 유지할 것이다. - Tu vais manter o equilíbrio.
4559. 쉽나요? - É fácil?
4560. 네, 쉬어요. - Sim, é fácil.
4561. 보존하다 - preservar
4562. 그녀는 전통을 보존했다. - Ela preservou a tradição.
4563. 우리는 환경을 보존한다. - Nós preservamos o ambiente.
4564. 당신들은 문화를 보존할 것이다. - Tu vais preservar a cultura.
4565. 중요하죠? - É importante, não é?
4566. 네, 매우 중요해요. - Sim, é muito importante.
4567. 51. 명사 단어들 외우기, 필수 10개 동사의 단어들을 가지고 50문장 연습하기 - 51. memorizar palavras substantivas, praticar 50 frases com as 10 palavras verbais essenciais
4568. 차 - carro
4569. 옷 - roupa
4570. 신발 - sapatos
4571. 자동차 - automóvel
4572. 방 - quarto
4573. 집 - casa
4574. 제품 - produto
4575. 앱 - aplicação
4576. 게임 - jogo
4577. 계획 - plano
4578. 정보 - informação
4579. 사실 - de facto
4580. 편지 - carta

4581. 상품 - Bens
4582. 초대장 - convite
4583. 신호 - sinal
4584. 데이터 - dados
4585. 메시지 - mensagem
4586. 뉴스 - notícias
4587. 프로그램 - programa
4588. 쇼 - espetáculo
4589. 영화 - filme
4590. 음악 - música
4591. 콘서트 - concerto
4592. 조건 - condição
4593. 계약 - contrato
4594. 가격 - preço
4595. 목표 - objetivo
4596. 방침 - política
4597. 세척하다 - para lavar
4598. 그는 차를 세척했다. - Ele lavou o carro.
4599. 나는 옷을 세척한다. - Eu lavo a minha roupa.
4600. 너는 신발을 세척할 것이다. - Tu vais lavar os teus sapatos.
4601. 깨끗해졌나요? - Estão limpos?
4602. 네, 반짝반짝해요. - Sim, estão a brilhar.
4603. 개조하다 - Para renovar
4604. 그는 자동차를 개조했다. - Ele renovou o carro.
4605. 나는 방을 개조한다. - Eu vou renovar o quarto.
4606. 너는 집을 개조할 것이다. - Tu vais renovar a casa.
4607. 새로워 보이나요? - Parece nova?
4608. 네, 완전히 달라요. - Sim, está completamente diferente.
4609. 출시하다 - Lançar
4610. 그녀는 새 제품을 출시했다. - Ela lançou um novo produto.
4611. 우리는 앱을 출시한다. - We launch an app.
4612. 당신들은 게임을 출시할 것이다. - Vocês vão lançar um jogo.
4613. 관심 있어요? - Estás interessado?
4614. 네, 궁금해요. - Sim, estou interessado.

4615. 비밀하다 - To be secretive (ser secreto)
4616. 그들은 계획을 비밀했다. - Eles mantiveram os seus planos em segredo.
4617. 나는 정보를 비밀한다. - Eu mantenho a informação em segredo.
4618. 너는 사실을 비밀할 것이다. - Vais manter o facto em segredo.
4619. 알고 싶어요? - Queres saber?
4620. 아니요, 괜찮아요. - Não, obrigado.
4621. 발송하다 - enviar
4622. 그녀는 편지를 발송했다. - Ela enviou a carta.
4623. 우리는 상품을 발송한다. - Nós enviamos a mercadoria.
4624. 당신들은 초대장을 발송할 것이다. - Vocês vão enviar os convites.
4625. 받았어요? - Recebeste-os?
4626. 네, 잘 받았어요. - Sim, recebi-o bem.
4627. 송출하다 - transmitir
4628. 그는 신호를 송출했다. - Ele transmitiu um sinal.
4629. 나는 데이터를 송출한다. - Estou a enviar dados.
4630. 너는 메시지를 송출할 것이다. - Vais transmitir uma mensagem.
4631. 작동하나요? - Funciona?
4632. 네, 잘 되요. - Sim, funciona.
4633. 방송하다 - Para transmitir
4634. 그들은 뉴스를 방송했다. - Eles transmitem as notícias.
4635. 나는 프로그램을 방송한다. - Eu transmito um programa.
4636. 너는 쇼를 방송할 것이다. - Tu vais transmitir um programa.
4637. 볼래요? - Queres ver?
4638. 네, 흥미로워요. - Sim, é interessante.
4639. 스트리밍하다 - Transmitir
4640. 그녀는 영화를 스트리밍했다. - Ela transmitiu um filme.
4641. 우리는 음악을 스트리밍한다. - Nós transmitimos música.
4642. 당신들은 콘서트를 스트리밍할 것이다. - Vocês vão transmitir um concerto.
4643. 즐기나요? - Estão a gostar?
4644. 네, 많이요. - Sim, muito.
4645. 협상하다 - negociar
4646. 그는 조건을 협상했다. - Ele negociou os termos.

4647. 나는 계약을 협상한다. - Eu negoceio o contrato.
4648. 너는 가격을 협상할 것이다. - Tu vais negociar o preço.
4649. 합의했나요? - Chegámos a um acordo?
4650. 네, 도달했어요. - Sim, chegámos a um acordo.
4651. 합의하다 - concordar
4652. 그들은 목표에 합의했다. - Eles concordaram com o objetivo.
4653. 나는 방침에 합의한다. - I will agree on a policy.
4654. 너는 계획에 합의할 것이다. - Tu vais concordar com o plano.
4655. 만족해요? - Estão satisfeitos?
4656. 네, 완전히요. - Sim, completamente.
4657. 52. 명사 단어들 외우기, 필수 10개 동사의 단어들을 가지고 50문장 연습하기 - 52. memorizar palavras substantivas, praticar 50 frases com as 10 palavras verbais essenciais
4658. 프로젝트 - projeto
4659. 발전 - desenvolvimento
4660. 성공 - sucesso
4661. 사진 - imagem
4662. 아이디어 - ideia
4663. 경험 - experiência
4664. 건물 - edifício
4665. 회의실 - sala de reuniões
4666. 도서관 - biblioteca
4667. 파티 - festa
4668. 회의 - reunião
4669. 강당 - auditório
4670. 목록 - lista
4671. 보고서 - relatório
4672. 계획 - plano
4673. 명단 - lista
4674. 주제 - assunto
4675. 옵션 - opção
4676. 시험 - teste
4677. 비상사태 - Emergência
4678. 경쟁 - competir

4679. 예산 - orçamento
4680. 기대 - expetativa
4681. 목표 - objetivo
4682. 극한 - limite
4683. 한계 - Limite
4684. 정상 - normal
4685. 합의 - acordo
4686. 결론 - conclusão
4687. 기여하다 - para Contribuir
4688. 그녀는 프로젝트에 기여했다. - Ela contribuiu para o projeto.
4689. 우리는 발전에 기여한다. - Nós contribuímos para o desenvolvimento.
4690. 당신들은 성공에 기여할 것이다. - Contribuirás para o sucesso.
4691. 도움됐나요? - Ajudou?
4692. 네, 많이요. - Sim, muito.
4693. 공유하다 - Partilhar
4694. 그는 사진을 공유했다. - Ele partilhou a fotografia.
4695. 나는 아이디어를 공유한다. - Eu partilho ideias.
4696. 너는 경험을 공유할 것이다. - Vais partilhar a tua experiência.
4697. 보여줄래요? - Mostra-me?
4698. 네, 기꺼이요. - Sim, com todo o gosto.
4699. 출입하다 - Entrar e sair
4700. 그들은 건물에 출입했다. - Eles entraram no edifício.
4701. 나는 회의실에 출입한다. - Eu entro na sala de conferências.
4702. 너는 도서관에 출입할 것이다. - Tu vais entrar na biblioteca.
4703. 허용되나요? - Isso é permitido?
4704. 네, 가능해요. - Sim, pode.
4705. 퇴장하다 - Para sair
4706. 그녀는 파티에서 퇴장했다. - Ela deixou a festa.
4707. 우리는 회의에서 퇴장한다. - Estamos a sair da reunião.
4708. 당신들은 강당에서 퇴장할 것이다. - Vão ser dispensados do auditório.
4709. 끝났나요? - Já acabaram?
4710. 네, 끝났어요. - Sim, já acabou.
4711. 포함하다 - Para incluir
4712. 그는 목록에 이름을 포함했다. - Ele incluiu os nomes na lista.

4713. 나는 보고서에 결과를 포함한다. - Eu incluo os resultados no relatório.
4714. 너는 계획에 이 아이디어를 포함할 것이다. - Vais incluir a ideia no teu plano.
4715. 필요해요? - É necessário?
4716. 네, 중요해요. - Sim, é importante.
4717. 배제하다 - excluir
4718. 그들은 명단에서 그를 배제했다. - Excluíram-no da lista.
4719. 나는 논의에서 주제를 배제한다. - Eu excluo o tópico da discussão.
4720. 너는 제안에서 그 옵션을 배제할 것이다. - Vais excluir a opção da proposta.
4721. 제외되나요? - Excluir?
4722. 네, 그렇게 결정했어요. - Sim, foi isso que decidimos.
4723. 대비하다 - preparar
4724. 그녀는 시험에 대비했다. - Ela preparou-se para o exame.
4725. 우리는 비상사태에 대비한다. - Nós preparamo-nos para as emergências.
4726. 당신들은 경쟁에 대비할 것이다. - Vais preparar-te para o concurso.
4727. 준비됐나요? - Estás preparado?
4728. 네, 완벽해요. - Sim, estou perfeito.
4729. 초과하다 - ultrapassar
4730. 그는 예산을 초과했다. - Ele ultrapassou o orçamento.
4731. 나는 기대를 초과한다. - Eu excedi as expectativas.
4732. 너는 목표를 초과할 것이다. - Vais ultrapassar o teu objetivo.
4733. 문제 있나요? - Há algum problema?
4734. 아니요, 괜찮아요. - Não, estou ótimo.
4735. 미치다 - Para ser louco
4736. 그는 극한에 미쳤다. - Ele é louco ao extremo.
4737. 나는 한계에 미친다. - Eu sou louco até ao limite.
4738. 너는 목표에 미칠 것이다. - Serás louco com os teus objectivos.
4739. 미쳤어? - És louco?
4740. 아니, 정상이야. - Não, é normal.
4741. 도달하다 - alcançar
4742. 그녀는 정상에 도달했다. - Ela alcançou o topo.

4743. 우리는 합의에 도달한다. - Nós chegamos a um acordo.
4744. 당신들은 결론에 도달할 것이다. - Chegarão a uma conclusão.
4745. 도착했니? - Já chegámos?
4746. 네, 여기야. - Sim, aqui estamos.
4747. 53. 명사 단어들 외우기, 필수 10개 동사의 단어들을 가지고 50문장 연습하기 - 53. Memorizar palavras substantivas, praticar 50 frases com as 10 palavras verbais essenciais
4748. 자원 - recurso
4749. 정보 - informação
4750. 지지 - apoio
4751. 미래 - futuro
4752. 가능성 - Possibilidade
4753. 세계 - mundo
4754. 새로운 것 - novidade
4755. 해결 - resolver
4756. 변화 - mudar
4757. 목표 - objetivo
4758. 계획 - planear
4759. 시험 - testar
4760. 사업 - negócio
4761. 노력 - esforço
4762. 프로젝트 - projeto
4763. 결정 - decisão
4764. 방향 - direção
4765. 선택 - selecionar
4766. 경고 - aviso
4767. 위험 - perigo
4768. 조언 - conselho
4769. 세부사항 - pormenor
4770. 결과 - resultado
4771. 작업 - trabalho
4772. 공부 - estudo
4773. 공원 - parque
4774. 생각 - pensamento

4775. 감정 - emoção
4776. 확보하다 - assegurar
4777. 그들은 자원을 확보했다. - Eles asseguraram recursos.
4778. 나는 정보를 확보한다. - Eu asseguro informação.
4779. 너는 지지를 확보할 것이다. - Tu vais garantir apoio.
4780. 준비됐니? - Está preparado?
4781. 네, 다 됐어. - Sim, estou pronto.
4782. 상상하다 - Para imaginar
4783. 그녀는 미래를 상상했다. - Ela imaginou o futuro.
4784. 우리는 가능성을 상상한다. - Nós imaginamos possibilidades.
4785. 당신들은 세계를 상상할 것이다. - Tu imaginarás o mundo.
4786. 꿈꿔? - Sonhas?
4787. 네, 가끔. - Sim, às vezes.
4788. 시도하다 - tentar
4789. 그는 새로운 것을 시도했다. - Ele tentou algo novo.
4790. 나는 해결을 시도한다. - Eu tento resolver.
4791. 너는 변화를 시도할 것이다. - Tu vais tentar mudar.
4792. 해봤어? - Já tentaste?
4793. 아직 안 해. - Eu ainda não.
4794. 실패하다 - falhar
4795. 그들은 목표에 실패했다. - Eles falharam no seu objetivo.
4796. 나는 계획에 실패한다. - Eu falho no plano.
4797. 너는 시험에 실패할 것이다. - Você falhará no teste.
4798. 실패했니? - Falhaste?
4799. 네, 아쉽게도. - Sim, infelizmente.
4800. 성공하다 - Para ter sucesso
4801. 그녀는 사업에서 성공했다. - Ela teve sucesso nos negócios.
4802. 우리는 노력에서 성공한다. - Nós somos bem sucedidos nos nossos empreendimentos.
4803. 당신들은 프로젝트에서 성공할 것이다. - O projeto será bem sucedido.
4804. 성공했어? - Conseguiste?
4805. 네, 됐어! - Sim, está feito!
4806. 확신하다 - ter a certeza
4807. 그는 결정에 확신했다. - Ele tinha a certeza da sua decisão.

4808. 나는 방향에 확신한다. - Tenho a certeza da direção.
4809. 너는 선택에 확신할 것이다. - Vais ter a certeza da tua escolha.
4810. 확실해? - Tens a certeza?
4811. 네, 확실해. - Sim, tenho a certeza.
4812. 무시하다 - ignorar
4813. 그들은 경고를 무시했다. - Eles ignoraram o aviso.
4814. 나는 위험을 무시한다. - Eu ignoro o risco.
4815. 너는 조언을 무시할 것이다. - Vais ignorar o conselho.
4816. 무시해? - Ignorar?
4817. 아니, 들어. - Não, ouve.
4818. 주목하다 - perceber
4819. 그녀는 변화에 주목했다. - Ela notou a mudança.
4820. 우리는 세부사항에 주목한다. - Prestamos atenção aos pormenores.
4821. 당신들은 결과에 주목할 것이다. - Vais reparar nos resultados.
4822. 보고 있니? - Está a observar?
4823. 네, 주목해. - Sim, estou a prestar atenção.
4824. 집중하다 - Concentrar-se
4825. 그는 작업에 집중했다. - Ele concentrou-se na tarefa.
4826. 나는 목표에 집중한다. - Eu concentro-me no objetivo.
4827. 너는 공부에 집중할 것이다. - Vais concentrar-te nos teus estudos.
4828. 집중돼? - Estás concentrado?
4829. 네, 잘 돼. - Sim, está a correr bem.
4830. 흩어지다 - dispersar
4831. 그들은 공원에서 흩어졌다. - Eles dispersaram-se no parque.
4832. 나는 생각에 흩어진다. - Estou disperso nos meus pensamentos.
4833. 너는 감정에 흩어질 것이다. - Vais ficar disperso nos teus sentimentos.
4834. 헤어졌어? - Separaste-te?
4835. 네, 이제 그래. - Sim, agora estou.
4836. 54. 명사 단어들 외우기, 필수 10개 동사의 단어들을 가지고 50문장 연습하기 - 54. Memorizar palavras substantivas, praticar 50 frases com as 10 palavras verbais essenciais
4837. 자원 - recurso
4838. 관심 - interessar

4839. 투자 - investir
4840. 데이터 - dados
4841. 시스템 - sistema
4842. 노력 - esforço
4843. 색상 - cor
4844. 재료 - ingrediente
4845. 아이디어 - ideia
4846. 문제 - problema
4847. 과정 - procedimento
4848. 절차 - procedimento
4849. 계획 - plano
4850. 상황 - situação
4851. 설명 - explicação
4852. 작업 - trabalho
4853. 생각 - pensamento
4854. 보고서 - relatório
4855. 내용 - pormenor
4856. 결과 - resultado
4857. 용어 - Termos
4858. 목적 - objetivo
4859. 개념 - conceito
4860. 주장 - opinião
4861. 의견 - opinião
4862. 결론 - conclusão
4863. 이론 - teoria
4864. 가설 - hipótese
4865. 분산하다 - Dispersar
4866. 그들은 자원을 분산했다. - Eles dispersaram os seus recursos.
4867. 우리는 관심을 분산한다. - Nós diversificamos a nossa atenção.
4868. 당신들은 투자를 분산할 것이다. - Diversificarão os vossos investimentos.
4869. 관심 있어? - Está interessado?
4870. 조금 있어. - Eu tenho alguns.
4871. 통합하다 - Para integrar

4872. 그녀는 데이터를 통합했다. - Ela consolidou os dados.
4873. 우리는 시스템을 통합한다. - Nós integramos os sistemas.
4874. 당신들은 노력을 통합할 것이다. - Vocês vão integrar os vossos esforços.
4875. 쉬웠어? - Foi fácil?
4876. 아니, 어려웠어. - Não, foi difícil.
4877. 혼합하다 - misturar
4878. 그는 색상을 혼합했다. - Ele misturou as cores.
4879. 나는 재료를 혼합한다. - Eu misturo os ingredientes.
4880. 너는 아이디어를 혼합할 것이다. - Tu vais misturar ideias.
4881. 잘 됐어? - Correu bem?
4882. 네, 잘 됐어. - Sim, correu bem.
4883. 단순화하다 - Para simplificar
4884. 그들은 문제를 단순화했다. - Eles simplificaram o problema.
4885. 우리는 과정을 단순화한다. - Nós simplificamos o processo.
4886. 당신들은 절차를 단순화할 것이다. - Vocês vão simplificar o processo.
4887. 필요해? - Precisas disso?
4888. 네, 필요해. - Sim, preciso.
4889. 복잡하게 하다 - Para complicar
4890. 그녀는 계획을 복잡하게 했다. - Ela complicou o plano.
4891. 나는 상황을 복잡하게 한다. - Eu complico a situação.
4892. 너는 설명을 복잡하게 할 것이다. - Tu vais complicar a explicação.
4893. 문제 있어? - Há algum problema?
4894. 아니, 괜찮아. - Não, eu estou bem.
4895. 간소화하다 - para simplificar
4896. 그는 절차를 간소화했다. - Ele simplificou o procedimento.
4897. 나는 작업을 간소화한다. - Eu simplifico a tarefa.
4898. 너는 생각을 간소화할 것이다. - Tu simplificarás o teu pensamento.
4899. 도움 돼? - Isso ajuda?
4900. 네, 도움 돼. - Sim, ajuda.
4901. 요약하다 - Resumir
4902. 그들은 보고서를 요약했다. - Eles resumiram o relatório.
4903. 우리는 내용을 요약한다. - Nós resumimos o conteúdo.
4904. 당신들은 결과를 요약할 것이다. - Vocês vão resumir os resultados.

4905. 간단해? - Simples?
4906. 응, 간단해. - Sim, é simples.
4907. 정의하다 - para Definir
4908. 그녀는 용어를 정의했다. - Ela definiu os termos.
4909. 나는 목적을 정의한다. - Eu defino o objetivo.
4910. 너는 개념을 정의할 것이다. - Tu vais definir o conceito.
4911. 이해했어? - Compreendes?
4912. 네, 이해했어. - Sim, estou a perceber.
4913. 반박하다 - Refutar
4914. 그는 주장을 반박했다. - Ele refutou o argumento.
4915. 나는 의견을 반박한다. - Eu refuto a opinião.
4916. 너는 결론을 반박할 것이다. - Tu refutarás a conclusão.
4917. 확실해? - Tens a certeza?
4918. 네, 확실해. - Sim, tenho a certeza.
4919. 논박하다 - refutar
4920. 그들은 이론을 논박했다. - Eles refutaram a teoria.
4921. 우리는 가설을 논박한다. - Nós refutamos a hipótese.
4922. 당신들은 주장을 논박할 것이다. - Tu refutarás a afirmação.
4923. 가능해? - Será possível?
4924. 어렵지만 가능해. - É difícil, mas é possível.
4925. 55. 명사 단어들 외우기, 필수 10개 동사의 단어들을 가지고 50문장 연습하기 - 55. memorizar os substantivos, praticar 50 frases com as palavras dos 10 verbos essenciais
4926. 문헌 - literatura
4927. 연구 - investigação
4928. 전문가 - especialista
4929. 사건 - Evento
4930. 이슈 - assunto
4931. 사실 - de facto
4932. 행복 - felicidade
4933. 목표 - objetivo
4934. 성공 - sucesso
4935. 기술 - tecnologia
4936. 학문 - Bolsa de estudo

4937. 경력 - carreira
4938. 발전 - desenvolvimento
4939. 계획 - plano
4940. 집 - casa
4941. 사무실 - escritório
4942. 공간 - espaço
4943. 작품 - trabalho
4944. 데이터 - dados
4945. 디자인 - projeto
4946. 실수 - erro
4947. 과정 - procedimento
4948. 패턴 - padrão
4949. 스타일 - estilo
4950. 방식 - método
4951. 기법 - técnica
4952. 동작 - movimento
4953. 말투 - discurso
4954. 절차 - procedimento
4955. 인용하다 - para citar
4956. 그녀는 문헌을 인용했다. - Ela citou a literatura.
4957. 나는 연구를 인용한다. - Eu cito um estudo.
4958. 너는 전문가를 인용할 것이다. - Vai citar um especialista.
4959. 필요한 거야? - Isto é necessário?
4960. 네, 필요해. - Sim, é necessário.
4961. 언급하다 - referir
4962. 그는 사건을 언급했다. - Ele referiu-se ao caso.
4963. 나는 이슈를 언급한다. - Eu refiro-me ao assunto.
4964. 너는 사실을 언급할 것이다. - O senhor vai mencionar o facto.
4965. 언급됐어? - Mencionar?
4966. 네, 언급됐어. - Sim, foi mencionado.
4967. 추구하다 - perseguir
4968. 그들은 행복을 추구했다. - Eles perseguiam a felicidade.
4969. 우리는 목표를 추구한다. - Nós perseguimos objectivos.
4970. 당신들은 성공을 추구할 것이다. - Tu vais perseguir o sucesso.

4971. 성공했어? - Conseguiste?
4972. 아직은 모르겠어. - Ainda não sei.
4973. 진보하다 - Para fazer progresso
4974. 그녀는 기술에서 진보했다. - Ela fez progressos na tecnologia.
4975. 나는 학문에서 진보한다. - I advance in my studies.
4976. 너는 경력에서 진보할 것이다. - Tu vais progredir na tua carreira.
4977. 어떻게 됐어? - Como é que está a correr?
4978. 잘 되고 있어. - Está a correr bem.
4979. 후퇴하다 - Regredir
4980. 그는 발전에서 후퇴했다. - Ele recuou em relação ao avanço.
4981. 나는 계획에서 후퇴한다. - Estou a recuar em relação ao plano.
4982. 너는 목표에서 후퇴할 것이다. - Tu vais recuar em relação ao objetivo.
4983. 괜찮아? - Estás bem?
4984. 괜찮아, 다시 해볼게. - Está tudo bem, vou tentar outra vez.
4985. 리모델링하다 - remodelar
4986. 그들은 집을 리모델링했다. - They remodeled the house.
4987. 우리는 사무실을 리모델링한다. - Nós remodelamos o escritório.
4988. 당신들은 공간을 리모델링할 것이다. - Vais remodelar o teu espaço.
4989. 비쌌어? - Foi caro?
4990. 네, 좀 비쌌어. - Sim, foi um pouco caro.
4991. 복제하다 - reproduzir
4992. 그녀는 작품을 복제했다. - Ela mandou reproduzir a sua obra de arte.
4993. 나는 데이터를 복제한다. - Eu reproduzo os dados.
4994. 너는 디자인을 복제할 것이다. - Tu vais reproduzir o desenho.
4995. 허락됐어? - É-lhe permitido?
4996. 네, 허락됐어. - Sim, é-me permitido.
4997. 반복하다 - Repetir
4998. 그는 실수를 반복했다. - Ele repetiu o seu erro.
4999. 나는 과정을 반복한다. - Eu repito o processo.
5000. 너는 패턴을 반복할 것이다. - Vais repetir o padrão.
5001. 배웠어? - Aprendeste?
5002. 네, 배웠어. - Sim, aprendi.

5003. 모방하다 - Imitar
5004. 그들은 스타일을 모방했다. - Eles imitaram o estilo.
5005. 우리는 방식을 모방한다. - Nós imitamos os métodos.
5006. 당신들은 기법을 모방할 것이다. - Vocês vão copiar a técnica.
5007. 좋았어? - Foi bom?
5008. 응, 괜찮았어. - Sim, foi bom.
5009. 따라하다 - Para imitar
5010. 그녀는 동작을 따라했다. - Ela copiou os movimentos.
5011. 나는 말투를 따라한다. - Eu imito o tom de voz.
5012. 너는 절차를 따라할 것이다. - Vais seguir o procedimento.
5013. 쉬웠어? - Foi fácil?
5014. 응, 쉬웠어. - Sim, foi fácil.
5015. 56. 명사 단어들 외우기, 필수 10개 동사의 단어들을 가지고 50문장 연습하기 - 56. Memoriza os substantivos, pratica 50 frases com as 10 palavras verbais essenciais
5016. 정보 - informação
5017. 아이 - criança
5018. 환경 - ambiente
5019. 시장 - mercado
5020. 행동 - ação
5021. 프로세스 - processo
5022. 위험 - perigo
5023. 오류 - erro
5024. 실패 - falha
5025. 질병 - doença
5026. 사고 - acidente
5027. 문제 - problema
5028. 아이디어 - ideia
5029. 시스템 - sistema
5030. 의견 - opinião
5031. 자원 - recurso
5032. 데이터 - dados
5033. 옵션 - opção
5034. 후보 - candidato

5035. 보상 - indemnização
5036. 비용 - despesa
5037. 권리 - direito
5038. 계획 - plano
5039. 제안 - proposta
5040. 주장 - parecer
5041. 포지션 - posição
5042. 영역 - área
5043. 보호하다 - proteger
5044. 그는 정보를 보호했다. - Ele protegeu a informação.
5045. 나는 아이를 보호한다. - Eu protejo a criança.
5046. 너는 환경을 보호할 것이다. - Tu vais proteger o ambiente.
5047. 중요해? - É importante?
5048. 네, 매우 중요해. - Sim, é muito importante.
5049. 감시하다 - monitorizar
5050. 그들은 시장을 감시했다. - Eles monitorizaram o mercado.
5051. 우리는 행동을 감시한다. - Nós monitorizamos o comportamento.
5052. 당신들은 프로세스를 감시할 것이다. - Vocês vão monitorizar o processo.
5053. 필요했어? - Era necessário?
5054. 네, 필요했어. - Sim, era necessário.
5055. 경계하다 - estar atento
5056. 그녀는 위험을 경계했다. - Ela estava atenta ao perigo.
5057. 나는 오류를 경계한다. - Eu estou atento aos erros.
5058. 너는 실패를 경계할 것이다. - Estará atento ao fracasso.
5059. 조심해야 해? - Devo ter cuidado?
5060. 네, 조심해야 해. - Sim, deves ter cuidado.
5061. 예방하다 - para prevenir
5062. 그녀는 질병을 예방했다. - Ela preveniu a doença.
5063. 우리는 사고를 예방한다. - Nós prevenimos os acidentes.
5064. 당신들은 문제를 예방할 것이다. - Tu vais evitar problemas.
5065. 감기 걸렸어? - Estás constipado?
5066. 아니, 괜찮아. - Não, estou ótimo.
5067. 혁신하다 - Para inovar

5068. 그는 프로세스를 혁신했다. - Ele inovou um processo.
5069. 나는 아이디어를 혁신한다. - Eu inovo ideias.
5070. 너는 시스템을 혁신할 것이다. - Tu vais inovar um sistema.
5071. 새로워? - Novo?
5072. 응, 새로워. - Sim, novo.
5073. 교환하다 - para trocar
5074. 그녀는 정보를 교환했다. - Ela trocou informações.
5075. 우리는 의견을 교환한다. - Nós trocamos opiniões.
5076. 당신들은 자원을 교환할 것이다. - Vocês vão trocar recursos.
5077. 바꿨어? - Trocaste?
5078. 응, 바꿨어. - Sim, troquei.
5079. 선별하다 - peneirar
5080. 그는 데이터를 선별했다. - Ele peneirou os dados.
5081. 나는 옵션을 선별한다. - Eu vou analisar as opções.
5082. 너는 후보를 선별할 것이다. - Tu vais selecionar os candidatos.
5083. 선택했어? - Escolheste?
5084. 네, 했어. - Sim, escolhi.
5085. 청구하다 - Alegar
5086. 그녀는 보상을 청구했다. - Ela reclamou a sua indemnização.
5087. 우리는 비용을 청구한다. - Nós reclamamos as despesas.
5088. 당신들은 권리를 청구할 것이다. - Vocês vão reclamar os vossos direitos.
5089. 비싸? - É caro?
5090. 아니, 적당해. - Não, é acessível.
5091. 동조하다 - simpatizar
5092. 그는 의견에 동조했다. - Ele simpatizou com a opinião.
5093. 나는 계획에 동조한다. - Eu concordo com o plano.
5094. 너는 제안에 동조할 것이다. - Vais simpatizar com a proposta.
5095. 동의해? - Do you agree?
5096. 응, 동의해. - Sim, concordo.
5097. 방어하다 - defensor
5098. 그녀는 주장을 방어했다. - Ela defendeu a reivindicação.
5099. 우리는 포지션을 방어한다. - Nós defendemos a posição.
5100. 당신들은 영역을 방어할 것이다. - Vocês vão defender o vosso

território.
5101. 준비됐어? - Estás pronto?
5102. 네, 준비됐어. - Sim, estou pronto.
5103. 57. 명사 단어들 외우기, 필수 10개 동사의 단어들을 가지고 50문장 연습하기 - 57. Memorizar palavras substantivas, praticar 50 frases com as 10 palavras verbais necessárias
5104. 오류 - erro
5105. 변화 - mudar
5106. 위험 - perigo
5107. 기술 - tecnologia
5108. 방법 - método
5109. 지식 - conhecimento
5110. 학생들 - estudantes
5111. 주제 - assunto
5112. 서류 - documento
5113. 방 - sala
5114. 일정 - horário
5115. 정책 - política
5116. 계획 - plano
5117. 규칙 - regra
5118. 목표 - objetivo
5119. 프로젝트 - projeto
5120. 꿈 - sonho
5121. 결과 - resultado
5122. 성공 - sucesso
5123. 예약 - reserva
5124. 주문 - ordem
5125. 규정 - regra
5126. 시스템 - sistema
5127. 프로그램 - programa
5128. 병 - partido
5129. 상처 - ferida
5130. 조건 - condição
5131. 탐지하다 - para detetar

5132. 그는 오류를 탐지했다. - Ele detectou um erro.
5133. 나는 변화를 탐지한다. - Eu detecto uma mudança.
5134. 너는 위험을 탐지할 것이다. - Tu detectarás o perigo.
5135. 봤어? - Viste aquilo?
5136. 응, 봤어. - Sim, eu vi-o.
5137. 학습하다 - Aprender
5138. 그녀는 기술을 학습했다. - Ela aprendeu a técnica.
5139. 우리는 방법을 학습한다. - Nós aprendemos os métodos.
5140. 당신들은 지식을 학습할 것이다. - Tu vais aprender o conhecimento.
5141. 이해해? - Compreendes?
5142. 네, 이해해. - Sim, percebo.
5143. 교육하다 - Para educar
5144. 그는 학생들을 교육했다. - Ele educou os alunos.
5145. 나는 주제를 교육한다. - Eu educo a matéria.
5146. 너는 기술을 교육할 것이다. - Tu vais educar as competências.
5147. 잘 가르쳐? - Ensinar bem?
5148. 응, 잘 가르쳐. - Sim, ensinar bem.
5149. 정돈하다 - para organizar
5150. 그녀는 서류를 정돈했다. - Ela pôs os seus papéis em ordem.
5151. 우리는 방을 정돈한다. - Organizamos o nosso quarto.
5152. 당신들은 일정을 정돈할 것이다. - You will organize your schedule.
5153. 깨끗해? - Está limpo?
5154. 네, 깨끗해. - Sim, está limpo.
5155. 시행하다 - reforçar
5156. 그는 정책을 시행했다. - Ele fez cumprir a política.
5157. 나는 계획을 시행한다. - Eu faço cumprir o plano.
5158. 너는 규칙을 시행할 것이다. - Tu vais fazer cumprir as regras.
5159. 작동해? - Funciona?
5160. 응, 작동해. - Sim, funciona.
5161. 성취하다 - Realizar
5162. 그녀는 목표를 성취했다. - Ela cumpriu o seu objetivo.
5163. 우리는 프로젝트를 성취한다. - Nós vamos cumprir o projeto.
5164. 당신들은 꿈을 성취할 것이다. - Tu vais realizar o teu sonho.
5165. 성공했어? - Conseguiste?

5166. 네, 성공했어. - Sim, consegui.
5167. 달성하다 - realizar
5168. 그는 결과를 달성했다. - Ele alcançou o resultado.
5169. 나는 목표를 달성한다. - Eu alcancei o meu objetivo.
5170. 너는 성공을 달성할 것이다. - Tu vais alcançar o sucesso.
5171. 됐어? - Já está feito?
5172. 응, 됐어. - Sim, está feito.
5173. 취소하다 - Cancelar
5174. 그녀는 계획을 취소했다. - Ela cancelou os seus planos.
5175. 우리는 예약을 취소한다. - Cancelámos a reserva.
5176. 당신들은 주문을 취소할 것이다. - Vocês vão cancelar a encomenda.
5177. 멈췄어? - Parou?
5178. 네, 멈췄어. - Sim, parou.
5179. 폐지하다 - abolir
5180. 그는 규정을 폐지했다. - Ele aboliu o regulamento.
5181. 나는 시스템을 폐지한다. - Eu aboli o sistema.
5182. 너는 프로그램을 폐지할 것이다. - Tu vais abolir o programa.
5183. 없어졌어? - Foi-se embora?
5184. 응, 없어졌어. - Sim, foi-se.
5185. 치료하다 - curar
5186. 그녀는 병을 치료했다. - Ela foi curada da sua doença.
5187. 우리는 상처를 치료한다. - Nós curamos as feridas.
5188. 당신들은 조건을 치료할 것이다. - Tu vais curar a doença.
5189. 나았어? - Estás melhor?
5190. 네, 나았어. - Sim, estou melhor.
5191. 58. 명사 단어들 외우기, 필수 10개 동사의 단어들을 가지고 50문장 연습하기 - 58. Memorizar os substantivos, praticar 50 frases com as 10 palavras verbais essenciais
5192. 데이터 - dados
5193. 시스템 - sistema
5194. 기능 - função
5195. 중요 파일 - ficheiros importantes
5196. 자료 - dados
5197. 잡지 - revista

5198. 뉴스레터 - boletim informativo
5199. 채널 - canal
5200. 계약 - contrato
5201. 멤버십 - adesão
5202. 서비스 - serviço
5203. 클럽 - clube
5204. 조직 - grupo
5205. 그룹 - grupo
5206. 인터넷 - Internet
5207. 사이트 - sítio
5208. 계정 - conta
5209. 앱 - aplicação
5210. 플랫폼 - plataforma
5211. 웹사이트 - Sítio Web
5212. 정책 - política
5213. 결정 - decisão
5214. 조치 - ação
5215. 조정 - ajustamento
5216. 정확한 정보 - informação exacta
5217. 적절한 조치 - ação adequada
5218. 복원하다 - restaurar
5219. 그는 데이터를 복원했다. - Ele restaurou os dados.
5220. 나는 시스템을 복원한다. - Eu vou restaurar o sistema.
5221. 너는 기능을 복원할 것이다. - Tu vais restaurar a funcionalidade.
5222. 돌아왔어? - Voltaste?
5223. 응, 돌아왔어. - Sim, estou de volta.
5224. 백업하다 - para fazer uma cópia de segurança
5225. 그는 데이터를 백업했다. - Ele fez uma cópia de segurança dos seus dados.
5226. 그녀는 중요 파일을 백업한다. - Ela faz cópias de segurança dos seus ficheiros importantes.
5227. 우리는 자료를 백업할 것이다. - Vamos fazer uma cópia de segurança dos dados.
5228. 자료 안전해? - Os dados estão seguros?

5229. 네, 백업됐어. - Sim, é feita uma cópia de segurança.
5230. 구독하다 - para se inscrever
5231. 그녀는 잡지를 구독했다. - Ela subscreveu uma revista.
5232. 우리는 뉴스레터를 구독한다. - Nós subscrevemos a newsletter.
5233. 당신들은 채널을 구독할 것이다. - Vai subscrever o canal.
5234. 새 소식 있어? - Há novidades?
5235. 예, 업데이트 됐어. - Sim, fui atualizado.
5236. 해지하다 - rescindir
5237. 그는 계약을 해지했다. - Ele cancelou o contrato.
5238. 그녀는 멤버십을 해지한다. - Ela está a cancelar a sua inscrição.
5239. 우리는 서비스를 해지할 것이다. - Vamos rescindir o serviço.
5240. 계약 끝났어? - O contrato já terminou?
5241. 아니, 진행 중이야. - Não, está a decorrer.
5242. 탈퇴하다 - sair
5243. 그녀는 클럽을 탈퇴했다. - Ela abandonou o clube.
5244. 우리는 조직을 탈퇴한다. - Estamos a deixar a organização.
5245. 당신들은 그룹을 탈퇴할 것이다. - Estás a deixar o grupo.
5246. 아직 멤버야? - Ainda és membro?
5247. 아니, 탈퇴했어. - Não, eu saí.
5248. 접속하다 - aceder
5249. 그는 인터넷에 접속했다. - Ele acedeu à Internet.
5250. 그녀는 사이트에 접속한다. - Ela acedeu ao site.
5251. 우리는 시스템에 접속할 것이다. - Vamos ligar-nos ao sistema.
5252. 인터넷 연결됐어? - Estás ligado à Internet?
5253. 네, 연결됐어. - Sim, estou ligado.
5254. 로그인하다 - para iniciar sessão
5255. 그녀는 계정에 로그인했다. - Ela entrou na sua conta.
5256. 우리는 앱에 로그인한다. - Fazemos o login na aplicação.
5257. 당신들은 플랫폼에 로그인할 것이다. - Vai iniciar sessão na plataforma.
5258. 로그인 문제 있어? - Algum problema no registo?
5259. 아니, 잘 됐어. - Não, está tudo bem.
5260. 로그아웃하다 - para terminar a sessão
5261. 그는 웹사이트에서 로그아웃했다. - Ele saiu do sítio Web.

5262. 그녀는 시스템에서 로그아웃한다. - Ela está a sair do sistema.
5263. 우리는 계정에서 로그아웃할 것이다. - Vamos terminar a sessão da nossa conta.
5264. 로그아웃 했어? - Fizeste o logout?
5265. 예, 했어. - Sim, fiz.
5266. 항의하다 - protestar
5267. 그녀는 정책에 항의했다. - Ela protestou contra a política.
5268. 우리는 결정에 항의한다. - Nós protestamos contra a decisão.
5269. 당신들은 조치에 항의할 것이다. - Vão protestar contra a ação.
5270. 불만 있어? - Tens alguma queixa?
5271. 예, 있어. - Sim, tenho.
5272. 요구하다 - exigir
5273. 그는 조정을 요구했다. - Ele exigiu um ajustamento.
5274. 그녀는 정확한 정보를 요구한다. - Ela exige informações exactas.
5275. 우리는 적절한 조치를 요구할 것이다. - Vamos exigir uma ação adequada.
5276. 더 필요한 거 있어? - Precisa de mais alguma coisa?
5277. 아뇨, 다 됐어요. - Não, já acabei.
5278. 59. 명사 단어들 외우기, 필수 10개 동사의 단어들을 가지고 50문장 연습하기 - 59. memorizar palavras substantivas, praticar 50 frases com as 10 palavras verbais essenciais
5279. 업무 우선순위 - prioridades de trabalho
5280. 프로젝트의 우선순위 - Prioridade do projeto
5281. 일의 순서 - ordem de trabalho
5282. 회의 - reunião
5283. 이벤트 - evento
5284. 행사 - evento
5285. 파티 - festa
5286. 대회 - concurso
5287. 경연 - concurso
5288. 워크숍 - workshop
5289. 세미나 - seminário
5290. 포럼 - fórum
5291. 회사 - empresa

5292. 단체 - organização
5293. 조직 - grupo
5294. 재단 - Fundação
5295. 기관 - agência
5296. 학교 - escola
5297. 클럽 - clube
5298. 협회 - associação
5299. 프로젝트 - projeto
5300. 캠페인 - campanha
5301. 운동 - trabalho
5302. 사업 - negócio
5303. 파트너십 - parceria
5304. 모임 - classe
5305. 조합 - combinação
5306. 집단 - grupo
5307. 우선순위를 정하다 - para Priorizar
5308. 그녀는 업무 우선순위를 정했다. - Ela deu prioridade ao seu trabalho.
5309. 우리는 프로젝트의 우선순위를 정한다. - Demos prioridade ao projeto.
5310. 당신들은 일의 순서를 정할 것이다. - Vais organizar a ordem do trabalho.
5311. 뭐부터 할까? - O que é que vamos fazer primeiro?
5312. 이거부터 해요. - Vamos fazer isto primeiro.
5313. 개최하다 - segurar
5314. 그는 회의를 개최했다. - Ele realizou uma reunião.
5315. 그녀는 이벤트를 개최한다. - Ela está a organizar um evento.
5316. 우리는 행사를 개최할 것이다. - We will hold an event.
5317. 장소 예약됐어? - O lugar está reservado?
5318. 네, 예약됐어요. - Sim, está reservado.
5319. 주최하다 - Para hospedar
5320. 그녀는 파티를 주최했다. - Ela organizou uma festa.
5321. 우리는 대회를 주최한다. - Estamos a organizar um concurso.
5322. 당신들은 경연을 주최할 것이다. - Vocês vão organizar um concurso.
5323. 시간 되나요? - Tens tempo?
5324. 네, 괜찮아요. - Sim, estou bem.

5325. 주관하다 - para organizar
5326. 그는 워크숍을 주관했다. - Ele organizou um workshop.
5327. 그녀는 세미나를 주관한다. - Ela vai organizar um seminário.
5328. 우리는 포럼을 주관할 것이다. - Nós vamos organizar um fórum.
5329. 자료 준비됐어? - Tens os materiais?
5330. 네, 다 됐어요. - Sim, estão prontos.
5331. 창립하다 - Fundou uma empresa
5332. 그녀는 회사를 창립했다. - Ela fundou uma empresa.
5333. 우리는 단체를 창립한다. - Nós fundámos uma organização.
5334. 당신들은 조직을 창립할 것이다. - Vocês vão fundar uma organização.
5335. 명칭 정해졌어? - Já têm um nome?
5336. 예, 정해졌어요. - Sim, já está decidido.
5337. 설립하다 - estabelecer
5338. 그는 재단을 설립했다. - Ele fundou uma fundação.
5339. 그녀는 기관을 설립한다. - Ela fundou uma organização.
5340. 우리는 학교를 설립할 것이다. - Nós vamos fundar uma escola.
5341. 위치 결정됐어? - O local está decidido?
5342. 네, 결정됐어요. - Sim, está decidido.
5343. 창설하다 - criar
5344. 그는 조직을 창설했다. - Ele fundou uma organização.
5345. 그녀는 클럽을 창설한다. - Ela está a fundar um clube.
5346. 우리는 협회를 창설할 것이다. - Nós vamos criar uma associação.
5347. 이름 정했어? - Já têm um nome?
5348. 아직이야. - Ainda não.
5349. 발기하다 - erguer
5350. 그녀는 프로젝트를 발기했다. - Ela lançou um projeto.
5351. 우리는 캠페인을 발기한다. - Nós vamos lançar uma campanha.
5352. 당신들은 운동을 발기할 것이다. - Vocês vão erguer um movimento.
5353. 누가 돕나요? - Quem está a ajudar?
5354. 모두 함께해. - Todos nós.
5355. 청산하다 - liquidar
5356. 그는 사업을 청산했다. - Ele liquidou o seu negócio.
5357. 그녀는 회사를 청산한다. - Ela está a liquidar a empresa.
5358. 우리는 파트너십을 청산할 것이다. - Nós vamos liquidar a sociedade.

5359. 이유 알 수 있어? - Consegues adivinhar porquê?
5360. 비밀이야. - É um segredo.
5361. 해산하다 - Dissolver
5362. 그녀는 모임을 해산했다. - Ela dissolveu a reunião.
5363. 우리는 조합을 해산한다. - Estamos a dissolver o sindicato.
5364. 당신들은 집단을 해산할 것이다. - Tu vais dissolver o grupo.
5365. 끝난 거야? - Já acabou?
5366. 그래, 끝났어. - Sim, acabou.
5367. 60. 명사 단어들 외우기, 필수 10개 동사의 단어들을 가지고 50문장 연습하기 - 60. memorizar palavras substantivas, praticar 50 frases com palavras dos 10 verbos essenciais
5368. 두 회사 - duas empresas
5369. 기업들 - empresas
5370. 조직 - grupo
5371. 부서 - departamento
5372. 회사 - empresa
5373. 사업 - empresa
5374. 새로운 정부 - novo governo
5375. 프로그램 - programa
5376. 기관 - agência
5377. 책 - livro
5378. 잡지 - revista
5379. 가이드 - guia
5380. 신문 - jornal
5381. 보고서 - relatório
5382. 뉴스레터 - boletim informativo
5383. 포스터 - cartaz
5384. 초대장 - convite
5385. 메뉴 - menu
5386. 영상 - vídeo
5387. 문서 - documento
5388. 콘텐츠 - conteúdo
5389. 원고 - Manuscrito
5390. 번역 - tradução

5391. 글 - escrita
5392. 꿈 - sonho
5393. 데이터 - dados
5394. 결과 - resultado
5395. 합병하다 - fundir
5396. 그는 두 회사를 합병했다. - Ele fundiu duas empresas.
5397. 그녀는 기업들을 합병한다. - Ela funde empresas.
5398. 우리는 조직을 합병할 것이다. - Vamos fundir as organizações.
5399. 잘 될까요? - Vai resultar?
5400. 잘 될 거예요. - Vai funcionar bem.
5401. 분할하다 - Para dividir
5402. 그녀는 부서를 분할했다. - Ela dividiu o departamento.
5403. 우리는 회사를 분할한다. - Estamos a dividir a empresa.
5404. 당신들은 사업을 분할할 것이다. - Vocês vão dividir o negócio.
5405. 필요한가요? - É necessário?
5406. 네, 필요해요. - Sim, é necessário.
5407. 출범하다 - inaugurar
5408. 그는 새로운 정부를 출범했다. - Ele inaugurou um novo governo.
5409. 그녀는 프로그램을 출범한다. - Ela está a lançar um programa.
5410. 우리는 기관을 출범할 것이다. - Nós vamos inaugurar uma agência.
5411. 준비됐나요? - Estão prontos?
5412. 다 준비됐어요. - Tudo está pronto.
5413. 출판하다 - Publicar
5414. 그녀는 책을 출판했다. - Ela publicou um livro.
5415. 우리는 잡지를 출판한다. - Nós publicamos uma revista.
5416. 당신들은 가이드를 출판할 것이다. - Vocês vão publicar um guia.
5417. 새 책 나왔어? - O vosso novo livro já saiu?
5418. 네, 나왔어요. - Sim, já saiu.
5419. 발행하다 - publicar
5420. 그는 신문을 발행했다. - Ele publicou um jornal.
5421. 그녀는 보고서를 발행한다. - Ela publica um relatório.
5422. 우리는 뉴스레터를 발행할 것이다. - Nós vamos publicar um boletim informativo.
5423. 언제 나와? - Quando é que sai?

5424. 내일 나와. - Sai amanhã.
5425. 인쇄하다 - Imprimir
5426. 그녀는 포스터를 인쇄했다. - Ela imprimiu o cartaz.
5427. 우리는 초대장을 인쇄한다. - Estamos a imprimir os convites.
5428. 당신들은 메뉴를 인쇄할 것이다. - Vocês vão imprimir o menu.
5429. 색깔 괜찮아? - A cor está boa?
5430. 완벽해요. - Está perfeita.
5431. 편집하다 - Editar
5432. 그는 영상을 편집했다. - Ele editou o vídeo.
5433. 그녀는 문서를 편집한다. - Ela edita o documento.
5434. 우리는 콘텐츠를 편집할 것이다. - Nós vamos editar o conteúdo.
5435. 얼마나 걸려? - Quanto tempo é que vai demorar?
5436. 조금 걸려요. - Vai demorar um bocadinho.
5437. 감수하다 - para editar
5438. 그녀는 원고를 감수했다. - Ela revê o manuscrito.
5439. 우리는 번역을 감수한다. - Nós vamos rever a tradução.
5440. 당신들은 보고서를 감수할 것이다. - Tu vais rever o relatório.
5441. 검토 끝났어? - Já acabaste de rever?
5442. 거의 다 됐어. - Está quase pronto.
5443. 번역하다 - Para traduzir
5444. 그는 문서를 번역했다. - Ele traduziu o documento.
5445. 그녀는 글을 번역한다. - Ela traduz artigos.
5446. 우리는 책을 번역할 것이다. - Nós vamos traduzir o livro.
5447. 이해 돼요? - Faz sentido?
5448. 네, 잘 돼요. - Sim, faz sentido.
5449. 해석하다 - Interpretar
5450. 그녀는 꿈을 해석했다. - Ela interpretou o sonho.
5451. 우리는 데이터를 해석한다. - Nós interpretamos os dados.
5452. 당신들은 결과를 해석할 것이다. - Vocês vão interpretar os resultados.
5453. 맞을까요? - É verdade?
5454. 네, 맞아요. - Sim, é.
5455. 61. 명사 단어들 외우기, 필수 10개 동사의 단어들을 가지고 50문장 연습하기 - 61. memorizar palavras substantivas, praticar 50 frases com as

10 palavras verbais essenciais
5456. 범위 - gama
5457. 관심 - interesse
5458. 영역 - área
5459. 상황 - situação
5460. 관계 - relação
5461. 문제 - problema
5462. 자료 - dados
5463. 정보 - informação
5464. 요소들 - elementos
5465. 아이디어 - ideia
5466. 기술 - a tecnologia
5467. 비용 - despesa
5468. 가능성 - Possibilidade
5469. 결과 - resultado
5470. 가치 - valor
5471. 상태 - situação
5472. 품질 - qualidade
5473. 변경사항 - Alterações
5474. 결정 - decisão
5475. 일정 - calendário
5476. 옵션 - opção
5477. 해결책 - solução
5478. 데이터 - dados
5479. 문서 - documento
5480. 시스템 - sistema
5481. 설정 - configuração
5482. 시계 - relógio
5483. 기기 - dispositivo
5484. 확대하다 - para aumentar o zoom
5485. 나는 범위를 확대했다. - Aumentei o zoom do telescópio.
5486. 너는 관심을 확대한다. - Amplia o interesse.
5487. 그는 영역을 확대할 것이다. - Ele vai alargar a área.
5488. 범위 더 넓힐까? - Aumentamos o campo de visão?

5489. 네, 더 넓혀요. - Sim, vamos ampliar mais.
5490. 악화하다 - Agravar
5491. 그녀는 상황을 악화시켰다. - Ela agravou a situação.
5492. 우리는 관계를 악화시킨다. - Nós agravamos a relação.
5493. 당신들은 문제를 악화시킬 것이다. - Tu vais agravar o problema.
5494. 상태 더 나빠졌어? - Tornaste-o pior?
5495. 아니, 안 그래. - Não, não agravou.
5496. 참고하다 - consultar
5497. 그들은 자료를 참고했다. - Eles consultaram o material.
5498. 나는 정보를 참고한다. - Refiro-me à informação.
5499. 너는 자료를 참고할 것이다. - Tu vais consultar o material.
5500. 정보 찾아봤어? - Consultaste a informação?
5501. 응, 찾아봤어. - Sim, consultei.
5502. 조합하다 - Para combinar
5503. 나는 요소들을 조합했다. - Eu juntei os elementos.
5504. 너는 아이디어를 조합한다. - Vais combinar ideias.
5505. 그는 기술을 조합할 것이다. - Ele vai juntar a tecnologia.
5506. 아이디어 합칠까? - Combinamos as ideias?
5507. 좋아, 합치자. - Ok, vamos combinar.
5508. 추정하다 - Estimar
5509. 그녀는 비용을 추정했다. - Ela estimou o custo.
5510. 우리는 가능성을 추정한다. - Nós estimamos as possibilidades.
5511. 당신들은 결과를 추정할 것이다. - You will estimate the outcome.
5512. 비용 얼마로 봐? - Quanto é que achas que vai custar?
5513. 몇 만원 될 거야. - Vai custar alguns milhares de won.
5514. 감정하다 - To appraise (avaliar)
5515. 그들은 가치를 감정했다. - Eles avaliaram o valor.
5516. 나는 상태를 감정한다. - Eu avalio o estado.
5517. 너는 품질을 감정할 것이다. - Tu avaliarias a qualidade.
5518. 가치 평가했어? - Avaliaste-o?
5519. 예, 평가했어. - Sim, avaliei-o.
5520. 통지하다 - notificar
5521. 나는 변경사항을 통지했다. - Notifiquei a mudança.
5522. 너는 결정을 통지한다. - Tu notificarás a decisão.

5523. 그는 일정을 통지할 것이다. - Ele vai notificar o horário.
5524. 소식 받았어? - Recebeste a notícia?
5525. 아니, 못 받았어. - Não, não recebi.
5526. 탐색하다 - explorar
5527. 그녀는 옵션을 탐색했다. - Ela explorou as suas opções.
5528. 우리는 가능성을 탐색한다. - Nós exploramos as possibilidades.
5529. 당신들은 해결책을 탐색할 것이다. - Explorarás soluções.
5530. 더 찾아볼까? - Vamos explorar mais?
5531. 응, 더 찾아보자. - Sim, vamos explorar mais.
5532. 검사하다 - examinar
5533. 그들은 데이터를 검사했다. - Eles examinaram os dados.
5534. 나는 문서를 검사한다. - Eu vou inspecionar a documentação.
5535. 너는 시스템을 검사할 것이다. - Tu vais inspecionar o sistema.
5536. 모두 확인했니? - Verificaste tudo?
5537. 네, 확인했어. - Sim, verifiquei-os.
5538. 리셋하다 - para repor
5539. 나는 설정을 리셋했다. - Eu reinicio as definições.
5540. 너는 시계를 리셋한다. - Reinicia o relógio.
5541. 그는 기기를 리셋할 것이다. - Ele vai reiniciar o dispositivo.
5542. 다시 시작할까? - Vamos recomeçar?
5543. 응, 다시 시작해. - Sim, vamos começar de novo.
5544. 62. 명사 단어들 외우기, 필수 10개 동사의 단어들을 가지고 50문장 연습하기 - 62. memorizar os substantivos, praticar 50 frases com as 10 palavras verbais essenciais
5545. 연락 - Comunicação
5546. 공급 - fornecimento
5547. 관계 - relação
5548. 잠금 - fechar
5549. 계약 - contrato
5550. 약속 - promessa
5551. 자리 - assento
5552. 티켓 - bilhete
5553. 방 - sala
5554. 회의 - reunião

5555. 예약 - reserva
5556. 여행 - viagem
5557. 보고서 - relatório
5558. 계획 - plano
5559. 제안 - proposta
5560. 문서 - documento
5561. 요청 - pedido
5562. 프로젝트 - projeto
5563. 대회 - concurso
5564. 경기 - jogo
5565. 상대 - adversário
5566. 게임 - jogo
5567. 경쟁 - competir
5568. 대결 - Batalha
5569. 끊다 - cortar o contacto
5570. 그녀는 연락을 끊었다. - Ela cortou o contacto.
5571. 우리는 공급을 끊는다. - Nós cortámos o fornecimento.
5572. 당신들은 관계를 끊을 것이다. - Tu cortarás os laços.
5573. 연결 끊겼어? - Desligado?
5574. 아니, 아직이야. - Não, ainda não.
5575. 해제하다 - para desbloquear
5576. 그들은 잠금을 해제했다. - Eles desbloquearam-no.
5577. 나는 계약을 해제한다. - Eu liberto o contrato.
5578. 너는 약속을 해제할 것이다. - Tu vais libertar a promessa.
5579. 잠금 풀었어? - Desbloqueaste-o?
5580. 네, 풀었어. - Sim, desbloqueei-o.
5581. 예약하다 - reservar
5582. 나는 자리를 예약했다. - Reservei um lugar.
5583. 너는 티켓을 예약한다. - Tu vais reservar um bilhete.
5584. 그는 방을 예약할 것이다. - Ele vai reservar um quarto.
5585. 자리 있어? - Tens um lugar?
5586. 네, 있어요. - Sim, tem.
5587. 예약취소하다 - Para cancelar uma reserva
5588. 그녀는 회의를 예약취소했다. - Ela cancelou a reunião.

5589. 우리는 예약을 예약취소한다. - Estamos a cancelar a reserva.
5590. 당신들은 여행을 예약취소할 것이다. - Vocês vão cancelar a viagem.
5591. 취소해야 하나? - Devo cancelar?
5592. 아니, 기다려. - Não, espera.
5593. 제출하다 - submeter
5594. 그들은 보고서를 제출했다. - Eles submeteram o relatório.
5595. 나는 계획을 제출한다. - Eu apresento um plano.
5596. 너는 제안을 제출할 것이다. - Vai apresentar uma proposta.
5597. 제출할 준비 됐어? - Estás pronto para apresentar?
5598. 예, 준비됐어. - Sim, estou pronto.
5599. 반려하다 - para Rejeitar
5600. 나는 문서를 반려했다. - Rejeitei o documento.
5601. 너는 요청을 반려한다. - Rejeita o pedido.
5602. 그는 프로젝트를 반려할 것이다. - Ele vai rejeitar o projeto.
5603. 다시 보낼까? - Quer que eu o reenvie?
5604. 아니, 됐어. - Não, obrigado.
5605. 이기다 - Para ganhar
5606. 그녀는 대회를 이겼다. - Ela ganhou o concurso.
5607. 우리는 경기를 이긴다. - Nós ganhamos o jogo.
5608. 당신들은 상대를 이길 것이다. - Vais vencer o teu adversário.
5609. 우리 이겼어? - Ganhámos?
5610. 네, 이겼어! - Sim, ganhámos!
5611. 지다 - perder
5612. 그는 게임을 졌다. - Ele perdeu o jogo.
5613. 너는 경쟁에서 진다. - Tu perdes a competição.
5614. 그녀는 대결에서 질 것이다. - Ela vai perder o confronto.
5615. 경기 졌어? - Perdeste o jogo?
5616. 응, 졌어. - Sim, perdi.
5617. 싸우다 - lutar
5618. 우리는 자주 싸웠다. - Nós lutámos muitas vezes.
5619. 당신들은 매일 싸운다. - Vocês lutam todos os dias.
5620. 그들은 내일 싸울 것이다. - Amanhã vão lutar.
5621. 또 싸웠어? - Discutiram outra vez?
5622. 아니, 안 그래. - Não, não voltámos.

5623. 다투다 - brigar
5624. 나는 친구와 다퉜다. - Discuti com o meu amigo.
5625. 너는 이유 없이 다툰다. - Discutem sem motivo.
5626. 그는 문제를 다룰 것이다. - Ele vai resolver o problema.
5627. 왜 자꾸 다투니? - Porque é que continuam a discutir?
5628. 모르겠어. - Não sei.
5629. 63. 명사 단어들 외우기, 필수 10개 동사의 단어들을 가지고 50문장 연습하기 - 63. memorizar palavras substantivas, praticar 50 frases com as 10 palavras verbais essenciais
5630. 나 - eu
5631. 우리 - nós
5632. 당신들 - tu
5633. 계획 - planear
5634. 친구 - amigo
5635. 정당 - festa
5636. 자신 - Eu próprio
5637. 노래 - cantar
5638. 동영상 - vídeo
5639. 기록 - gravar
5640. 그녀 - ela
5641. 의견 - opinião
5642. 회의 - reunião
5643. 교수 - professor
5644. 세부사항 - pormenor
5645. 제안 - proposta
5646. 결정 - decisão
5647. 소문 - rumor
5648. 혐의 - acusação
5649. 주장 - opinião
5650. 변경사항 - Alterações
5651. 규칙 - regra
5652. 도전 - desafio
5653. 시도 - julgamento
5654. 지지하다 - para apoiar

5655. 그녀는 나를 지지했다. - Ela apoiou-me.
5656. 우리는 서로를 지지한다. - Apoiamo-nos uns aos outros.
5657. 당신들은 계획을 지지할 것이다. - Tu vais apoiar o plano.
5658. 지지해 줄래? - Apoiá-lo-á?
5659. 물론이지. - Claro que sim.
5660. 변호하다 - defender
5661. 나는 친구를 변호했다. - Eu defendi o meu amigo.
5662. 너는 정당을 변호한다. - Tu defendes o partido.
5663. 그녀는 자신을 변호할 것이다. - Ela vai defender-se a si própria.
5664. 변호할 수 있어? - Consegues defender?
5665. 시도해 볼게. - Vou tentar.
5666. 녹음하다 - Para gravar
5667. 우리는 회의를 녹음했다. - Nós gravámos a reunião.
5668. 당신들은 강의를 녹음한다. - Vocês gravam palestras.
5669. 그들은 공연을 녹음할 것이다. - Eles vão gravar uma atuação.
5670. 녹음 시작했어? - Já começaste a gravar?
5671. 네, 시작했어. - Sim, já comecei.
5672. 재생하다 - tocar
5673. 나는 노래를 재생했다. - Eu toquei a música.
5674. 너는 동영상을 재생한다. - Tu passas o vídeo.
5675. 그는 기록을 재생할 것이다. - Ele vai reproduzir a gravação.
5676. 재생할 준비 됐어? - Estás pronto para tocar?
5677. 준비 됐어. - Estou pronto.
5678. 발언하다 - Para falar
5679. 그녀는 중요한 발언을 했다. - Ela fez uma observação importante.
5680. 우리는 의견을 발언한다. - Nós expressamos as nossas opiniões.
5681. 당신들은 회의에서 발언할 것이다. - Vais falar na reunião.
5682. 발언할 거야? - Vais falar?
5683. 아직 몰라. - Ainda não sei.
5684. 질문하다 - Para fazer uma pergunta
5685. 나는 교수에게 질문했다. - Fiz uma pergunta ao professor.
5686. 너는 어려운 질문을 한다. - Fazes perguntas difíceis.
5687. 그녀는 세부사항을 질문할 것이다. - Ela vai pedir pormenores.
5688. 질문 있어? - Alguma pergunta?

5689. 없어, 괜찮아. - Não, obrigado.
5690. 반문하다 - questionar
5691. 우리는 그의 의견을 반문했다. - Questionámos a sua opinião.
5692. 당신들은 제안을 반문한다. - Tu questionas a proposta.
5693. 그들은 결정을 반문할 것이다. - Eles vão questionar a decisão.
5694. 왜 반문해? - Porque é que estás a questionar?
5695. 이해 안 돼서. - Porque não estou a perceber.
5696. 부정하다 - Negar
5697. 나는 소문을 부정했다. - Eu neguei o rumor.
5698. 너는 혐의를 부정한다. - Tu negas as alegações.
5699. 그는 주장을 부정할 것이다. - Ele vai negar as alegações.
5700. 사실 부정해? - Negar o facto?
5701. 그래, 부정해. - Sim, eu nego-o.
5702. 반발하다 - Rebelar-se
5703. 그녀는 결정에 반발했다. - Ela rebelou-se contra a decisão.
5704. 우리는 변경사항에 반발한다. - Revoltamo-nos contra as mudanças.
5705. 당신들은 규칙에 반발할 것이다. - Vais revoltar-te contra as regras.
5706. 반발할 이유 있어? - Há alguma razão para nos revoltarmos?
5707. 있어, 분명해. - Há, é óbvio.
5708. 포기하다 - Desistir
5709. 나는 도전을 포기했다. - Eu desisti do desafio.
5710. 너는 시도를 포기한다. - Tu desistes de tentar.
5711. 그녀는 계획을 포기할 것이다. - Ela vai desistir do plano.
5712. 포기해야 할까? - Devo desistir?
5713. 아니, 계속해. - Não, continua.
5714. 64. 명사 단어들 외우기, 필수 10개 동사의 단어들을 가지고 50문장 연습하기 - 64. Memorizar os substantivos, praticar 50 frases com as 10 palavras verbais essenciais
5715. 전략 - estratégia
5716. 생각 - pensamento
5717. 자원 - recurso
5718. 군대 - exército
5719. 기술 - tecnologia
5720. 성공 - sucesso

5721. 평화 - paz
5722. 협력 - cooperação
5723. 변화 - mudança
5724. 기회 - oportunidade
5725. 해결 - resolver
5726. 미래 - futuro
5727. 결과 - resultado
5728. 영향 - efeito
5729. 상황 - situação
5730. 질문 - questão
5731. 발견 - descoberta
5732. 말 - palavra
5733. 지연 - atraso
5734. 거부 - recusa
5735. 결정 - decisão
5736. 불의 - ardente
5737. 부정 - negação
5738. 불편함 - desconforto
5739. 장애 - obstáculo
5740. 태도 - atitude
5741. 반응 - reação
5742. 재정비하다 - reorganizar
5743. 우리는 전략을 재정비했다. - Nós reorganizamos a nossa estratégia.
5744. 당신들은 생각을 재정비한다. - Vocês reorganizam o vosso pensamento.
5745. 그들은 자원을 재정비할 것이다. - Eles vão reorganizar os seus recursos.
5746. 재정비 필요해? - Precisamos de nos reorganizar?
5747. 네, 필요해. - Sim, precisamos.
5748. 배치하다 - para implementar
5749. 나는 자원을 배치했다. - Eu mobilizo recursos.
5750. 너는 군대를 배치한다. - Tu mobilizas tropas.
5751. 그는 기술을 배치할 것이다. - Ele vai utilizar a tecnologia.
5752. 배치 완료됐니? - Já acabaram de mobilizar?

5753. 아직이야. - Ainda não.
5754. 바라다 - Para ter esperança
5755. 그녀는 성공을 바랐다. - Ela esperava ter sucesso.
5756. 우리는 평화를 바란다. - Nós esperamos a paz.
5757. 당신들은 협력을 바랄 것이다. - Tu esperas cooperação.
5758. 무엇을 바래? - O que é que tu esperas?
5759. 행복을 바라. - Eu espero a felicidade.
5760. 소망하다 - desejar
5761. 나는 변화를 소망했다. - Eu desejo a mudança.
5762. 너는 기회를 소망한다. - Tu esperas uma oportunidade.
5763. 그녀는 해결을 소망할 것이다. - Ela espera uma resolução.
5764. 소망 있어? - Tens desejos?
5765. 있어, 많아. - Sim, tenho muitos.
5766. 우려하다 - Estar preocupado sobre
5767. 우리는 미래를 우려했다. - Estávamos preocupados com o futuro.
5768. 당신들은 결과를 우려한다. - You are concerned about the outcome.
5769. 그들은 영향을 우려할 것이다. - Eles vão ficar preocupados com o impacto.
5770. 걱정돼? - Estás preocupado?
5771. 응, 걱정돼. - Sim, estou preocupado.
5772. 당황하다 - To panic (entrar em pânico)
5773. 나는 상황에 당황했다. - Estou perplexo com a situação.
5774. 너는 질문에 당황한다. - Está perplexo com a pergunta.
5775. 그는 발견에 당황할 것이다. - Ele vai ficar embaraçado com a descoberta.
5776. 당황했어? - Entrou em pânico?
5777. 응, 많이. - Sim, muito.
5778. 화나다 - To be angry (estar zangado)
5779. 그녀는 말에 화났다. - Ela está zangada com o cavalo.
5780. 우리는 지연에 화난다. - Nós estamos zangados com o atraso.
5781. 당신들은 거부에 화낼 것이다. - Vocês vão ficar zangados com a rejeição.
5782. 화났어? - Estão zangados?
5783. 네, 많이. - Sim, muito.

5784. 분노하다 - Estar com raiva
5785. 나는 결정에 분노했다. - Estou zangado com a decisão.
5786. 너는 불의에 분노한다. - Estás zangado com a injustiça.
5787. 그녀는 부정에 분노할 것이다. - Ela vai ficar zangada com a injustiça.
5788. 분노해? - Zangada?
5789. 응, 분노해. - Sim, indignada.
5790. 짜증내다 - Ficar irritado
5791. 우리는 불편함에 짜증냈다. - Estamos incomodados com o inconveniente.
5792. 당신들은 지연에 짜증낸다. - Vocês estão aborrecidos com o atraso.
5793. 그들은 장애에 짜증낼 것이다. - Eles vão ficar aborrecidos com os obstáculos.
5794. 짜증나? - Incomodado?
5795. 응, 짜증나. - Sim, aborrecidos.
5796. 실망하다 - Decepcionado
5797. 나는 결과에 실망했다. - Estou desiludido com o resultado.
5798. 너는 태도에 실망한다. - Você está desapontado com a atitude.
5799. 그는 반응에 실망할 것이다. - Ele vai ficar desapontado com a reação.
5800. 실망했니? - Está desiludido?
5801. 네, 실망했어. - Sim, estou desiludido.
5802. 65. 명사 단어들 외우기, 필수 10개 동사의 단어들을 가지고 50문장 연습하기 - 65. Memorize os substantivos, pratique 50 frases com as 10 palavras verbais essenciais
5803. 성과 - resultar
5804. 서비스 - servir
5805. 해결 - resolver
5806. 순간 - momento
5807. 여기 - aqui
5808. 미래 - futuro
5809. 소식 - Notícias
5810. 모임 - classe
5811. 성공 - sucesso
5812. 이별 - despedida

5813. 상실 - perda
5814. 사건 - Acontecimento
5815. 손실 - Perda
5816. 결과 - resultado
5817. 고향 - cidade natal
5818. 친구 - amigo
5819. 옛날 - Há muito tempo
5820. 행동 - ação
5821. 불의 - ardente
5822. 거짓 - mentira
5823. 비행 - fuga
5824. 무례함 - Rudeza
5825. 거짓말 - mentira
5826. 이야기 - história
5827. 영화 - o filme
5828. 연설 - discurso
5829. 만족하다 - satisfeito
5830. 그녀는 성과에 만족했다. - Ela ficou satisfeita com o desempenho.
5831. 우리는 서비스에 만족한다. - Estamos satisfeitos com o serviço.
5832. 당신들은 해결에 만족할 것이다. - Ficará satisfeito com a solução.
5833. 만족해? - Está satisfeito?
5834. 응, 만족해. - Sim, estou satisfeito.
5835. 행복하다 - To be happy (estar feliz)
5836. 나는 순간에 행복했다. - Eu estava feliz naquele momento.
5837. 너는 여기에 행복한다. - Estás feliz aqui.
5838. 그녀는 미래에 행복할 것이다. - Ela será feliz no futuro.
5839. 행복해? - És feliz?
5840. 네, 매우. - Sim, muito.
5841. 즐거워하다 - ficar contente
5842. 우리는 소식에 즐거워했다. - Ficámos muito contentes com a notícia.
5843. 당신들은 모임에 즐거워한다. - Estás contente com a reunião.
5844. 그들은 성공에 즐거워할 것이다. - Eles vão ficar contentes com o seu sucesso.
5845. 즐거워? - Contente?

5846. 응, 즐거워. - Sim, estou contente.
5847. 슬퍼하다 - To be sad (estar triste)
5848. 나는 이별에 슬퍼했다. - Fiquei triste com a despedida.
5849. 너는 소식에 슬퍼한다. - Estás triste com as notícias.
5850. 그녀는 상실에 슬퍼할 것이다. - Ela vai ficar triste com a perda.
5851. 슬퍼? - Triste?
5852. 응, 슬퍼. - Sim, triste.
5853. 애통하다 - Lamentar
5854. 우리는 사건에 애통해했다. - We mourned the incident.
5855. 당신들은 손실에 애통한다. - Tu lamentas a perda.
5856. 그들은 결과에 애통할 것이다. - Eles lamentarão o resultado.
5857. 애통해해? - Lamentar?
5858. 네, 깊이. - Sim, profundamente.
5859. 그리워하다 - Sentir falta
5860. 나는 고향을 그리워했다. - Tive saudades da minha cidade natal.
5861. 너는 친구를 그리워한다. - Tu tens saudades dos teus amigos.
5862. 그는 옛날을 그리워할 것이다. - Ele terá saudades dos velhos tempos.
5863. 그리워해? - Tens saudades?
5864. 응, 많이. - Sim, muitas.
5865. 그립다 - Tenho saudades
5866. 나는 고향을 그리웠다. - Tenho saudades da minha terra natal.
5867. 너는 친구를 그립게 생각한다. - Tens saudades do teu amigo.
5868. 그는 옛날을 그리울 것이다. - Ele vai ter saudades dos velhos tempos.
5869. 친구 생각나? - Lembras-te do teu amigo?
5870. 네, 생각나. - Sim, lembro-me dele.
5871. 증오하다 - odiar
5872. 너는 행동을 증오했다. - Odiou o comportamento.
5873. 그는 불의를 증오한다. - Ele odeia a injustiça.
5874. 그녀는 거짓을 증오할 것이다. - Ela odiará a falsidade.
5875. 너 불편해? - Não te sentes à vontade?
5876. 네, 불편해. - Sim, estou desconfortável.
5877. 혐오하다 - detestar

5878. 그는 비행을 혐오했다. - Ele abominava andar de avião.
5879. 그녀는 무례함을 혐오한다. - Ela abomina a rudeza.
5880. 우리는 거짓말을 혐오할 것이다. - Vamos abominar a mentira.
5881. 이상해? - Isso é estranho?
5882. 아니, 괜찮아. - Não, é ótimo.
5883. 감동하다 - Estar impressionado
5884. 그녀는 이야기에 감동했다. - Ela ficou comovida com a história.
5885. 우리는 영화에 감동한다. - Ficámos comovidos com o filme.
5886. 당신들은 연설에 감동할 것이다. - O discurso vai comover-vos.
5887. 울었어? - Choraste?
5888. 아니, 안 울었어. - Não, não chorei.
5889. 66. 명사 단어들 외우기, 필수 10개 동사의 단어들을 가지고 50문장 연습하기 - 66. memorizar palavras substantivas, praticar 50 frases com as palavras dos 10 verbos essenciais
5890. 경치 - visão
5891. 기술 - tecnologia
5892. 발전 - Desenvolvimento
5893. 거짓말 - mentir
5894. 위선 - hipocrisia
5895. 속임수 - truque
5896. 실수 - engano
5897. 무지함 - ignorância
5898. 어리석음 - tolice
5899. 노력 - esforço
5900. 실패 - fracasso
5901. 용기 - coragem
5902. 제안 - proposta
5903. 변화 - mudança
5904. 혁신 - inovação
5905. 박물관 - museu
5906. 자연 - natureza
5907. 우주 - universo
5908. 계획 - projeto
5909. 아이디어 - ideia

5910. 정보 - informação
5911. 경험 - experiência
5912. 지식 - conhecimento
5913. 프로젝트 - projeto
5914. 작업 - trabalho
5915. 친구 - amigo
5916. 이웃 - vizinho
5917. 사회 - sociedade
5918. 감탄하다 - admirar
5919. 나는 경치에 감탄했다. - Eu admirei a paisagem.
5920. 너는 기술을 감탄한다. - Tu admiras a tecnologia.
5921. 그는 발전을 감탄할 것이다. - Ele vai admirar o progresso.
5922. 멋있어? - É fixe?
5923. 네, 멋있어. - Sim, é fixe.
5924. 경멸하다 - Desprezar
5925. 너는 거짓말을 경멸했다. - Tu desprezas a mentira.
5926. 그는 위선을 경멸한다. - Ele desprezaria a hipocrisia.
5927. 그녀는 속임수를 경멸할 것이다. - Ela desprezaria o engano.
5928. 화났어? - Estás zangado?
5929. 네, 화났어. - Sim, estou zangado.
5930. 비웃다 - rir-se de
5931. 그는 실수를 비웃었다. - Ele ri-se dos seus erros.
5932. 그녀는 무지함을 비웃는다. - Ela ri-se da ignorância.
5933. 우리는 어리석음을 비웃을 것이다. - Nós vamos rir-nos da nossa estupidez.
5934. 재밌어? - Tem piada?
5935. 아니, 안 재밌어. - Não, não tem piada.
5936. 조롱하다 - ridicularizar
5937. 그녀는 노력을 조롱했다. - Ela ridicularizou o esforço.
5938. 우리는 실패를 조롱한다. - Nós ridicularizamos o fracasso.
5939. 당신들은 용기를 조롱할 것이다. - Tu vais gozar com a coragem.
5940. 즐거워? - Estão a divertir-se?
5941. 아니, 즐겁지 않아. - Não, não é agradável.
5942. 배척하다 - rejeitar

5943. 나는 제안을 배척했다. - Rejeitei a sugestão.
5944. 너는 변화를 배척하게 생각한다. - Tu pensas em rejeitar a mudança.
5945. 그는 혁신을 배척할 것이다. - Ele vai rejeitar a inovação.
5946. 거절해? - Rejeitar?
5947. 네, 거절해. - Sim, rejeitar.
5948. 탐방하다 - explorar
5949. 너는 박물관을 탐방했다. - Tu exploras o museu.
5950. 그는 자연을 탐방한다. - Ele vai explorar a natureza.
5951. 그녀는 우주를 탐방할 것이다. - Ela vai explorar o universo.
5952. 재밌어? - É divertido?
5953. 네, 재밌어. - Sim, é divertido.
5954. 찬성하다 - ser a favor de
5955. 그는 계획을 찬성했다. - Ele era a favor do plano.
5956. 그녀는 아이디어를 찬성한다. - Ela é a favor da ideia.
5957. 우리는 제안을 찬성할 것이다. - Vamos votar a favor da proposta.
5958. 동의해? - Concordas?
5959. 네, 동의해. - Sim, estou de acordo.
5960. 교류하다 - trocar
5961. 그녀는 정보를 교류했다. - Ela trocou informações.
5962. 우리는 경험을 교류한다. - Nós trocaremos experiências.
5963. 당신들은 지식을 교류할 것이다. - Tu trocarás conhecimentos.
5964. 만났어? - Já se conhecem?
5965. 아니, 안 만났어. - Não, não me encontrei.
5966. 협조하다 - cooperar
5967. 나는 프로젝트에 협조했다. - Eu colaborei com o projeto.
5968. 너는 계획을 협조하게 생각한다. - Cooperarás com o plano.
5969. 그는 작업에 협조할 것이다. - Ele vai colaborar com o trabalho.
5970. 도울래? - Vais ajudar?
5971. 네, 도울게. - Sim, eu ajudo.
5972. 도움을 주다 - dar ajuda
5973. 너는 친구에게 도움을 주었다. - Tu ajudas o teu amigo.
5974. 그는 이웃을 돕는다. - Ele ajuda o seu vizinho.
5975. 그녀는 사회를 돕게 될 것이다. - Ela vai ajudar a sociedade.
5976. 필요해? - Precisas de ajuda?

5977. 네, 필요해. - Sim, preciso.
5978. 67. 명사 단어들 외우기, 필수 10개 동사의 단어들을 가지고 50문장 연습하기 - 67. Memorizar palavras substantivas, praticar 50 frases com as 10 palavras verbais essenciais
5979. 목표 - objetivo
5980. 성공 - sucesso
5981. 꿈 - sonhar
5982. 보고서 - relatório
5983. 프로젝트 - projeto
5984. 계획 - plano
5985. 여행 - viagem
5986. 모임 - aula
5987. 학창 시절 - Dias de escola
5988. 과제 - missão
5989. 미션 - missão
5990. 도전 - desafio
5991. 전시 - exposição
5992. 음악 - música
5993. 예술 - arte
5994. 선생님 - professor
5995. 리더 - líder
5996. 선구자 - precursor
5997. 자유 - liberdade
5998. 평화 - paz
5999. 행복 - felicidade
6000. 제안 - proposta
6001. 초대 - convite
6002. 조건 - condição
6003. 문제 - problema
6004. 경쟁 - competir
6005. 노력하다 - tentar
6006. 그는 목표를 달성하기 위해 노력했다. - Ele trabalhou arduamente para atingir o seu objetivo.
6007. 그녀는 성공을 위해 노력한다. - Ela esforça-se por ter sucesso.

6008. 우리는 꿈을 이루기 위해 노력할 것이다. - Vamos tentar realizar os nossos sonhos.
6009. 힘들어? - é difícil?
6010. 네, 힘들어. - Sim, é difícil.
6011. 작업하다 - trabalhar em
6012. 그녀는 보고서를 작업했다. - Ela trabalhou no relatório.
6013. 우리는 프로젝트를 작업한다. - Nós trabalhamos no projeto.
6014. 당신들은 계획을 작업할 것이다. - Vocês vão trabalhar no plano.
6015. 바빠? - Ocupado?
6016. 네, 바빠. - Sim, estou ocupado.
6017. 추억하다 - Para relembrar
6018. 나는 여행을 추억했다. - Lembrei-me da viagem.
6019. 너는 모임을 추억하게 생각한다. - Você vai relembrar a reunião.
6020. 그는 학창 시절을 추억할 것이다. - Ele vai recordar os seus tempos de escola.
6021. 잊었어? - Esqueceste-te?
6022. 아니, 안 잊었어. - Não, não me esqueci.
6023. 완수하다 - para cumprir
6024. 너는 과제를 완수했다. - Completaste a tarefa.
6025. 그는 미션을 완수한다. - Ele vai completar a missão.
6026. 그녀는 도전을 완수할 것이다. - Ela vai cumprir o desafio.
6027. 성공했어? - Conseguiste?
6028. 네, 성공했어. - Sim, consegui.
6029. 이루다 - para cumprir
6030. 그는 꿈을 이루었다. - Ele realiza o seu sonho.
6031. 그녀는 목표를 이룬다. - Ela vai cumprir o seu objetivo.
6032. 우리는 희망을 이룰 것이다. - Nós vamos realizar as nossas esperanças.
6033. 가능해? - É possível?
6034. 네, 가능해. - Sim, é possível.
6035. 감상하다 - apreciar
6036. 그녀는 전시를 감상했다. - Ela apreciou a exposição.
6037. 우리는 음악을 감상한다. - Nós apreciamos a música.
6038. 당신들은 예술을 감상할 것이다. - Tu vais apreciar a arte.

6039. 좋아해? - Gostas dela?
6040. 네, 좋아해. - Sim, gosto.
6041. 동경하다 - admirar
6042. 나는 선생님을 동경했다. - Eu admirava o meu professor.
6043. 너는 리더를 동경하게 생각한다. - Tu admiras um líder.
6044. 그는 선구자를 동경할 것이다. - Ele vai admirar o pioneiro.
6045. 원해? - Queres?
6046. 네, 원해. - Sim, quero-o.
6047. 갈망하다 - desejar
6048. 너는 자유를 갈망했다. - Tu ansiavas pela liberdade.
6049. 그는 평화를 갈망한다. - Ele desejará a paz.
6050. 그녀는 행복을 갈망할 것이다. - Ela desejará a felicidade.
6051. 필요해? - Precisar?
6052. 네, 필요해. - Sim, eu preciso dela.
6053. 수락하다 - aceitar
6054. 그는 제안을 수락했다. - Ele aceitou a oferta.
6055. 그녀는 초대를 수락한다. - Ela aceita o convite.
6056. 우리는 조건을 수락할 것이다. - Nós aceitamos as condições.
6057. 동의해? - Aceitas?
6058. 네, 동의해. - Sim, aceito.
6059. 공격하다 - Para atacar
6060. 그녀는 문제를 공격적으로 다루었다. - Ela lidou com o problema de forma agressiva.
6061. 우리는 경쟁을 공격적으로 대한다. - Nós tratamos a concorrência de forma agressiva.
6062. 당신들은 도전을 공격할 것이다. - Vais atacar o desafio.
6063. 준비됐어? - Estás pronto?
6064. 네, 준비됐어. - Sim, estou pronto.
6065. 68. 명사 단어들 외우기, 필수 10개 동사의 단어들을 가지고 50문장 연습하기 - 68. Memorizar os substantivos, praticar 50 frases com os 10 verbos essenciais
6066. 대회 - competir
6067. 동료 - colega
6068. 시장 - mercado

6069. 위험 - perigo
6070. 문제 - problema
6071. 기회 - oportunidade
6072. 환경 - ambiente
6073. 변화 - mudança
6074. 미래 - futuro
6075. 규칙 - regra
6076. 기준 - norma
6077. 요구 - pedido
6078. 권력 - autoridade
6079. 영향력 - Influência
6080. 지식 - conhecimento
6081. 아이 - criança
6082. 책 - livro
6083. 모형 - modelo
6084. 인형 - boneca
6085. 간판 - sinal
6086. 조형물 - escultura
6087. 담요 - manta
6088. 식탁 - mesa
6089. 화면 - ecrã
6090. 창문 - janela
6091. 눈 - olho
6092. 거울 - espelho
6093. 정보 - informação
6094. 경쟁하다 - competir
6095. 나는 대회에서 경쟁했다. - Participei num concurso.
6096. 너는 동료와 경쟁하게 생각한다. - Pensa em competir com os seus colegas.
6097. 그는 시장에서 경쟁할 것이다. - Ele vai competir no mercado.
6098. 이겼어? - Ganhaste?
6099. 아니, 안 이겼어. - Não, não ganhei.
6100. 인지하다 - to Recognize (reconhecer)
6101. 너는 위험을 인지했다. - Reconheceste o risco.

6102. 그는 문제를 인지한다. - Ele reconhece o problema.
6103. 그녀는 기회를 인지할 것이다. - Ela reconhecerá a oportunidade.
6104. 알아챘어? - Reconheceste?
6105. 네, 알아챘어. - Sim, reconheci.
6106. 적응하다 - Para adaptar
6107. 그는 새 환경에 적응했다. - Ele adaptou-se ao novo ambiente.
6108. 그녀는 변화에 적응한다. - Ela adapta-se à mudança.
6109. 우리는 미래에 적응할 것이다. - Vamos adaptar-nos ao futuro.
6110. 쉬워? - É fácil?
6111. 아니, 어려워. - Não, é difícil.
6112. 순응하다 - conformar-se
6113. 그녀는 규칙에 순응했다. - Ela conformou-se com as regras.
6114. 우리는 기준에 순응한다. - Nós conformamo-nos com as normas.
6115. 당신들은 요구에 순응할 것이다. - Tu vais cumprir as exigências.
6116. 따라가? - Cumprem?
6117. 네, 따라가. - Sim, sigo.
6118. 휘두르다 - exercer
6119. 나는 권력을 휘둘렀다. - Eu exercia o poder.
6120. 너는 영향력을 휘두르게 생각한다. - Tu pensas exercer influência.
6121. 그는 지식을 휘두를 것이다. - Ele vai exercer conhecimento.
6122. 무서워? - Estás com medo?
6123. 아니, 안 무서워. - Não, não tenho medo.
6124. 눕히다 - deitar
6125. 나는 아이를 눕혔다. - Deitei a criança no chão.
6126. 너는 책을 눕힌다. - Deita-se um livro.
6127. 그는 모형을 눕힐 것이다. - Ele vai deitar o modelo.
6128. 편안해? - É confortável?
6129. 네, 편안해. - Sim, estou confortável.
6130. 세우다 - montar
6131. 너는 인형을 세웠다. - Tu montas a boneca.
6132. 그는 간판을 세운다. - Ele vai erguer o letreiro.
6133. 그녀는 조형물을 세울 것이다. - Ela vai erguer uma escultura.
6134. 잘 섰어? - Ficaste bem de pé?
6135. 네, 잘 섰어. - Sim, estou a ficar bem de pé.

6136. 덮다 - cobrir
6137. 그는 책을 덮었다. - Ele cobriu o livro.
6138. 그녀는 담요를 덮는다. - Ela cobre o cobertor.
6139. 우리는 식탁을 덮을 것이다. - Vamos cobrir a mesa de jantar.
6140. 춥니? - Está frio?
6141. 아니, 안 춥다. - Não, não está frio.
6142. 어둡게 하다 - Para escurecer
6143. 그녀는 방을 어둡게 했다. - Ela escureceu o quarto.
6144. 우리는 화면을 어둡게 한다. - Nós escurecemos o ecrã.
6145. 당신들은 창문을 어둡게 할 것이다. - Tu vais escurecer as janelas.
6146. 밝아? - Está claro?
6147. 아니, 어두워. - Não, está escuro.
6148. 가리다 - para cobrir
6149. 나는 눈을 가렸다. - Cobri os meus olhos.
6150. 너는 거울을 가린다. - Tu tapas o espelho.
6151. 그는 정보를 가릴 것이다. - Ele vai esconder a informação.
6152. 보여? - Está a ver?
6153. 아니, 안 보여. - Não, não estou a ver.
6154. 69. 명사 단어들 외우기, 필수 10개 동사의 단어들을 가지고 50문장 연습하기 - 69. Memorize os substantivos, pratique 50 frases com as 10 palavras verbais essenciais
6155. 고양이 - gato
6156. 표면 - superfície
6157. 식물 - planta
6158. 설정 - cenário
6159. 기계 - máquina
6160. 시스템 - sistema
6161. 문 - porta
6162. 탁자 - mesa
6163. 북 - norte
6164. 등 - etc.
6165. 바닥 - chão
6166. 복권 - Bilhete de lotaria
6167. 비밀 - segredo

6168. 데이터 - dados
6169. 계획 - plano
6170. 혐의 - carga
6171. 주장 - opinião
6172. 관계 - relação
6173. 휴가 - férias
6174. 자유 - liberdade
6175. 성과 - resultado
6176. 만지다 - tocar
6177. 너는 고양이를 만졌다. - Tocaste no gato.
6178. 그는 표면을 만진다. - Ele toca na superfície.
6179. 그녀는 식물을 만질 것이다. - Ela vai tocar na planta.
6180. 부드러워? - É macia?
6181. 네, 부드러워. - Sim, é macia.
6182. 건드리다 - tocar
6183. 그는 설정을 건드렸다. - Ele tocou no cenário.
6184. 그녀는 기계를 건드린다. - Ela toca na máquina.
6185. 우리는 시스템을 건드릴 것이다. - Vamos tocar no sistema.
6186. 괜찮아? - Estás bem?
6187. 네, 괜찮아. - Sim, estou ótimo.
6188. 두드리다 - Para bater
6189. 그녀는 문을 두드렸다. - Ela bateu à porta.
6190. 우리는 탁자를 두드린다. - Nós batemos na mesa.
6191. 당신들은 북을 두드릴 것이다. - Tu vais bater no tambor.
6192. 소리났어? - Ouviste isto?
6193. 네, 소리났어. - Sim, fez um som.
6194. 긁다 - coçar
6195. 나는 등을 긁었다. - Eu coço as minhas costas.
6196. 너는 바닥을 긁는다. - Tu arranhas o chão.
6197. 그는 복권을 긁을 것이다. - Ele vai riscar o bilhete da lotaria.
6198. 가려워? - ter comichão?
6199. 아니, 안 가려워. - Não, eu não tenho comichão.
6200. 잠들다 - Adormecer (adormecer)
6201. 너는 빨리 잠들었다. - Tu adormeceste rapidamente.

6202. 그는 조용히 잠든다. - Ele adormece calmamente.
6203. 그녀는 편안히 잠들 것이다. - Ela vai dormir confortavelmente.
6204. 졸려? - Tens sono?
6205. 네, 졸려. - Sim, tenho sono.
6206. 미소짓다 - sorrir
6207. 그는 기쁨에 미소지었다. - Ele sorri de alegria.
6208. 그녀는 친절하게 미소짓는다. - Ela sorri de bondade.
6209. 우리는 성공에 미소질 것이다. - Vamos sorrir com o nosso sucesso.
6210. 행복해? - Estás contente?
6211. 네, 행복해. - Sim, estou feliz.
6212. 새기다 - inscrever
6213. 그녀는 이름을 새겼다. - Ela inscreveu o seu nome.
6214. 우리는 메시지를 새긴다. - Nós inscrevemos mensagens.
6215. 당신들은 기념을 새길 것이다. - Vais inscrever um memorial.
6216. 기억나? - Lembra-se?
6217. 네, 기억나. - Sim, lembro-me.
6218. 노출하다 - expor
6219. 나는 비밀을 노출했다. - Eu expus um segredo.
6220. 너는 데이터를 노출한다. - Tu expões os dados.
6221. 그는 계획을 노출할 것이다. - Ele vai expor o plano.
6222. 위험해? - É perigoso?
6223. 아니, 안 위험해. - Não, não é perigoso.
6224. 부인하다 - para Negar
6225. 너는 혐의를 부인했다. - Tu negaste a alegação.
6226. 그는 주장을 부인한다. - Ele nega as alegações.
6227. 그녀는 관계를 부인할 것이다. - Ela vai negar a relação.
6228. 거짓말해? - Está a mentir?
6229. 아니, 안 해. - Não, não estou.
6230. 향유하다 - para curtir
6231. 그는 휴가를 향유했다. - Ele gostou das suas férias.
6232. 그녀는 자유를 향유한다. - Ela vai desfrutar da sua liberdade.
6233. 우리는 성과를 향유할 것이다. - Nós vamos desfrutar da nossa conquista.
6234. 즐거워? - Estás a gostar?

6235. 네, 즐거워. - Sim, estou a gostar.
6236. 70. 명사 단어들 외우기, 필수 10개 동사의 단어들을 가지고 50문장 연습하기 - 70. memorizar palavras substantivas, praticar 50 frases com as palavras dos 10 verbos essenciais
6237. 파티 - festejar
6238. 여행 - viajar
6239. 공연 - mostrar
6240. 여유 - poupar
6241. 풍경 - ver
6242. 성공 - sucesso
6243. 모임 - aula
6244. 프로젝트 - projeto
6245. 캠페인 - campanha
6246. 기부 - donativo
6247. 지식 - conhecimento
6248. 노력 - esforço
6249. 커뮤니티 - comunidade
6250. 단체 - organização
6251. 이벤트 - evento
6252. 조사 - inspeção
6253. 실험 - Experiência
6254. 평가 - avaliação
6255. 작품 - trabalho
6256. 사진 - imagem
6257. 발명품 - invenção
6258. 자료 - dados
6259. 환자 - paciente
6260. 물품 - artigo
6261. 권리 - direito
6262. 이념 - ideologia
6263. 평화 - a paz
6264. 즐기다 - desfrutar
6265. 그녀는 파티를 즐겼다. - Ela gostou da festa.
6266. 우리는 여행을 즐긴다. - Nós gostamos de viajar.

6267. 당신들은 공연을 즐길 것이다. - Vais gostar do concerto.
6268. 재미있어? - Estão a divertir-se?
6269. 네, 재미있어. - Sim, é divertido.
6270. 누리다 - para desfrutar
6271. 나는 여유를 누렸다. - Eu gostei do lazer.
6272. 너는 풍경을 누린다. - Tu gostas da paisagem.
6273. 그는 성공을 누릴 것이다. - Ele vai divertir-se com o seu sucesso.
6274. 만족해? - Estás satisfeito?
6275. 네, 만족해. - Sim, estou satisfeito.
6276. 동참하다 - Para participar
6277. 너는 모임에 동참했다. - Tu participas na reunião.
6278. 그는 프로젝트에 동참한다. - Ele vai juntar-se ao projeto.
6279. 그녀는 캠페인에 동참할 것이다. - Ela vai juntar-se à campanha.
6280. 함께할래? - Juntas-te a nós?
6281. 네, 함께할래. - Sim, juntar-me-ei a vós.
6282. 공헌하다 - Para contribuir
6283. 그는 기부를 공헌했다. - Ele contribuiu com um donativo.
6284. 그녀는 지식을 공헌한다. - Ela contribui com os seus conhecimentos.
6285. 우리는 노력을 공헌할 것이다. - Nós vamos contribuir com os nossos esforços.
6286. 도움됐어? - Foi útil?
6287. 네, 도움됐어. - Sim, ajudou.
6288. 봉사하다 - Servir
6289. 그녀는 커뮤니티에 봉사했다. - Ela serviu a comunidade.
6290. 우리는 단체에 봉사한다. - Nós servimos a organização.
6291. 당신들은 이벤트에 봉사할 것이다. - Tu vais servir o evento.
6292. 기쁘니? - Estás contente?
6293. 네, 기뻐. - Sim, estou contente.
6294. 착수하다 - Para empreender
6295. 나는 프로젝트에 착수했다. - Eu assumi o projeto.
6296. 너는 작업에 착수한다. - Tu empreenderás a tarefa.
6297. 그는 연구에 착수할 것이다. - Ele vai iniciar a sua investigação.
6298. 준비됐어? - Estás pronto?
6299. 네, 준비됐어. - Sim, estou pronto.

6300. 실시하다 - Para conduzir
6301. 너는 조사를 실시했다. - Tu conduziste uma investigação.
6302. 그는 실험을 실시한다. - Ele vai fazer uma experiência.
6303. 그녀는 평가를 실시할 것이다. - Ela vai fazer uma avaliação.
6304. 성공할까? - Vai resultar?
6305. 네, 성공할 거야. - Sim, vai resultar.
6306. 전시하다 - Exibir
6307. 그는 작품을 전시했다. - Ele expôs o seu trabalho.
6308. 그녀는 사진을 전시한다. - Ela vai expor as suas fotografias.
6309. 우리는 발명품을 전시할 것이다. - Nós vamos expor a nossa invenção.
6310. 관심있어? - Estás interessado?
6311. 네, 관심있어. - Sim, estou interessado.
6312. 이송하다 - transferir
6313. 그녀는 자료를 이송했다. - Ela transportou os materiais.
6314. 우리는 환자를 이송한다. - Nós transportamos o doente.
6315. 당신들은 물품을 이송할 것이다. - Tu transportas a mercadoria.
6316. 빨라? - É rápido?
6317. 네, 빨라. - Sim, é rápido.
6318. 옹호하다 - defender
6319. 나는 권리를 옹호했다. - Eu defendi um direito.
6320. 너는 이념을 옹호한다. - Tu defendes uma ideologia.
6321. 그는 평화를 옹호할 것이다. - Ele vai defender a paz.
6322. 중요해? - É importante?
6323. 네, 중요해. - Sim, é importante.
6324. 71. 명사 단어들 외우기, 필수 10개 동사의 단어들을 가지고 50문장 연습하기 - 71. Memorizar palavras substantivas, praticar 50 frases com as 10 palavras verbais essenciais
6325. 계획 - planear
6326. 문제 - problema
6327. 전략 - estratégia
6328. 조건 - condição
6329. 계약 - contrato
6330. 합의 - acordo
6331. 약속 - promessa

6332. 규칙 - regra
6333. 비밀 - segredo
6334. 사고 - acidente
6335. 오류 - erro
6336. 손실 - Perda
6337. 결정 - decisão
6338. 제안 - proposta
6339. 가능성 - Possibilidade
6340. 의견 - opinião
6341. 방안 - medidas
6342. 초콜릿 - chocolate
6343. 여름 - verão
6344. 온라인 수업 - aulas online
6345. 위험 - perigo
6346. 논쟁 - discussão
6347. 갈등 - conflito
6348. 상의하다 - discutir
6349. 너는 계획을 상의했다. - Discutiu o plano.
6350. 그는 문제를 상의한다. - Ele vai discutir o problema.
6351. 그녀는 전략을 상의할 것이다. - Ela vai discutir a estratégia.
6352. 동의해? - Está de acordo?
6353. 네, 동의해. - Sim, estou de acordo.
6354. 협의하다 - discutir
6355. 그는 조건을 협의했다. - Ele negociou os termos.
6356. 그녀는 계약을 협의한다. - Ela vai negociar o contrato.
6357. 우리는 합의를 협의할 것이다. - Nós vamos negociar um acordo.
6358. 결정났어? - Já decidiram?
6359. 네, 결정났어. - Sim, está decidido.
6360. 지키다 - manter
6361. 그녀는 약속을 지켰다. - Ela manteve a sua promessa.
6362. 우리는 규칙을 지킨다. - Nós mantemos as regras.
6363. 당신들은 비밀을 지킬 것이다. - Tu vais guardar o segredo.
6364. 안전해? - É seguro?
6365. 네, 안전해. - Sim, é seguro.

6366. 방지하다 - para prevenir
6367. 나는 사고를 방지했다. - Eu evitei um acidente.
6368. 너는 오류를 방지한다. - Tu evitarás os erros.
6369. 그는 손실을 방지할 것이다. - Ele evitará perdas.
6370. 필요해? - Precisas dele?
6371. 네, 필요해. - Sim, preciso.
6372. 재검토하다 - Para reconsiderar
6373. 너는 결정을 재검토했다. - Tu reconsideraste a tua decisão.
6374. 그는 계획을 재검토한다. - Ele vai reconsiderar o plano.
6375. 그녀는 정책을 재검토할 것이다. - Ela vai reconsiderar a política.
6376. 변했어? - Mudou?
6377. 네, 변했어. - Sim, mudou.
6378. 고려하다 - considerar
6379. 나는 그 제안을 고려했다. - I considered the proposal.
6380. 너는 가능성을 고려한다. - Tu consideras a possibilidade.
6381. 그는 의견을 고려할 것이다. - Ele vai considerar a opinião.
6382. 생각해봤어? - Já consideraste?
6383. 네, 봤어. - Sim, considerei.
6384. 숙고하다 - ponderar
6385. 너는 결정을 숙고했다. - Ponderaste a decisão.
6386. 그는 방안을 숙고한다. - Ele vai ponderar o plano.
6387. 그녀는 제안을 숙고할 것이다. - Ela vai ponderar a proposta.
6388. 충분히 생각했어? - Já pensaste o suficiente?
6389. 네, 했어. - Sim, pensei.
6390. 의논하다 - para discutir
6391. 그는 계획을 의논했다. - Ele discutiu o plano.
6392. 그녀는 문제를 의논한다. - Ela vai discutir o problema.
6393. 우리는 전략을 의논할 것이다. - Vamos discutir a estratégia.
6394. 의견 있어? - Tens uma opinião?
6395. 네, 있어. - Sim, tenho.
6396. 선호하다 - preferir
6397. 그녀는 초콜릿을 선호했다. - She preferred chocolate.
6398. 우리는 여름을 선호한다. - Nós preferimos o verão.
6399. 당신들은 온라인 수업을 선호할 것이다. - Preferes aulas online.

6400. 좋아해? - Gostas?
6401. 네, 좋아해. - Sim, gosto.
6402. 기피하다 - para evitar
6403. 나는 위험을 기피했다. - Eu evitava o risco.
6404. 너는 논쟁을 기피한다. - Você evita a controvérsia.
6405. 그는 갈등을 기피할 것이다. - Ele evitará o conflito.
6406. 싫어해? - Não gostas?
6407. 네, 싫어해. - Sim, não gosto.
6408. 72. 명사 단어들 외우기, 필수 10개 동사의 단어들을 가지고 50문장 연습하기 - 72. Memorizar palavras substantivas, praticar 50 frases com as 10 palavras verbais necessárias
6409. 목표 - alvo
6410. 의도 - intenção
6411. 계획 - plano
6412. 비밀 - segredo
6413. 진실 - verdade
6414. 결과 - resultado
6415. 세부사항 - Detalhe
6416. 문서 - documento
6417. 보고서 - relatório
6418. 상품 - Bens
6419. 편지 - carta
6420. 선물 - presente
6421. 하나님 - pai
6422. 예수님 - Jesus
6423. 기여 - contribuir
6424. 능력 - capacidade
6425. 아이디어 - ideia
6426. 의견 - opinião
6427. 친구 - amigo
6428. 이웃 - vizinho
6429. 동료 - colega
6430. 손실 - Perda
6431. 상실 - perda

6432. 고인 - falecido
6433. 기술 - tecnologia
6434. 지원 - apoio
6435. 도움 - ajuda
6436. 성공 - sucesso
6437. 소식 - Notícias
6438. 선언하다 - declarar
6439. 너는 목표를 선언했다. - Declara um objetivo.
6440. 그는 의도를 선언한다. - Ele declara as suas intenções.
6441. 그녀는 계획을 선언할 것이다. - Ela vai declarar um plano.
6442. 말했어? - Disseste-o?
6443. 네, 말했어. - Sim, eu disse-o.
6444. 드러나다 - para Revelar
6445. 그는 비밀을 드러냈다. - Ele revelou o segredo.
6446. 그녀는 진실을 드러낸다. - Ela revela a verdade.
6447. 우리는 결과를 드러낼 것이다. - Nós revelaremos os resultados.
6448. 알게 됐어? - Percebeste?
6449. 네, 됐어. - Sim, percebi.
6450. 살피다 - examinar
6451. 그녀는 세부사항을 살폈다. - Ela olhou para os pormenores.
6452. 우리는 문서를 살핀다. - Nós olhamos para os documentos.
6453. 당신들은 보고서를 살필 것이다. - Vais examinar o relatório.
6454. 확인했어? - Verificaste-o?
6455. 네, 했어. - Sim, verifiquei.
6456. 배송하다 - Para entregar
6457. 나는 상품을 배송했다. - Eu entreguei a mercadoria.
6458. 너는 편지를 배송한다. - Tu entregas a carta.
6459. 그는 선물을 배송할 것이다. - Ele vai enviar a prenda.
6460. 도착했어? - Chegou?
6461. 네, 도착했어. - Sim, chegou.
6462. 찬양하다 - Para louvar
6463. 나는 하나님을 찬양했다. - Eu louvei a Deus.
6464. 그는 예수님을 찬양한다. - Ele louva Jesus.
6465. 그녀는 기여를 찬양할 것이다. - Ela vai louvar a contribuição.

6466. 기뻐해? - Alegrar-se?
6467. 네, 기뻐해. - Sim, regozijo-me.
6468. 비하하다 - Rebaixar
6469. 그는 능력을 비하했다. - Ele rebaixa a capacidade.
6470. 그녀는 아이디어를 비하한다. - Ela rebaixa a ideia.
6471. 우리는 의견을 비하할 것이다. - Nós vamos rebaixar a opinião.
6472. 나빠? - Mau?
6473. 네, 나빠. - Sim, má.
6474. 돕다 - Ajudar
6475. 그녀는 친구를 도왔다. - Ela ajudou a sua amiga.
6476. 우리는 이웃을 돕는다. - Nós ajudamos os nossos vizinhos.
6477. 당신들은 동료를 도울 것이다. - Tu vais ajudar os teus colegas de trabalho.
6478. 도와줄래? - Ajudas-me?
6479. 네, 도와줄게. - Sim, eu ajudo.
6480. 애도하다 - lamentar
6481. 나는 손실을 애도했다. - Eu lamentei a perda.
6482. 너는 상실을 애도한다. - Tu lamentas a perda.
6483. 그는 고인을 애도할 것이다. - Ele vai chorar o falecido.
6484. 슬퍼? - Chorar?
6485. 네, 슬퍼. - Sim, triste.
6486. 의존하다 - depender de
6487. 너는 기술에 의존했다. - Tu dependias da tecnologia.
6488. 그는 지원에 의존한다. - Ele depende de apoio.
6489. 그녀는 도움에 의존할 것이다. - Ela vai depender de ajuda.
6490. 필요해? - Precisas dela?
6491. 네, 필요해. - Sim, preciso.
6492. 기뻐하다 - para se alegrar
6493. 그는 성공을 기뻐했다. - Ele regozijou-se com o seu sucesso.
6494. 그녀는 소식을 기뻐한다. - Ela alegra-se com as notícias.
6495. 우리는 결과를 기뻐할 것이다. - Vamos regozijar-nos com o resultado.
6496. 행복해? - Estás contente?
6497. 네, 행복해. - Sim, estou feliz.
6498. 73. 명사 단어들 외우기, 필수 10개 동사의 단어들을 가지고 50문장 연습

하기 - 73. Memorize os substantivos, pratique 50 frases com as 10 palavras verbais necessárias

6499. 문제 - problema
6500. 상황 - situação
6501. 처리 - processo
6502. 서비스 - serviço
6503. 결정 - decisão
6504. 정책 - política
6505. 도움 - ajuda
6506. 지원 - apoio
6507. 기회 - oportunidade
6508. 실수 - erro
6509. 오해 - mal-entendido
6510. 불편 - Inconveniência
6511. 제안 - proposta
6512. 변화 - mudança
6513. 조언 - conselho
6514. 순간 - Momento
6515. 가능성 - Possibilidade
6516. 기준 - padrão
6517. 목소리 - voz
6518. 가격 - preço
6519. 모자 - chapéu
6520. 장갑 - Luvas
6521. 유니폼 - uniforme
6522. 과일 - fruta
6523. 야채 - legumes
6524. 고기 - carne
6525. 샐러드 - salada
6526. 재료 - ingrediente
6527. 반죽 - massa
6528. 불평하다 - queixar-se
6529. 그녀는 문제를 불평했다. - Ela queixou-se de um problema.
6530. 우리는 상황을 불평한다. - Nós queixamo-nos da situação.

6531. 당신들은 처리를 불평할 것이다. - Vais queixar-te do tratamento.
6532. 불만 있어? - Tens alguma queixa?
6533. 네, 있어. - Sim, tenho.
6534. 불만을 표하다 - queixar-se de
6535. 나는 서비스에 불만을 표했다. - Eu queixei-me do serviço.
6536. 너는 결정에 불만을 표한다. - Está insatisfeito com a decisão.
6537. 그는 정책에 불만을 표할 것이다. - Ele vai expressar insatisfação com a política.
6538. 안 좋아해? - Não gostas?
6539. 네, 안 좋아해. - Sim, não gosto.
6540. 고맙다고 하다 - Say thank you
6541. 너는 도움에 고맙다고 했다. - Você diz obrigado pela ajuda.
6542. 그는 지원에 고맙다고 한다. - Ele dirá obrigado pelo apoio.
6543. 그녀는 기회에 고맙다고 할 것이다. - Ela ficaria grata pela oportunidade.
6544. 감사해? - Estás grato?
6545. 네, 감사해. - Sim, estou grato.
6546. 용서를 구하다 - Pedir perdão
6547. 그는 실수에 용서를 구했다. - Ele pede perdão por um erro.
6548. 그녀는 오해에 용서를 구한다. - Ela pede perdão pelo mal-entendido.
6549. 우리는 불편에 용서를 구할 것이다. - Nós vamos pedir perdão pelo incómodo.
6550. 용서해줄래? - Perdoa-nos?
6551. 네, 용서해줄게. - Sim, eu perdoo-vos.
6552. 받아들이다 - para Aceitar
6553. 그녀는 제안을 받아들였다. - Ela aceitou a oferta.
6554. 우리는 변화를 받아들인다. - Nós aceitamos a mudança.
6555. 당신들은 조언을 받아들일 것이다. - Aceitarão o conselho.
6556. 좋아해? - Gostas?
6557. 네, 좋아해. - Sim, gosto.
6558. 붙잡다 - aproveitar
6559. 나는 기회를 붙잡았다. - Eu aproveitei a oportunidade.
6560. 너는 순간을 붙잡는다. - Tu aproveitas o momento.
6561. 그는 가능성을 붙잡을 것이다. - Ele vai aproveitar a possibilidade.

6562. 준비됐어? - Estás pronto?
6563. 네, 됐어. - Sim, estou pronto.
6564. 올리다 - criar
6565. 너는 기준을 올렸다. - Tu elevas a fasquia.
6566. 그는 목소리를 올린다. - Ele eleva a sua voz.
6567. 그녀는 가격을 올릴 것이다. - Ela vai aumentar o preço.
6568. 높아졌어? - Aumentou-o?
6569. 네, 높아졌어. - Sim, está aumentado.
6570. 착용하다 - vestir
6571. 그는 모자를 착용했다. - Ele pôs o chapéu.
6572. 그녀는 장갑을 착용한다. - Ela usa luvas.
6573. 우리는 유니폼을 착용할 것이다. - Nós vamos usar farda.
6574. 맞아? - É verdade?
6575. 네, 맞아. - Sim, está correto.
6576. 썰다 - para cortar
6577. 그녀는 과일을 썼다. - Ela cortou a fruta às fatias.
6578. 우리는 야채를 썬다. - Nós vamos cortar os legumes.
6579. 당신들은 고기를 썰 것이다. - Vocês vão cortar a carne.
6580. 잘랐어? - Cortaste-a?
6581. 네, 잘랐어. - Sim, cortei.
6582. 버무리다 - para Toss
6583. 나는 샐러드를 버무렸다. - Eu mexi a salada.
6584. 너는 재료를 버무린다. - Tu atiras os ingredientes.
6585. 그는 반죽을 버무릴 것이다. - Ele vai amassar a massa.
6586. 완성됐어? - Já está pronta?
6587. 네, 됐어. - Sim, está pronta.
6588. 74. 명사 단어들 외우기, 필수 10개 동사의 단어들을 가지고 50문장 연습하기 - 74. memorizar os substantivos, praticar 50 frases com as palavras dos 10 verbos essenciais
6589. 꽃의 향기 - o perfume das flores
6590. 커피의 향기 - o cheiro do café
6591. 향수의 향기 - cheiro de perfume
6592. 손가락 - dedo
6593. 발 - pé

6594. 종이 - papel
6595. 공 - a bola
6596. 문 - porta
6597. 볼 - bochecha
6598. 기회 - oportunidade
6599. 성공 - sucesso
6600. 명성 - Fama
6601. 친구 - amigo
6602. 팀 - equipa
6603. 가족 - família
6604. 자전거 - bicicleta
6605. 휴가 - férias
6606. 대학 입학 - admissão na faculdade
6607. 건강한 생활 - vida saudável
6608. 사업 확장 - Expansão do negócio
6609. 가구 - mobiliário
6610. 쓰레기 - lixo
6611. 문서 - documento
6612. 파일 - ficheiro
6613. 이메일 - correio eletrónico
6614. 데이터 - dados
6615. 메시지 - mensagem
6616. 정보 - informação
6617. 향기를 맡다 - Sentir o cheiro
6618. 너는 꽃의 향기를 맡았다. - Tu cheiras o aroma das flores.
6619. 그는 커피의 향기를 맡는다. - Ele cheira o aroma do café.
6620. 그녀는 향수의 향기를 맡을 것이다. - Ela vai sentir o cheiro do perfume.
6621. 좋아해? - Gostas?
6622. 네, 좋아해. - Sim, gosto.
6623. 찌르다 - Picar
6624. 그는 손가락을 찔렀다. - Ele picou o dedo.
6625. 그녀는 발을 찌른다. - Ela picou o pé.
6626. 우리는 종이로 손을 찔을 것이다. - Vamos picar as nossas mãos com

papel.
6627. 아파? - Está a doer?
6628. 네, 아파. - Sim, dói.
6629. 차다 - Dar um pontapé
6630. 그녀는 공을 찼다. - Ela pontapeou a bola.
6631. 우리는 문을 찬다. - Nós pontapeamos a porta.
6632. 당신들은 볼을 찰 것이다. - Tu vais chutar a bola.
6633. 세게 찼어? - Chutaste com força?
6634. 네, 세게 찼어. - Sim, dei-lhe um pontapé forte.
6635. 탐발하다 - arriscar
6636. 나는 기회를 탐발했다. - Aproveitei a oportunidade.
6637. 너는 성공을 탐발한다. - Vais ter sucesso.
6638. 그는 명성을 탐발할 것이다. - Ele vai cobiçar a fama.
6639. 원해? - Deseja-a?
6640. 네, 원해. - Sim, quero-a.
6641. 의지하다 - apoiar-se em
6642. 너는 친구에게 의지했다. - Tu apoiaste-te nos teus amigos.
6643. 그는 팀에 의지한다. - Ele vai apoiar-se na sua equipa.
6644. 그녀는 가족에 의지할 것이다. - Ela vai apoiar-se na sua família.
6645. 의존해? - Depend on?
6646. 네, 의존해. - Sim, rely on.
6647. 욕망하다 - para Desejar
6648. 나는 새로운 자전거를 욕망했다. - I lusted for a new bike.
6649. 너는 성공을 욕망한다. - Tu desejas o sucesso.
6650. 그는 휴가를 욕망할 것이다. - Ele vai desejar umas férias.
6651. 더 필요한 거 있어? - Mais alguma coisa?
6652. 모두 좋아, 감사해. - Tudo bem, obrigado.
6653. 목표하다 - Ter como objetivo
6654. 그녀는 대학 입학을 목표했다. - Ela tinha como objetivo entrar na universidade.
6655. 우리는 건강한 생활을 목표한다. - O nosso objetivo é viver uma vida saudável.
6656. 당신들은 사업 확장을 목표할 것이다. - Vocês vão ter como objetivo expandir o vosso negócio.

6657. 목표가 뭐야? - Qual é o vosso objetivo?
6658. 행복해지기야. - Ser feliz.
6659. 폐기하다 - to Dispose of (desfazer-se de)
6660. 우리는 오래된 가구를 폐기했다. - Nós desfazemo-nos de móveis velhos.
6661. 당신들은 쓰레기를 폐기한다. - Vocês desfazem-se do lixo.
6662. 그들은 불필요한 문서를 폐기할 것이다. - Eles vão deitar fora os documentos desnecessários.
6663. 이거 버려도 돼? - Posso deitar isto fora?
6664. 네, 필요 없어. - Sim, não preciso dele.
6665. 암호화하다 - para encriptar
6666. 그는 중요한 파일을 암호화했다. - Ele encriptou os seus ficheiros importantes.
6667. 그녀는 이메일을 암호화한다. - Ela encripta os seus e-mails.
6668. 나는 내 데이터를 암호화할 것이다. - Eu vou encriptar os meus dados.
6669. 비밀번호 설정했어? - Definiu uma palavra-passe?
6670. 이미 했어, 안심해. - Já o fiz, não te preocupes.
6671. 복호화하다 - para desencriptar
6672. 그녀는 메시지를 복호화했다. - Ela desencriptou a mensagem.
6673. 우리는 정보를 복호화한다. - Nós desencriptamos a informação.
6674. 당신들은 문서를 복호화할 것이다. - Tu vais desencriptar o documento.
6675. 열쇠 찾았어? - Encontraste a chave?
6676. 아직 못 찾았어. - Não, ainda não a encontrei.
6677. 75. 명사 단어들 외우기, 필수 10개 동사의 단어들을 가지고 50문장 연습하기 - 75. memorizar palavras substantivas, praticar 50 frases com palavras de 10 verbos essenciais
6678. 파일들 - ficheiros
6679. 사진 - imagem
6680. 자료 - dados
6681. 문서 - documento
6682. 바코드 - código de barras
6683. 신분증 - ID

6684. 중요한 부분 - parte
6685. 텍스트 - texto
6686. 포인트 - ponto
6687. 데이터 - dados
6688. 주소 - endereço
6689. 내 정보 - A minha informação
6690. 보고서 - relatório
6691. 이메일 - correio eletrónico
6692. 계획 - plano
6693. 클럽 - clube
6694. 프로그램 - programa
6695. 도서관 - biblioteca
6696. 목표 - objetivo
6697. 성공 - sucesso
6698. 해결책 - solução
6699. 위험 - perigo
6700. 집 - casa
6701. 삶 - vida
6702. 경력 - carreira
6703. 공기 - ar
6704. 물 - água
6705. 환경 - ambiente
6706. 압축하다 - comprimir
6707. 나는 파일들을 압축했다. - Eu comprimi ficheiros.
6708. 너는 사진을 압축한다. - Você comprime as fotografias.
6709. 그는 자료를 압축할 것이다. - Ele comprime os materiais.
6710. 공간 충분해? - Há espaço suficiente?
6711. 네, 충분해. - Sim, há espaço suficiente.
6712. 스캔하다 - Para digitalizar
6713. 그녀는 문서를 스캔했다. - Ela digitalizou o documento.
6714. 우리는 바코드를 스캔한다. - Nós digitalizamos o código de barras.
6715. 당신들은 신분증을 스캔할 것이다. - Vocês vão digitalizar as vossas identificações.
6716. 다 됐어? - Já acabaram?

6717. 네, 다 됐어. - Sim, já acabámos.
6718. 하이라이트하다 - para destacar
6719. 우리는 중요한 부분을 하이라이트했다. - Destacámos as partes importantes.
6720. 당신들은 텍스트를 하이라이트한다. - Vocês vão sublinhar texto.
6721. 그들은 포인트를 하이라이트할 것이다. - Eles vão destacar pontos.
6722. 이 부분 강조할까? - Queres que eu destaque isto?
6723. 좋아, 해줘. - Está bem, faz isso.
6724. 입력하다 - para Introduzir
6725. 그는 데이터를 입력했다. - Ele introduziu os dados.
6726. 그녀는 주소를 입력한다. - Ela introduz o endereço.
6727. 나는 내 정보를 입력할 것이다. - Eu vou introduzir as minhas informações.
6728. 정보 다 넣었어? - Já acabaste?
6729. 네, 다 했어. - Sim, já acabei.
6730. 타이핑하다 - Para escrever
6731. 나는 보고서를 타이핑했다. - Eu escrevi o relatório.
6732. 너는 이메일을 타이핑한다. - Tu vais escrever o e-mail.
6733. 그는 계획을 타이핑할 것이다. - Ele vai escrever o plano.
6734. 글 쓰고 있어? - Está a escrever?
6735. 아니, 쉬고 있어. - Não, estou a descansar.
6736. 가입하다 - para aderir
6737. 나는 클럽에 가입했다. - Juntei-me ao clube.
6738. 너는 프로그램에 가입한다. - Tu aderes ao programa.
6739. 그는 도서관에 가입할 것이다. - Ele vai juntar-se à biblioteca.
6740. 회원 되고 싶어? - Queres ser membro?
6741. 네, 가입할래요. - Sim, quero inscrever-me.
6742. 근접하다 - aproximar-se
6743. 그녀는 목표에 근접했다. - Ela está perto do seu objetivo.
6744. 우리는 성공에 근접한다. - Estamos perto do sucesso.
6745. 당신들은 해결책에 근접할 것이다. - Vais estar perto da solução.
6746. 거의 다 왔어? - Estão quase a chegar?
6747. 네, 거의 다 왔어요. - Sim, estamos quase lá.
6748. 멀어지다 - To move away from (afastar-se de)

6749. 우리는 위험으로부터 멀어졌다. - Afastámo-nos do perigo.
6750. 당신들은 목표로부터 멀어진다. - Estão a afastar-se do objetivo.
6751. 그들은 서로로부터 멀어질 것이다. - Eles vão afastar-se um do outro.
6752. 떠나고 싶어? - Queres ir embora?
6753. 아니요, 여기 있을래요. - Não, eu fico aqui.
6754. 재건하다 - para reconstruir
6755. 그는 그의 집을 재건했다. - Ele reconstruiu a sua casa.
6756. 그녀는 그녀의 삶을 재건한다. - Ela reconstrói a sua vida.
6757. 나는 내 경력을 재건할 것이다. - Eu vou reconstruir a minha carreira.
6758. 다시 시작할 준비 됐어? - Estás pronto para começar de novo?
6759. 네, 준비 됐어요. - Sim, estou pronto.
6760. 정화하다 - purificar
6761. 그녀는 공기를 정화했다. - Ela purificou o ar.
6762. 우리는 물을 정화한다. - Nós purificamos a água.
6763. 당신들은 환경을 정화할 것이다. - Tu vais purificar o ambiente.
6764. 더 깨끗해졌어? - Está mais limpo?
6765. 네, 훨씬 나아졌어요. - Sim, está muito melhor.
6766. 76. 명사 단어들 외우기, 필수 10개 동사의 단어들을 가지고 50문장 연습하기 - 76. memorizar os substantivos, praticar 50 frases com as palavras dos 10 verbos essenciais
6767. 상처 - ferir
6768. 방 - quarto
6769. 장비 - equipamento
6770. 여행 - viajar
6771. 회의 - reunião
6772. 발표 - apresentação
6773. 프로젝트 - projeto
6774. 이벤트 - evento
6775. 캠페인 - campanha
6776. 아이디어 - ideia
6777. 생각 - pensamento
6778. 방법 - método
6779. 해 - sol
6780. 미래 - futuro

6781. 기회 - oportunidade
6782. 능력 - capacidade
6783. 가치 - valor
6784. 이론 - teoria
6785. 주장 - opinião
6786. 사실 - de facto
6787. 무죄 - inocência
6788. 삶의 의미 - sentido da vida
6789. 자연의 아름다움 - beleza natural
6790. 과거의 실수 - erros do passado
6791. 행동 - ação
6792. 결정 - decisão
6793. 추억 - memória
6794. 약속 - promessa
6795. 역사 - história
6796. 소독하다 - higienizar(desinfetar)
6797. 나는 상처를 소독했다. - Eu esterilizei a ferida.
6798. 너는 방을 소독한다. - Tu desinfectaste o quarto.
6799. 그는 장비를 소독할 것이다. - Ele vai desinfetar o equipamento.
6800. 이게 안전해? - Isto é seguro?
6801. 네, 안전해요. - Sim, é seguro.
6802. 예정하다 - Agendar
6803. 그녀는 여행을 예정했다. - Ela marcou a viagem.
6804. 우리는 회의를 예정한다. - Estamos a marcar uma reunião.
6805. 당신들은 발표를 예정할 것이다. - Tu vais marcar uma apresentação.
6806. 일정 정했어? - Já marcaste?
6807. 네, 다 정했어요. - Sim, tenho tudo planeado.
6808. 기획하다 - planear
6809. 우리는 프로젝트를 기획했다. - Nós planeámos um projeto.
6810. 당신들은 이벤트를 기획한다. - You will organize a event.
6811. 그들은 캠페인을 기획할 것이다. - Eles vão planear uma campanha.
6812. 뭐 계획 중이야? - O que estão a planear?
6813. 새로운 시작이에요. - Um novo começo.
6814. 발상하다 - conceber

6815. 그는 훌륭한 아이디어를 발상했다. - Ele teve uma óptima ideia.
6816. 그녀는 창의적인 생각을 발상한다. - Ela tem ideias criativas.
6817. 나는 새로운 방법을 발상할 것이다. - Eu vou inventar uma nova maneira.
6818. 아이디어 있어? - Tens alguma ideia?
6819. 네, 몇 개 있어요. - Sim, tenho algumas.
6820. 바라보다 - Para ver
6821. 나는 해가 지는 것을 바라봤다. - Fiquei a ver o pôr do sol.
6822. 너는 미래를 바라본다. - Tu olhas para o futuro.
6823. 그는 기회를 바라볼 것이다. - Ele vai olhar para as oportunidades.
6824. 희망 가지고 있어? - Tens esperança?
6825. 네, 항상 그래요. - Sim, tenho sempre.
6826. 증명하다 - provar
6827. 그녀는 자신의 능력을 증명했다. - Ela provou as suas capacidades.
6828. 우리는 우리의 가치를 증명한다. - Nós provamos o nosso valor.
6829. 당신들은 이론을 증명할 것이다. - Tu vais provar a teoria.
6830. 진짜야? - É real?
6831. 네, 진짜에요. - Sim, é real.
6832. 입증하다 - para provar
6833. 우리는 우리의 주장을 입증했다. - Nós provamos o nosso ponto de vista.
6834. 당신들은 사실을 입증한다. - Vocês vão provar os factos.
6835. 그들은 무죄를 입증할 것이다. - Eles vão provar a sua inocência.
6836. 증거 있어? - Têm provas?
6837. 네, 여기 있어요. - Sim, aqui estão elas.
6838. 묵상하다 - Para contemplar
6839. 나는 삶의 의미를 묵상했다. - Eu meditei sobre o sentido da vida.
6840. 너는 미래에 대해 묵상한다. - Tu meditas sobre o futuro.
6841. 그는 자연의 아름다움을 묵상할 것이다. - Ele meditará sobre a beleza da natureza.
6842. 조용한 곳 찾고 있어? - Estás à procura de um lugar calmo?
6843. 네, 필요해. - Sim, preciso de um.
6844. 반성하다 - refletir
6845. 그녀는 과거의 실수를 반성했다. - Ela reflectiu sobre os seus erros

passados.
6846. 우리는 행동을 반성한다. - Nós reflectimos sobre as nossas acções.
6847. 당신들은 결정을 반성할 것이다. - Vais refletir sobre a tua decisão.
6848. 후회하는 거 있어? - Arrepende-se de alguma coisa?
6849. 응, 몇 가지 있어. - Sim, tenho alguns.
6850. 상기하다 - recolher
6851. 우리는 좋은 추억을 상기했다. - Nós recordamos boas memórias.
6852. 당신들은 약속을 상기한다. - Tu recordas promessas.
6853. 그들은 역사를 상기할 것이다. - Eles recordarão a história.
6854. 기억 나? - Lembra-se?
6855. 네, 잘 기억나. - Sim, lembro-me bem.
6856. 77. 명사 단어들 외우기, 필수 10개 동사의 단어들을 가지고 50문장 연습하기 - 77. Memorizar os substantivos, praticar 50 frases com as 10 palavras verbais essenciais
6857. 상황 - situação
6858. 그녀 - ela
6859. 불행한 이들 - os infelizes
6860. 아이 - miúdo
6861. 친구 - amigo
6862. 군중 - multidão
6863. 물건 - coisa
6864. 진행 상황 - Progresso
6865. 동물의 이동 경로 - movimento animal caminho
6866. 생각 - pensamento
6867. 계획 - plano
6868. 직업 - trabalho
6869. 문제 - problema
6870. 프로젝트 - projeto
6871. 도전 - desafio
6872. 어려움 - dificuldade
6873. 두려움 - medo
6874. 장애 - obstáculo
6875. 위기 - perigo
6876. 혼란 - confusão

6877. 취미 - passatempo
6878. 과학 - ciência
6879. 예술 - arte
6880. 하늘 - céu
6881. 바다 - oceano
6882. 고대 유물 - Antiguidades
6883. 지식 - conhecimento
6884. 재능 - talento
6885. 동정하다 - simpatizar
6886. 나는 그의 상황에 동정했다. - Simpatizei com a situação dele.
6887. 너는 그녀를 동정한다. - Tu tens pena dela.
6888. 그는 불행한 이들을 동정할 것이다. - Ele terá pena dos infelizes.
6889. 도와줄 수 있어? - Pode ajudá-lo?
6890. 물론, 도와줄게. - Claro, eu ajudo-o.
6891. 타이르다 - para Amarrar
6892. 그녀는 울고 있는 아이를 타이렀다. - Ela amarrou a criança que chorava.
6893. 우리는 화난 친구를 타이른다. - Nós amarramos um amigo zangado.
6894. 당신들은 분노한 군중을 타이를 것이다. - Tu vais amarrar a multidão zangada.
6895. 진정됐어? - Acalmaste-te?
6896. 네, 좀 나아졌어. - Sim, estou a sentir-me melhor.
6897. 추적하다 - localizar
6898. 우리는 분실된 물건을 추적했다. - Localizámos um objeto perdido.
6899. 당신들은 진행 상황을 추적한다. - Vais seguir o progresso.
6900. 그들은 동물의 이동 경로를 추적할 것이다. - Eles vão seguir a migração do animal.
6901. 뭐 찾고 있어? - Estás à procura de alguma coisa?
6902. 네, 찾고 있어. - Sim, estou à procura de algo.
6903. 바꾸다 - para mudar
6904. 나는 생각을 바꾸었다. - Mudei de ideias.
6905. 너는 계획을 바꾼다. - Mudas os teus planos.
6906. 그는 직업을 바꿀 것이다. - Ele vai mudar de emprego.
6907. 마음 바뀌었어? - Mudaste de ideias?

6908. 아니, 그대로야. - Não, é a mesma coisa.
6909. 해내다 - realizar
6910. 그녀는 어려운 문제를 해냈다. - Ela resolveu o problema difícil.
6911. 우리는 프로젝트를 해낸다. - Nós realizamos o projeto.
6912. 당신들은 도전을 해낼 것이다. - Tu vais cumprir o desafio.
6913. 할 수 있겠어? - Consegues fazê-lo?
6914. 응, 할 수 있어. - Sim, sou capaz de o fazer.
6915. 극복하다 - para superar
6916. 우리는 어려움을 극복했다. - Nós ultrapassamos as dificuldades.
6917. 당신들은 두려움을 극복한다. - Tu vais ultrapassar os teus medos.
6918. 그들은 장애를 극복할 것이다. - Eles vão ultrapassar os obstáculos.
6919. 문제 해결됐어? - Problema resolvido?
6920. 네, 다 해결됐어. - Sim, tudo está resolvido.
6921. 헤쳐나가다 - Para ultrapassar
6922. 나는 위기를 헤쳐나갔다. - Consegui ultrapassar a crise.
6923. 너는 어려움을 헤쳐나간다. - Tu ultrapassas as dificuldades.
6924. 그는 혼란을 헤쳐나갈 것이다. - Ele vai ultrapassar a confusão.
6925. 길 찾았어? - Encontraste o caminho?
6926. 네, 찾았어. - Sim, encontrei-o.
6927. 관심을 가지다 - interessar-se por
6928. 나는 새 취미에 관심을 가졌다. - Interessei-me por um novo passatempo.
6929. 그는 과학에 관심을 가진다. - Ele interessa-se por ciência.
6930. 그녀는 예술에 관심을 가질 것이다. - Ela interessar-se-ia por arte.
6931. 관심 있어? - Estás interessado?
6932. 네, 많이. - Sim, muito.
6933. 응시하다 - olhar fixamente
6934. 그녀는 멀리 응시했다. - Ela olhava para a distância.
6935. 우리는 하늘을 응시한다. - Nós olhamos para o céu.
6936. 그들은 바다를 응시할 것이다. - Eles vão ficar a olhar para o mar.
6937. 뭐 응시해? - Olhar para o quê?
6938. 별을 봐. - Olhar para as estrelas.
6939. 발굴하다 - escavar
6940. 나는 고대 유물을 발굴했다. - Desenterrei um artefacto antigo.

6941. 그는 지식을 발굴한다. - Ele escava à procura de conhecimento.
6942. 그녀는 재능을 발굴할 것이다. - Ela vai escavar à procura de talento.
6943. 더 발굴할까? - Vamos escavar mais um pouco?
6944. 그래, 계속해. - Sim, continua.
6945. 78. 명사 단어들 외우기, 필수 10개 동사의 단어들을 가지고 50문장 연습하기 - 78. Memoriza os substantivos, pratica 50 frases com os 10 verbos essenciais
6946. 도구 - equipamento
6947. 컴퓨터 - computador
6948. 신기술 - nova tecnologia
6949. 시간 - hora
6950. 에너지 - energia
6951. 자원 - recurso
6952. 돈 - dinheiro
6953. 물 - água
6954. 기회 - oportunidade
6955. 추억 - memória
6956. 사진 - imagem
6957. 비밀 - segredo
6958. 문서 - documento
6959. 환경 - ambiente
6960. 장벽 - barreira
6961. 자동차 - automóvel
6962. 기계 - máquina
6963. 모델 - modelo
6964. 부품 - peça
6965. 시스템 - sistema
6966. 시계 - relógio
6967. 퍼즐 - puzzle
6968. 계획 - plano
6969. 기업 - Empresa
6970. 아이디어 - Ideias
6971. 팀 - Equipas
6972. 사용하다 - para utilizar

6973. 우리는 도구를 사용했다. - Utilizámos a ferramenta.
6974. 그는 컴퓨터를 사용한다. - Ele utiliza um computador.
6975. 그들은 신기술을 사용할 것이다. - Eles vão utilizar a nova tecnologia.
6976. 사용해볼까? - Vamos experimentar?
6977. 좋아, 해봐. - Ok, experimentem.
6978. 소비하다 - Para consumir
6979. 나는 시간을 소비했다. - Eu gastei tempo.
6980. 그녀는 에너지를 소비한다. - Ela consome energia.
6981. 너는 자원을 소비할 것이다. - Tu vais consumir recursos.
6982. 많이 소비했어? - Consumiste muito?
6983. 아니, 조금만. - Não, só um bocadinho.
6984. 절약하다 - Para poupar
6985. 그는 돈을 절약했다. - Ele poupou dinheiro.
6986. 우리는 물을 절약한다. - Nós poupamos água.
6987. 당신들은 에너지를 절약할 것이다. - Tu vais poupar energia.
6988. 절약하고 있어? - Estás a poupar?
6989. 응, 노력중이야. - Sim, estou a tentar.
6990. 낭비하다 - Desperdiçar
6991. 그녀는 기회를 낭비했다. - Ela desperdiçou a oportunidade.
6992. 너는 시간을 낭비한다. - Tu desperdiças tempo.
6993. 그들은 자원을 낭비할 것이다. - Eles vão desperdiçar recursos.
6994. 낭비하지 않았어? - Não desperdiçaste?
6995. 아냐, 조심했어. - Não, tive cuidado.
6996. 간직하다 - para guardar
6997. 우리는 추억을 간직했다. - Nós guardámos as memórias.
6998. 그는 사진을 간직한다. - Ele guarda as fotografias.
6999. 그녀는 비밀을 간직할 것이다. - Ela vai guardar o segredo.
7000. 계속 간직할 거야? - Vais guardá-lo?
7001. 네, 영원히. - Sim, para sempre.
7002. 파괴하다 - para Destruir
7003. 나는 문서를 파괴했다. - Destruí os documentos.
7004. 그들은 환경을 파괴한다. - Eles destroem o ambiente.
7005. 그녀는 장벽을 파괴할 것이다. - Ela vai destruir a parede.
7006. 파괴해야 돼? - Devemos destruí-lo?

7007. 아니, 다른 방법 찾자. - Não, vamos encontrar outra forma.
7008. 손상하다 - Para danificar
7009. 그는 자동차를 손상했다. - Ele danificou o carro.
7010. 그녀는 기계를 손상한다. - Ela danifica a máquina.
7011. 우리는 환경을 손상할 것이다. - Vamos danificar o ambiente.
7012. 손상됐어? - Danificar?
7013. 응, 고쳐야 해. - Sim, precisa de ser reparado.
7014. 대치하다 - para substituir
7015. 나는 오래된 모델을 대치했다. - Substituí o modelo antigo.
7016. 그들은 부품을 대치한다. - Eles vão substituir as peças.
7017. 그녀는 시스템을 대치할 것이다. - Ela vai substituir o sistema.
7018. 대치할 필요 있어? - É necessário substituir?
7019. 네, 필수야. - Sim, é necessário.
7020. 맞추다 - Para marcar a hora
7021. 우리는 시계를 맞췄다. - acertámos o relógio.
7022. 그는 퍼즐을 맞춘다. - Ele montou o puzzle.
7023. 그녀는 계획을 맞출 것이다. - Ela vai encaixar no plano.
7024. 잘 맞춰졌어? - Combinámos?
7025. 완벽해! - Está perfeito!
7026. 합치다 - Para juntar
7027. 그들은 두 기업을 합쳤다. - Eles fundiram dois negócios.
7028. 너는 아이디어를 합친다. - Fundem-se ideias.
7029. 우리는 팀을 합칠 것이다. - Vamos juntar as nossas equipas.
7030. 합치기로 했어? - Decidiram fundir-se?
7031. 응, 그렇게 결정했어. - Sim, foi isso que decidimos.
7032. 79. 명사 단어들 외우기, 필수 10개 동사의 단어들을 가지고 50문장 연습하기 - 79. Memorizar os substantivos, praticar 50 frases com as 10 palavras verbais essenciais
7033. 자원 - recurso
7034. 시간 - hora
7035. 업무 - trabalho
7036. 친구 - amigo
7037. 음식 - comida
7038. 이익 - lucro

7039. 경험 - experiência
7040. 요구사항 - Requisitos
7041. 기대 - expetativa
7042. 조건 - condição
7043. 아이 - criança
7044. 상황 - situação
7045. 분위기 - ambiente
7046. 부모님 - pais
7047. 동료 - colega
7048. 대표 - representante
7049. 프로젝트 - projeto
7050. 최우수 작품 - melhor trabalho
7051. 건강 - saúde
7052. 안전 - segurança
7053. 효율성 - eficiência
7054. 이론 - teoria
7055. 정책 - política
7056. 연구 - investigação
7057. 작업 - trabalho
7058. 결정 - decisão
7059. 팀 - equipa
7060. 의견 - opinião
7061. 계획 - plano
7062. 배분하다 - afetar
7063. 그녀는 자원을 배분했다. - Ela afectou recursos.
7064. 우리는 시간을 배분한다. - Nós atribuímos tempo.
7065. 너는 업무를 배분할 것이다. - Vai atribuir o seu trabalho.
7066. 잘 배분됐어? - Correu bem?
7067. 네, 잘 됐어. - Sim, correu bem.
7068. 나누다 - para partilhar
7069. 나는 친구와 음식을 나눴다. - Partilhei a comida com o meu amigo.
7070. 그들은 이익을 나눈다. - Eles partilham os lucros.
7071. 당신들은 경험을 나눌 것이다. - Vão partilhar a experiência.
7072. 같이 나눌래? - Queres partilhar?

7073. 좋아, 나눠보자. - Ok, vamos partilhar.
7074. 충족하다 - para cumprir
7075. 우리는 요구사항을 충족했다. - Nós cumprimos os requisitos.
7076. 그는 기대를 충족한다. - Ele preenche a expetativa.
7077. 그녀는 조건을 충족할 것이다. - Ela vai cumprir as condições.
7078. 충족시킬 수 있어? - Você pode cumprir?
7079. 응, 할 수 있어. - Sim, posso.
7080. 진정시키다 - acalmar (acalmar)
7081. 그녀는 아이를 진정시켰다. - Ela acalmou a criança.
7082. 너는 상황을 진정시킨다. - Tu acalmas a situação.
7083. 그들은 분위기를 진정시킬 것이다. - Eles vão acalmar o ambiente.
7084. 진정됐어? - Acalmaste-te?
7085. 네, 괜찮아졌어. - Sim, estou bem.
7086. 안심시키다 - para tranquilizar
7087. 나는 부모님을 안심시켰다. - Tranquilizei os meus pais.
7088. 그는 친구를 안심시킨다. - Ele tranquiliza o seu amigo.
7089. 그녀는 동료를 안심시킬 것이다. - Ela vai tranquilizar o seu colega de trabalho.
7090. 안심할까? - Reassure?
7091. 응, 안심해. - Sim, estou aliviado.
7092. 선정하다 - Selecionar
7093. 우리는 대표를 선정했다. - Seleccionámos os delegados.
7094. 그들은 프로젝트를 선정한다. - Eles seleccionarão os projectos.
7095. 당신들은 최우수 작품을 선정할 것이다. - Vocês seleccionarão o melhor trabalho.
7096. 어떤 걸 선정할까? - Qual é que vamos escolher?
7097. 가장 좋은 걸로. - O melhor.
7098. 우선하다 - dar prioridade
7099. 그는 건강을 우선했다. - Ele deu prioridade à sua saúde.
7100. 그녀는 안전을 우선한다. - Ela dá prioridade à segurança.
7101. 우리는 효율성을 우선할 것이다. - Nós vamos dar prioridade à eficiência.
7102. 무엇을 우선해야 해? - A que é que devemos dar prioridade?
7103. 안전을 우선해. - A segurança deve ser a prioridade.

7104. 논쟁하다 - Para discutir
7105. 나는 친구와 논쟁했다. - Discuti com o meu amigo.
7106. 당신들은 이론을 논쟁한다. - Tu discutes teorias.
7107. 그들은 정책을 논쟁할 것이다. - Eles vão discutir políticas.
7108. 계속 논쟁할 거야? - Vais continuar a discutir?
7109. 아니, 여기서 멈출게. - Não, fico-me por aqui.
7110. 보조하다 - ajudar
7111. 그녀는 연구를 보조했다. - Ela ajudou na investigação.
7112. 우리는 작업을 보조한다. - Nós ajudamos no trabalho.
7113. 너는 결정을 보조할 것이다. - Tu vais ajudar na decisão.
7114. 도움 될까? - Ajuda?
7115. 네, 많이 돼. - Sim, muito.
7116. 형성하다 - formar
7117. 그들은 팀을 형성했다. - Eles formaram uma equipa.
7118. 그는 의견을 형성한다. - Ele forma uma opinião.
7119. 그녀는 계획을 형성할 것이다. - Ela vai formular um plano.
7120. 형성 잘 되고 있어? - Como está a correr a formação?
7121. 응, 잘 되고 있어. - Sim, está a correr bem.
7122. 80. 명사 단어들 외우기, 필수 10개 동사의 단어들을 가지고 50문장 연습하기 - 80. Memorizar os substantivos, praticar 50 frases com as 10 palavras verbais essenciais
7123. 방법 - método
7124. 제품 - produto
7125. 시스템 - sistema
7126. 프로젝트 - projeto
7127. 연구 - investigação
7128. 과제 - atribuição
7129. 색상 - cor
7130. 팀원 - Membros da equipa
7131. 환경 - ambiente
7132. 일 - Dia
7133. 삶 - vida
7134. 수요 - procura
7135. 공급 - oferta

7136. 이해관계 - interesses
7137. 결론 - conclusão
7138. 정보 - informação
7139. 결과 - resultado
7140. 사건 - Evento
7141. 변화 - mudança
7142. 역사적 순간 - momento histórico
7143. 어려움 - dificuldade
7144. 성장통 - dores de crescimento
7145. 꽃 향기 - cheiro de flor
7146. 바다 냄새 - cheiro do mar
7147. 신선한 공기 - ozono
7148. 서비스 - serviço
7149. 품질 - qualidade
7150. 고통 - dor
7151. 압력 - entrar
7152. 시련 - testar
7153. 창안하다 - inventar
7154. 나는 새로운 방법을 창안했다. - Eu inventei um novo método.
7155. 그들은 제품을 창안한다. - Eles inventam um produto.
7156. 당신들은 시스템을 창안할 것이다. - Tu vais inventar um sistema.
7157. 창안할 아이디어 있어? - Tens uma ideia para inventar?
7158. 네, 몇 가지 있어. - Sim, tenho algumas.
7159. 협업하다 - para colaborar
7160. 우리는 프로젝트에서 협업했다. - Colaborámos num projeto.
7161. 그들은 연구에서 협업한다. - They collaborate on research (Eles colaboram na investigação).
7162. 당신들은 과제에서 협업할 것이다. - Vão colaborar nas tarefas.
7163. 협업 효과적이었어? - A colaboração foi eficaz?
7164. 네, 매우 효과적이었어. - Sim, foi muito eficaz.
7165. 조화하다 - harmonizar
7166. 그녀는 색상을 조화롭게 사용했다. - Ela usou as cores de forma harmoniosa.
7167. 그는 팀원들과 조화를 이룬다. - Ele harmoniza-se com os seus

colegas de equipa.
7168. 우리는 환경과 조화를 이룰 것이다. - Vamos harmonizar-nos com o ambiente.
7169. 조화롭게 될까? - Será harmonioso?
7170. 응, 될 거야. - Sim, será.
7171. 균형을 맞추다 - Equilibrar
7172. 나는 일과 삶의 균형을 맞췄다. - Equilibrei o meu trabalho e a minha vida.
7173. 그들은 수요와 공급의 균형을 맞춘다. - Equilibram a oferta e a procura.
7174. 당신들은 이해관계를 균형있게 맞출 것이다. - Equilibrarão os vossos interesses.
7175. 균형 잘 맞춰지고 있어? - Está a equilibrar-se bem?
7176. 네, 잘 맞춰지고 있어. - Sim, está a correr bem.
7177. 추론하다 - Inferir
7178. 그녀는 결론을 추론했다. - Ela deduziu a conclusão.
7179. 우리는 정보를 추론한다. - Nós deduzimos informações.
7180. 너는 결과를 추론할 것이다. - Tu vais inferir o resultado.
7181. 추론이 맞을까? - A inferência é correcta?
7182. 가능성이 높아. - É provável.
7183. 목격하다 - Testemunhar
7184. 나는 사건을 목격했다. - Eu testemunhei o evento.
7185. 그는 변화를 목격한다. - Ele testemunha uma mudança.
7186. 그녀는 역사적 순간을 목격할 것이다. - Ela vai testemunhar um momento histórico.
7187. 정말 그걸 목격했어? - Testemunhaste mesmo o acontecimento?
7188. 네, 내 눈으로 봤어. - Sim, vi-o com os meus próprios olhos.
7189. 겪다 - sofrer
7190. 우리는 어려움을 겪었다. - Passámos por dificuldades.
7191. 그들은 성장통을 겪는다. - Eles passam por dores de crescimento.
7192. 당신들은 변화를 겪을 것이다. - Tu vais passar por mudanças.
7193. 많이 겪었어? - Passaste por muitas coisas?
7194. 응, 꽤 많이. - Sim, bastante.
7195. 냄새맡다 - Cheirar

7196. 나는 꽃 향기를 맡았다. - Cheirei o perfume das flores.
7197. 그는 바다 냄새를 맡는다. - Ele sente o cheiro do mar.
7198. 그녀는 신선한 공기를 맡을 것이다. - Ela vai sentir o cheiro do ar fresco.
7199. 무슨 냄새가 나? - A que é que tu cheiras?
7200. 꽃 향기가 나. - Eu cheiro o perfume das flores.
7201. 불만족하다 - Estar insatisfeito
7202. 그녀는 결과에 불만족했다. - Ela ficou insatisfeita com o resultado.
7203. 우리는 서비스에 불만족한다. - Estamos insatisfeitos com o serviço.
7204. 당신들은 품질에 불만족할 것이다. - Ficará insatisfeito com a qualidade.
7205. 불만족해? - Insatisfeito?
7206. 네, 기대에 못 미쳐. - Sim, não correspondeu às minhas expectativas.
7207. 견디다 - aguentar
7208. 나는 고통을 견뎠다. - Eu aguentei a dor.
7209. 그는 압력을 견딘다. - Ele aguenta a pressão.
7210. 그녀는 시련을 견딜 것이다. - Ela vai aguentar a provação.
7211. 견딜 수 있을까? - Consegues aguentar?
7212. 응, 견딜 수 있어. - Sim, eu aguento.
7213. 81. 명사 단어들 외우기, 필수 10개 동사의 단어들을 가지고 50문장 연습하기 - 81. Memorizar palavras substantivas, praticar 50 frases com as 10 palavras verbais essenciais
7214. 어려움 - dificuldade
7215. 지연 - atrasar
7216. 도전 - desafio
7217. 불편함 - desconforto
7218. 소음 - barulho
7219. 기다림 - esperar
7220. 친구 - amigo
7221. 동물 - animal
7222. 사람들 - pessoas
7223. 피해자 - vítima
7224. 건물 - edifício

7225. 위험 - perigo
7226. 범인 - criminoso
7227. 용의자 - suspeito
7228. 도망자 - fugitivo
7229. 사람 - pessoa
7230. 포로 - Preso
7231. 증거 - prova
7232. 생각 - pensamento
7233. 제약 - Restrições
7234. 방법 - método
7235. 생활 방식 - estilo de vida
7236. 아이디어 - ideia
7237. 공지 - notificação
7238. 사진 - imagem
7239. 연구 결과 - Resultados
7240. 인내하다 - suportar
7241. 우리는 어려움을 인내했다. - Nós aguentámos as dificuldades.
7242. 그들은 지연을 인내한다. - Eles aguentam os atrasos.
7243. 당신들은 도전을 인내할 것이다. - Perseverarás perante os desafios.
7244. 인내가 필요해? - Preciso de paciência?
7245. 네, 많이 필요해. - Sim, preciso de muita.
7246. 참다 - que aturar
7247. 그녀는 불편함을 참았다. - Ela aguentou o desconforto.
7248. 우리는 소음을 참는다. - Nós aguentámos o barulho.
7249. 너는 기다림을 참을 것이다. - Tu vais aguentar a espera.
7250. 얼마나 더 참아야 해? - Quanto mais tens de aguentar?
7251. 조금만 더 참자. - Vamos aguentar mais um bocadinho.
7252. 구출하다 - para salvar
7253. 나는 친구를 구출했다. - Resgatei o meu amigo.
7254. 그는 동물을 구출한다. - Ele resgata animais.
7255. 그녀는 사람들을 구출할 것이다. - Ela vai salvar pessoas.
7256. 구출할 수 있을까? - Podes salvar?
7257. 네, 할 수 있어. - Sim, podes.
7258. 구조하다 - para salvar

7259. 우리는 피해자를 구조했다. - Resgatámos a vítima.
7260. 그들은 건물에서 구조한다. - Eles resgatam do edifício.
7261. 당신들은 위험에서 구조할 것이다. - Tu vais salvá-los do perigo.
7262. 구조 작업 잘 되고 있어? - Como está a correr o salvamento?
7263. 네, 잘 되고 있어. - Sim, está a correr bem.
7264. 체포하다 - para Prender prisão
7265. 그녀는 범인을 체포했다. - Ela prendeu o criminoso.
7266. 경찰은 용의자를 체포한다. - A polícia prendeu o suspeito.
7267. 보안관은 도망자를 체포할 것이다. - O xerife vai prender o fugitivo.
7268. 체포됐어? - Did you get arrested?
7269. 네, 체포됐어. - Sim, ele foi preso.
7270. 구금하다 - dissuadir
7271. 나는 잠시 구금됐다. - Fui detido durante algum tempo.
7272. 그는 현재 구금 중이다. - Ele está atualmente sob custódia.
7273. 그녀는 나중에 구금될 것이다. - Ela será detida mais tarde.
7274. 여전히 구금 중이야? - Ela ainda está detida?
7275. 네, 아직이야. - Sim, ainda.
7276. 석방하다 - para libertar
7277. 우리는 억울한 사람을 석방했다. - Libertámos a pessoa acusada injustamente.
7278. 그들은 포로를 석방한다. - Eles libertam os prisioneiros.
7279. 당신들은 증거 부족으로 석방될 것이다. - Vai ser libertado por falta de provas.
7280. 석방될 수 있을까? - Vai ser libertado?
7281. 가능성이 있어. - Há uma possibilidade.
7282. 해방하다 - para libertar
7283. 그녀는 스스로를 해방했다. - Ela libertou-se.
7284. 우리는 생각에서 해방한다. - Nós libertamo-nos dos pensamentos.
7285. 너는 제약에서 해방될 것이다. - Serás libertado dos constrangimentos.
7286. 정말 해방감을 느껴? - Sentes-te realmente libertado?
7287. 네, 완전히. - Sim, completamente.
7288. 채택하다 - Adotar
7289. 나는 새로운 방법을 채택했다. - Adoptei um novo método.

7290. 그는 건강한 생활 방식을 채택한다. - Ele adopta um estilo de vida saudável.
7291. 그녀는 혁신적인 아이디어를 채택할 것이다. - Ela vai adotar uma ideia inovadora.
7292. 채택하기로 결정했어? - Decidiu adotar?
7293. 네, 결정했어. - Sim, já decidi.
7294. 게시하다 - Publicar
7295. 우리는 공지를 게시했다. - Publicámos o aviso.
7296. 그들은 사진을 소셜 미디어에 게시한다. - Eles publicam fotografias nas redes sociais.
7297. 당신들은 연구 결과를 게시할 것이다. - Vocês vão publicar as vossas descobertas.
7298. 이미 게시됐어? - Já está publicado?
7299. 네, 게시됐어. - Sim, já está publicado.
7300. 82. 명사 단어들 외우기, 필수 10개 동사의 단어들을 가지고 50문장 연습하기 - 82. memorizar palavras substantivas, praticar 50 frases com as 10 palavras verbais essenciais
7301. 정보 - informação
7302. 기록 - registo
7303. 데이터베이스 - base de dados
7304. 이메일 - e-mail
7305. 뉴스 - notícias
7306. 콘텐츠 - conteúdo
7307. 화면 - ecrã
7308. 순간 - momento
7309. 교통 위반 - infração de trânsito
7310. 규칙 - regra
7311. 불법 - ilegal
7312. 자재 - material
7313. 필요한 물품 - materiais necessários
7314. 자금 - fundos
7315. 상품 - bens
7316. 화물 - frete
7317. 물건 - coisa

7318. 자금 (운용) - Fundos (operação)
7319. 계획 (운용) - Planeamento (operação)
7320. 사업 - negócio
7321. 집 - casa
7322. 차 - automóvel
7323. 회사 - a empresa
7324. 주식 - stock
7325. 지식 - conhecimento
7326. 기술 - tecnologia
7327. 경험 - experiência
7328. 정보 (얻다) - informação (obter)
7329. 지식 (얻다) - conhecimento (obter)
7330. 조회하다 - procurar
7331. 그녀는 정보를 조회했다. - Ela procurou a informação.
7332. 우리는 기록을 조회한다. - Nós consultamos os registos.
7333. 너는 데이터베이스를 조회할 것이다. - Vais consultar a base de dados.
7334. 조회 결과는 어때? - Qual foi o resultado da pesquisa?
7335. 찾고 있던 정보가 나왔어. - Consegui a informação que estava a procurar.
7336. 필터링하다 - Para filtrar
7337. 나는 이메일을 필터링했다. - Filtrei as mensagens de correio eletrónico.
7338. 그는 뉴스를 필터링한다. - Ele vai filtrar as notícias.
7339. 그녀는 콘텐츠를 필터링할 것이다. - Ela vai filtrar o conteúdo.
7340. 필터링 효과적이야? - A filtragem é eficaz?
7341. 네, 매우 효과적이야. - Sim, é muito eficaz.
7342. 캡처하다 - para Capturar
7343. 나는 화면을 캡처했다. - Capturei o ecrã.
7344. 너는 순간을 캡처한다. - Tu capturas um momento.
7345. 그는 정보를 캡처할 것이다. - Ele vai captar informações.
7346. 사진 잘 나왔어? - Conseguiste uma boa fotografia?
7347. 네, 완벽해요. - Sim, está perfeita.
7348. 단속하다 - reprimir
7349. 그녀는 교통 위반을 단속했다. - Ela reprimiu as infracções de

trânsito.
7350. 우리는 규칙을 단속한다. - Nós fazemos cumprir as regras.
7351. 당신들은 불법을 단속할 것이다. - Tu vais reprimir o que é ilegal.
7352. 규칙 지켰어? - Cumpriu as regras?
7353. 네, 항상 지켜요. - Sim, cumpro-as sempre.
7354. 조달하다 - obter
7355. 그들은 자재를 조달했다. - Eles arranjaram os materiais.
7356. 나는 필요한 물품을 조달한다. - Eu vou adquirir os materiais necessários.
7357. 너는 자금을 조달할 것이다. - Tu vais obter os fundos.
7358. 자재 다 구했어? - Conseguiste todos os materiais?
7359. 아직 몇 개 더 필요해. - Ainda preciso de mais alguns.
7360. 운송하다 - transportar
7361. 그녀는 상품을 운송했다. - Ela transportou a mercadoria.
7362. 우리는 화물을 운송한다. - Nós transportamos a carga.
7363. 당신들은 물건을 운송할 것이다. - Tu vais transportar a mercadoria.
7364. 화물 도착했어? - A carga chegou?
7365. 네, 방금 도착했어요. - Sim, acabou de chegar.
7366. 운용하다 - gerir
7367. 나는 자금을 운용했다. - Eu geri os fundos.
7368. 너는 계획을 운용한다. - Tu vais gerir o plano.
7369. 그는 사업을 운용할 것이다. - Ele vai gerir o negócio.
7370. 계획 잘 되가? - Como está a correr o plano?
7371. 네, 순조로워요. - Sim, está a correr bem.
7372. 소유하다 - Para possuir
7373. 그들은 집을 소유했다. - Eles eram donos da casa.
7374. 나는 차를 소유한다. - Eu sou dono de um carro.
7375. 너는 회사를 소유할 것이다. - Vais ser dono de uma empresa.
7376. 새 차 샀어? - Compraste um carro novo?
7377. 아니요, 아직이에요. - Não, ainda não.
7378. 보유하다 - Segurar
7379. 그녀는 주식을 보유했다. - Ela guardou as acções.
7380. 우리는 지식을 보유한다. - Nós retemos o conhecimento.
7381. 당신들은 기술을 보유할 것이다. - Tu terás competências.

7382. 주식 많이 가졌어? - Tem muito stock?
7383. 조금씩 모으고 있어요. - Estou a recolhê-las pouco a pouco.
7384. 얻다 - ganhar
7385. 나는 경험을 얻었다. - Ganhei experiência.
7386. 너는 정보를 얻는다. - Tu ganhas informação.
7387. 그는 지식을 얻을 것이다. - Ele vai adquirir conhecimentos.
7388. 정보 찾았어? - Encontraste a informação?
7389. 네, 찾았어요. - Sim, encontrei.
7390. 83. 명사 단어들 외우기, 필수 10개 동사의 단어들을 가지고 50문장 연습하기 - 83. memorizar palavras substantivas, praticar 50 frases com as 10 palavras verbais essenciais
7391. 자격증 - certificar
7392. 승인 - aprovação
7393. 인증 - certificação
7394. 신뢰 - confiança
7395. 기회 - oportunidade
7396. 접근 - Acesso
7397. 능력 - capacidade
7398. 재능 - talento
7399. 창의력 - criatividade
7400. 품질 - qualidade
7401. 관심 - interesse
7402. 성능 - desempenho
7403. 서울 - seul
7404. 지역 - região
7405. 국가 - nação
7406. 버스 - autocarro
7407. 인터넷 - Internet
7408. 서비스 - serviço
7409. 채무 - obrigação financeira
7410. 문제 - problema
7411. 우려 - preocupação
7412. 아이디어 - ideia
7413. 계획 - plano

7414. 가치 - valor
7415. 사고 - acidente
7416. 변화 - mudança
7417. 현상 - fenómeno
7418. 회의 - reunião
7419. 이벤트 - acontecimento
7420. 획득하다 - para Ganhar
7421. 그들은 자격증을 획득했다. - Eles obtiveram uma certificação.
7422. 나는 승인을 획득한다. - Eu vou obter uma autorização.
7423. 너는 인증을 획득할 것이다. - Vai obter a certificação.
7424. 자격증 시험 봤어? - Fez o exame de certificação?
7425. 네, 합격했어요. - Sim, passei.
7426. 상실하다 - perder
7427. 그녀는 신뢰를 상실했다. - Ela perdeu a confiança.
7428. 우리는 기회를 상실한다. - Perdemos a oportunidade.
7429. 당신들은 접근을 상실할 것이다. - Vais perder o acesso.
7430. 기회 놓쳤어? - Perdeste a oportunidade?
7431. 아니요, 아직 있어요. - Não, ainda a tens.
7432. 발휘하다 - exercer
7433. 나는 능력을 발휘했다. - Exerci a minha capacidade.
7434. 너는 재능을 발휘한다. - Demonstra talento.
7435. 그는 창의력을 발휘할 것이다. - Ele vai exercer a sua criatividade.
7436. 잘 할 수 있겠어? - Tens a certeza de que és capaz?
7437. 네, 자신 있어요. - Sim, estou confiante.
7438. 저하하다 - para degradar
7439. 그들은 품질을 저하시켰다. - Eles degradaram a qualidade.
7440. 나는 관심을 저하시킨다. - Eu degrado o interesse.
7441. 너는 성능을 저하시킬 것이다. - Tu vais degradar o desempenho.
7442. 성능 나빠졌어? - Degradou o desempenho?
7443. 아니요, 괜찮아요. - Não, estou ótimo.
7444. 교통하다 - para o trânsito
7445. 그녀는 자주 서울을 교통했다. - Ela viajava frequentemente para Seul.
7446. 우리는 지역 간을 교통한다. - Nós viajamos entre regiões.
7447. 당신들은 국가를 교통할 것이다. - Vai viajar entre países.

7448. 출퇴근 괜찮아? - O seu trajeto é bom?
7449. 네, 문제 없어요. - Sim, sem problemas.
7450. 이용하다 - usar
7451. 나는 버스를 이용했다. - Eu utilizei o autocarro.
7452. 너는 인터넷을 이용한다. - You will use the Internet.
7453. 그는 서비스를 이용할 것이다. - Ele vai utilizar o serviço.
7454. 인터넷 빨라? - A Internet é rápida?
7455. 네, 아주 빨라요. - Sim, é muito rápida.
7456. 소멸하다 - extinguir
7457. 그들은 채무를 소멸시켰다. - Eles extinguiram a dívida.
7458. 나는 문제를 소멸시킨다. - Eu dissipo o problema.
7459. 너는 우려를 소멸시킬 것이다. - Tu vais extinguir a preocupação.
7460. 문제 해결됐어? - Problema resolvido?
7461. 네, 다 해결됐어요. - Sim, está tudo resolvido.
7462. 생성하다 - gerar
7463. 그녀는 아이디어를 생성했다. - Ela gerou uma ideia.
7464. 우리는 계획을 생성한다. - Nós geramos planos.
7465. 당신들은 가치를 생성할 것이다. - Vocês vão gerar valor.
7466. 계획 세웠어? - Têm um plano?
7467. 네, 다 준비됐어요. - Sim, está tudo pronto.
7468. 발생하다 - Para causar
7469. 나는 사고를 발생시켰다. - Eu gerei um incidente.
7470. 너는 변화를 발생시킨다. - Tu vais gerar uma mudança.
7471. 그는 현상을 발생시킬 것이다. - Ele vai causar um fenómeno.
7472. 문제 있었어? - Tiveste algum problema?
7473. 아니요, 괜찮아요. - Não, estou ótimo.
7474. 나타나다 - to Appear (aparecer)
7475. 그들은 갑자기 나타났다. - Eles apareceram do nada.
7476. 나는 회의에 나타난다. - Eu apareço na reunião.
7477. 너는 이벤트에 나타날 것이다. - Tu vais aparecer no evento.
7478. 회의에 갈 거야? - Vais à reunião?
7479. 네, 갈게요. - Sim, eu vou.
7480. 84. 명사 단어들 외우기, 필수 10개 동사의 단어들을 가지고 50문장 연습하기 - 84. memorizar palavras substantivas, praticar 50 frases com as

10 palavras verbais essenciais
7481. 무대 - palco
7482. 공원 - parque
7483. 화면 - ecrã
7484. 생각 - pensar
7485. 계획 - plano
7486. 방향 - direção
7487. 의사소통 - comunicação
7488. 동전 - moeda
7489. 쓰레기 - lixo
7490. 아이디어 - ideia
7491. 책 - livro
7492. 우산 - guarda-chuva
7493. 지도 - mapa
7494. 감정 - emoção
7495. 열정 - paixão
7496. 옷 - roupa
7497. 벽 - parede
7498. 캔버스 - tela
7499. 종이 - papel
7500. 나무 - árvore
7501. 친구 - amigo
7502. 제안 - proposta
7503. 정책 - política
7504. 스프 - sopa
7505. 음료 - bebida
7506. 소스 - molho
7507. 사라지다 - desaparecer
7508. 그녀는 무대에서 사라졌다. - Ela desapareceu do palco.
7509. 우리는 공원에서 사라진다. - Desaparecemos no parque.
7510. 당신들은 화면에서 사라질 것이다. - Vais desaparecer do ecrã.
7511. 걱정 끝났어? - Já acabaste de te preocupar?
7512. 네, 사라졌어요. - Sim, já desapareceu.
7513. 변하다 - mudar

7514. 나는 생각이 변했다. - Mudei de ideias.
7515. 너는 계획을 변화시킨다. - Mudas os teus planos.
7516. 그는 방향을 변할 것이다. - Ele vai mudar de direção.
7517. 의견 달라졌어? - Mudaste a tua opinião?
7518. 네, 바뀌었어요. - Sim, mudou.
7519. 의사소통하다 - Para comunicar
7520. 그들은 효과적으로 의사소통했다. - Eles comunicaram eficazmente.
7521. 나는 명확하게 의사소통한다. - Eu comunico claramente.
7522. 너는 직접 의사소통할 것이다. - Você vai comunicar diretamente.
7523. 말 잘 통해? - Através das palavras?
7524. 네, 잘 통해요. - Sim, através de palavras.
7525. 줍다 - para apanhar
7526. 그녀는 동전을 주웠다. - Ela apanhou as moedas.
7527. 우리는 쓰레기를 줍는다. - Nós apanhamos o lixo.
7528. 당신들은 아이디어를 줍을 것이다. - Tu vais apanhar ideias.
7529. 도와줄까? - Queres que eu te ajude?
7530. 네, 고마워요. - Sim, obrigado.
7531. 펴다 - para abrir
7532. 나는 책을 펴었다. - Eu abri o livro.
7533. 너는 우산을 편다. - Tu abres o guarda-chuva.
7534. 그는 지도를 펼 것이다. - Ele vai desdobrar o mapa.
7535. 책 재밌어? - O livro é interessante?
7536. 네, 흥미로워요. - Sim, é interessante.
7537. 넘치다 - transbordar
7538. 그들은 감정이 넘쳤다. - Eles estavam a transbordar de emoção.
7539. 나는 열정이 넘친다. - Estou cheio de entusiasmo.
7540. 너는 아이디어로 넘칠 것이다. - Vais estar a transbordar de ideias.
7541. 행복해? - Estás contente?
7542. 네, 넘쳐나요. - Sim, estou a transbordar.
7543. 물들다 - colorir
7544. 그녀는 옷을 물들였다. - Ela pintou a roupa.
7545. 우리는 벽을 물들인다. - Nós colorimos as paredes.
7546. 당신들은 캔버스를 물들일 것이다. - Tu vais colorir a tela.
7547. 색상 결정했어? - Já te decidiste por uma cor?

7548. 네, 정했어요. - Sim, já decidi.
7549. 태우다 - queimar
7550. 나는 종이를 태웠다. - Queimei o papel.
7551. 너는 나무를 태운다. - Tu queimas a madeira.
7552. 그는 쓰레기를 태울 것이다. - Ele vai queimar o lixo.
7553. 추워? - Está frio?
7554. 아니, 따뜻해요. - Não, está quente.
7555. 지지하다 - Para apoiar
7556. 나는 친구를 지지했다. - Eu apoiei o meu amigo.
7557. 너는 제안을 지지한다. - Tu apoias a proposta.
7558. 그는 정책을 지지할 것이다. - Ele vai apoiar a política.
7559. 지지 받아? - Apoias?
7560. 네, 받아. - Sim, eu percebo.
7561. 젓다 - O apoio
7562. 그녀는 스프를 저었다. - Ela mexeu a sopa.
7563. 우리는 음료를 젓는다. - Nós mexemos a bebida.
7564. 당신들은 소스를 저을 것이다. - Vocês vão mexer o molho.
7565. 잘 섞였어? - Está bem misturado?
7566. 네, 섞였어. - Sim, está misturado.
7567. 85. 명사 단어들 외우기, 필수 10개 동사의 단어들을 가지고 50문장 연습하기 - 85. memorizar palavras substantivas, praticar 50 frases com as 10 palavras verbais essenciais
7568. 물 - água
7569. 팬 - Panela
7570. 수프 - Sopa
7571. 상자 - caixa
7572. 창문 - janela
7573. 미래 - futuro
7574. 아이디어 - ideia
7575. 계획 - plano
7576. 해결책 - solução
7577. 스케줄 - calendário
7578. 로드맵 - roteiro
7579. 자금 - fundos

7580. 자리 - sede
7581. 기회 - oportunidade
7582. 용기 - coragem
7583. 장비 - equipamento
7584. 자격 - qualificação
7585. 실험실 - laboratório
7586. 컴퓨터 - computador
7587. 연구소 - laboratório
7588. 선물 - oferta
7589. 정보 - informação
7590. 소식 - notícias
7591. 메시지 - mensagem
7592. 경고 - aviso
7593. 차 - carro
7594. 배 - navio
7595. 화물 - carga
7596. 트럭 - camião
7597. 상품 - mercadorias
7598. 가열하다 - aquecer
7599. 그는 물을 가열했다. - Ele aqueceu a água.
7600. 나는 팬을 가열한다. - Eu aqueço a frigideira.
7601. 너는 수프를 가열할 것이다. - Tu vais aquecer a sopa.
7602. 뜨거워? - Está quente?
7603. 네, 뜨거워. - Sim, está quente.
7604. 들여다보다 - Olhar para
7605. 그들은 상자 안을 들여다보았다. - Eles olharam para dentro da caixa.
7606. 나는 창문으로 들여다본다. - I look through the window.
7607. 너는 미래를 들여다볼 것이다. - Tu vais olhar para o futuro.
7608. 뭐 보여? - O que é que tu vês?
7609. 네, 보여. - Sim, estou a ver.
7610. 떠올리다 - Inventar
7611. 그녀는 아이디어를 떠올렸다. - Ela teve uma ideia.
7612. 우리는 계획을 떠올린다. - Nós elaboramos um plano.
7613. 당신들은 해결책을 떠올릴 것이다. - Vocês vão arranjar uma solução.

7614. 기억나? - Lembram-se?
7615. 네, 나와. - Sim, eu.
7616. 짜다 - para organizar
7617. 나는 스케줄을 짰다. - Eu organizei o horário.
7618. 너는 계획을 짠다. - Tu vais organizar um plano.
7619. 그는 로드맵을 짤 것이다. - Ele vai organizar o roteiro.
7620. 준비됐어? - Estás pronto?
7621. 네, 됐어. - Sim, estou pronto.
7622. 마련하다 - organizar
7623. 그들은 자금을 마련했다. - They arranged the funds.
7624. 나는 자리를 마련한다. - Eu arranjo um lugar.
7625. 너는 기회를 마련할 것이다. - Tu vais arranjar a oportunidade.
7626. 다 됐어? - Já acabámos?
7627. 네, 됐어. - Sim, está pronto.
7628. 갖추다 - equipar
7629. 그녀는 용기를 갖췄다. - Ela está equipada com coragem.
7630. 우리는 장비를 갖춘다. - Nós estamos equipados.
7631. 당신들은 자격을 갖출 것이다. - Tu serás qualificado.
7632. 준비됐어? - Estás pronto?
7633. 네, 됐어. - Sim, estou pronto.
7634. 장비하다 - equipar
7635. 나는 실험실을 장비했다. - Eu equipo o laboratório.
7636. 너는 컴퓨터를 장비한다. - Tu vais equipar o computador.
7637. 그는 연구소를 장비할 것이다. - Ele vai equipar o laboratório.
7638. 필요한 거 있어? - Precisas de alguma coisa?
7639. 아니, 없어. - Não, não preciso.
7640. 갖다 - para trazer
7641. 그들은 선물을 갖다 주었다. - Eles trouxeram presentes.
7642. 나는 정보를 갖다 준다. - Eu trago informações.
7643. 너는 소식을 갖다 줄 것이다. - Tu vais trazer as notícias.
7644. 도착했어? - Já chegaram?
7645. 네, 도착했어. - Sim, já chegámos.
7646. 전하다 - entregar
7647. 그녀는 소식을 전했다. - Ela entregou a notícia.

7648. 우리는 메시지를 전한다. - Nós entregamos a mensagem.
7649. 당신들은 경고를 전할 것이다. - Tu vais entregar o aviso.
7650. 알려줄까? - Devo informar-vos?
7651. 네, 알려줘. - Sim, informe-me.
7652. 싣다 - Para carregar
7653. 나는 차에 짐을 실었다. - I loaded the car.
7654. 너는 배에 화물을 싣는다. - Carrega-se a carga num navio.
7655. 그는 트럭에 상품을 실을 것이다. - Ele vai carregar o camião com mercadorias.
7656. 무거워? - É pesado?
7657. 아니, 괜찮아. - Não, está ótimo.
7658. 86. 명사 단어들 외우기, 필수 10개 동사의 단어들을 가지고 50문장 연습하기 - 86. Memorizar os substantivos, praticar 50 frases com os 10 verbos essenciais
7659. 신제품 - novo produto
7660. 제안 - proposta
7661. 보고서 - relatório
7662. 앞줄 - primeira fila
7663. 중앙 - centro
7664. 위치 - localização
7665. 결과 - resultado
7666. 휴가 - férias
7667. 성공 - sucesso
7668. 포스터 - cartaz
7669. 사진 - imagem
7670. 장식 - decoração
7671. 목도리 - silenciador
7672. 리본 - fita
7673. 배지 - crachá
7674. 오해 - mal-entendido
7675. 상황 - situação
7676. 문제 - problema
7677. 이웃 - vizinho
7678. 친구 - amigo

7679. 동료 - colega
7680. 이벤트 - evento
7681. 프로젝트 - projeto
7682. 캠페인 - campanha
7683. 제품 - produto
7684. 서비스 - serviço
7685. 앱 - aplicação
7686. 선반 - prateleira
7687. 문 - porta
7688. 카메라 - câmara
7689. 내다 - para sair
7690. 그들은 신제품을 내놓았다. - Eles apresentam um novo produto.
7691. 나는 제안을 낸다. - Eu apresento uma proposta.
7692. 너는 보고서를 내놓을 것이다. - Tu vais apresentar um relatório.
7693. 성공할까? - Vai funcionar?
7694. 네, 할 거야. - Sim, vai.
7695. 위치하다 - to Position (posicionar)
7696. 그녀는 앞줄에 위치했다. - Ela estava posicionada na primeira fila.
7697. 우리는 중앙에 위치한다. - Nós estamos no centro.
7698. 당신들은 최적의 위치에 위치할 것이다. - Ficará na melhor posição.
7699. 찾았어? - Encontraste-o?
7700. 네, 찾았어. - Sim, encontrei-o.
7701. 기대다 - to Expect (esperar)
7702. 나는 결과를 기대했다. - Eu esperava um resultado.
7703. 너는 휴가를 기대한다. - Tu esperas férias.
7704. 그는 성공을 기대할 것이다. - Ele vai esperar o sucesso.
7705. 기뻐? - Encantado?
7706. 네, 기뻐. - Sim, estou contente.
7707. 매달다 - Pendurar
7708. 그들은 포스터를 매달았다. - Eles penduraram o poster.
7709. 나는 사진을 매달린다. - Eu penduro um quadro.
7710. 너는 장식을 매달을 것이다. - Tu vais pendurar as decorações.
7711. 예쁘게 됐어? - Ficou bonito?
7712. 네, 됐어. - Sim, está feito.

7713. 매다 - Para pendurar
7714. 그녀는 목도리를 맸다. - Ela pendurou o xaile.
7715. 우리는 리본을 맨다. - Nós vamos usar fitas.
7716. 당신들은 배지를 맬 것이다. - Vocês vão usar crachás.
7717. 추워? - Tens frio?
7718. 아니, 괜찮아. - Não, estou ótimo.
7719. 해명하다 - para esclarecer
7720. 나는 오해를 해명했다. - Esclareci um mal-entendido.
7721. 너는 상황을 해명한다. - Tu explicas a situação.
7722. 그는 문제를 해명할 것이다. - Ele vai esclarecer o problema.
7723. 이해됐어? - Compreendes?
7724. 네, 됐어. - Sim, percebo.
7725. 도와주다 - Para ajudar
7726. 그들은 이웃을 도와주었다. - Eles ajudaram o vizinho.
7727. 나는 친구를 도와준다. - Eu ajudo o meu amigo.
7728. 너는 동료를 도와줄 것이다. - Tu vais ajudar os teus colegas de trabalho.
7729. 필요해? - Precisam de ajuda?
7730. 아니, 괜찮아. - Não, obrigado.
7731. 홍보하다 - para promover
7732. 그녀는 이벤트를 홍보했다. - Ela promoveu o evento.
7733. 우리는 프로젝트를 홍보한다. - Nós promovemos o projeto.
7734. 당신들은 캠페인을 홍보할 것이다. - Vocês vão promover a campanha.
7735. 봤어? - Viste aquilo?
7736. 네, 봤어. - Sim, vi.
7737. 광고하다 - fazer publicidade
7738. 나는 제품을 광고했다. - Eu fiz publicidade a um produto.
7739. 너는 서비스를 광고한다. - Vocês vão publicitar um serviço.
7740. 그는 앱을 광고할 것이다. - Ele vai publicitar uma aplicação.
7741. 효과 있어? - Funciona?
7742. 네, 있어. - Sim, funciona.
7743. 고정하다 - Para arranjar
7744. 그들은 선반을 고정했다. - They fixed the shelves.
7745. 나는 문을 고정한다. - Eu arranjo a porta.

7746. 너는 카메라를 고정할 것이다. - Tu vais fixar a câmara.
7747. 단단해? - É sólida?
7748. 네, 단단해. - Sim, é sólida.
7749. 87. 명사 단어들 외우기, 필수 10개 동사의 단어들을 가지고 50문장 연습하기 - 87. memorizar os substantivos, praticar 50 frases com as palavras dos 10 verbos essenciais
7750. 문 - porta
7751. 창문 - janela
7752. 자전거 - bicicleta
7753. 컴퓨터 - computador
7754. 음료 - bebida
7755. 시스템 - sistema
7756. 기계 - máquina
7757. 부품 - peça
7758. 장난감 - brinquedo
7759. 종이 - papel
7760. 플라스틱 - plástico
7761. 금속 - metal
7762. 엔진 - motor
7763. 장치 - Dispositivo
7764. 상품 - Mercadoria
7765. 편지 - carta
7766. 상 - prémio
7767. 영화 - filme
7768. 제품 - produto
7769. 서비스 - serviço
7770. 집 - casa
7771. 차 - carro
7772. 휴대폰 - telemóvel
7773. 책 - livro
7774. 의류 - roupa
7775. 예술작품 - obra de arte
7776. 잠그다 - trancar
7777. 그녀는 문을 잠갔다. - Ela trancou a porta.

7778. 우리는 창문을 잠근다. - Nós trancamos as janelas.
7779. 당신들은 자전거를 잠글 것이다. - Vais trancar a tua bicicleta.
7780. 안전해? - É seguro?
7781. 네, 안전해. - Sim, é seguro.
7782. 냉각하다 - arrefecer
7783. 나는 컴퓨터를 냉각했다. - Arrefeci o computador.
7784. 너는 음료를 냉각한다. - Vai arrefecer a bebida.
7785. 그는 시스템을 냉각할 것이다. - Ele vai arrefecer o sistema.
7786. 충분해? - É suficiente?
7787. 네, 충분해. - Sim, é suficiente.
7788. 재조립하다 - Para montar de novo
7789. 그들은 기계를 재조립했다. - Eles montaram a máquina.
7790. 나는 부품을 재조립한다. - Eu monto as peças.
7791. 너는 장난감을 재조립할 것이다. - Tu vais montar o brinquedo.
7792. 어려워? - É difícil?
7793. 아니, 쉬워. - Não, é fácil.
7794. 재활용하다 - para Reciclar
7795. 그녀는 종이를 재활용했다. - Ela reciclou o papel.
7796. 우리는 플라스틱을 재활용한다. - Nós reciclamos o plástico.
7797. 당신들은 금속을 재활용할 것이다. - Vocês vão reciclar metal.
7798. 좋은 생각이야? - É uma boa ideia?
7799. 네, 좋아. - Sim, é uma boa ideia.
7800. 구동하다 - conduzir
7801. 나는 기계를 구동했다. - Eu conduzi a máquina.
7802. 너는 시스템을 구동한다. - Tu conduzes o sistema.
7803. 그는 엔진을 구동할 것이다. - Ele conduzirá o motor.
7804. 작동 돼? - Funciona?
7805. 네, 작동돼. - Sim, funciona.
7806. 부팅하다 - para arrancar
7807. 그녀는 컴퓨터를 부팅했다. - Ela arrancou o computador.
7808. 우리는 시스템을 부팅한다. - Nós arrancamos o sistema.
7809. 당신들은 장치를 부팅할 것이다. - Vocês vão arrancar o dispositivo.
7810. 켜졌어? - Está ligado?
7811. 네, 켜졌어. - Sim, está ligado.

7812. 수령하다 - receber
7813. 나는 상품을 수령했다. - Recebi a mercadoria.
7814. 너는 편지를 수령한다. - Vais receber a carta.
7815. 그는 상을 수령할 것이다. - Ele vai receber o prémio.
7816. 도착했어? - Chegou?
7817. 네, 도착했어. - Sim, chegou.
7818. 리뷰하다 - rever
7819. 그들은 영화를 리뷰했다. - Eles revisaram o filme.
7820. 나는 제품을 리뷰한다. - Eu faço a crítica de um produto.
7821. 너는 서비스를 리뷰할 것이다. - Tu vais fazer a crítica de um serviço.
7822. 좋았어? - Foi bom?
7823. 네, 좋았어. - Sim, foi bom.
7824. 구매하다 - Comprar
7825. 그녀는 집을 구매했다. - Ela comprou uma casa.
7826. 우리는 차를 구매한다. - Nós estamos a comprar um carro.
7827. 당신들은 휴대폰을 구매할 것이다. - Vocês vão comprar um telemóvel.
7828. 필요해? - Precisam dele?
7829. 네, 필요해. - Sim, preciso.
7830. 판매하다 - Para vender
7831. 나는 책을 판매했다. - Eu vendi um livro.
7832. 너는 의류를 판매한다. - Tu vendes roupa.
7833. 그는 예술작품을 판매할 것이다. - Ele vai vender obras de arte.
7834. 잘 팔려? - Estão a vender bem?
7835. 네, 잘 팔려. - Sim, está a vender bem.
7836. 88. 명사 단어들 외우기, 필수 10개 동사의 단어들을 가지고 50문장 연습하기 - 88. Memorizar palavras substantivas, praticar 50 frases com as 10 palavras verbais essenciais
7837. 물건 - coisa
7838. 옷 - roupa
7839. 기기 - aparelho
7840. 티켓 - bilhete
7841. 비용 - despesa
7842. 등록금 - propinas
7843. 자전거 - bicicleta

7844. 책 - livro
7845. 카메라 - máquina fotográfica
7846. 도서 - livros
7847. 장비 - equipamento
7848. 노트북 - computador portátil
7849. 계좌 - conta
7850. 전화선 - linha telefónica
7851. 인터넷 - Internet
7852. 계정 - conta
7853. 상점 - loja
7854. 공장 - fábrica
7855. 파일 - ficheiro
7856. 시계 - relógio
7857. 시스템 - o sistema
7858. 문제 - o problema
7859. 아이디어 - ideia
7860. 방법 - método
7861. 문서 - documento
7862. 규정 - regra
7863. 자료 - dados
7864. 사진 - imagem
7865. 보고서 - relatório
7866. 반환하다 - para Devolver
7867. 그들은 물건을 반환했다. - Eles devolveram a mercadoria.
7868. 나는 옷을 반환한다. - Eu devolvo a roupa.
7869. 너는 기기를 반환할 것이다. - Tu vais devolver o aparelho.
7870. 가능해? - É possível?
7871. 네, 가능해. - Sim, é possível.
7872. 환불하다 - reembolsar
7873. 그녀는 티켓을 환불받았다. - Ela foi reembolsada do bilhete.
7874. 우리는 비용을 환불받는다. - Nós recebemos o nosso dinheiro de volta.
7875. 당신들은 등록금을 환불받을 것이다. - O dinheiro das propinas é-vos devolvido.

7876. 받을 수 있어? - Podes obtê-lo?
7877. 네, 받을 수 있어. - Sim, podes obtê-lo.
7878. 대여하다 - to rent (alugar)
7879. 나는 자전거를 대여했다. - I rented a bicycle.
7880. 너는 책을 대여한다. - Tu alugas um livro.
7881. 그는 카메라를 대여할 것이다. - Ele vai alugar uma máquina fotográfica.
7882. 빌릴까? - Empresta-ma?
7883. 네, 빌려. - Sim, empresta.
7884. 반납하다 - Devolver
7885. 그들은 도서를 반납했다. - Eles devolveram o livro.
7886. 나는 장비를 반납한다. - Eu devolvo o equipamento.
7887. 너는 노트북을 반납할 것이다. - Tu vais devolver o portátil.
7888. 시간 됐어? - Está na hora?
7889. 네, 됐어. - Sim, estou pronto.
7890. 개통하다 - abrir
7891. 그녀는 계좌를 개통했다. - Ela abriu uma conta.
7892. 우리는 전화선을 개통한다. - Vamos abrir a linha telefónica.
7893. 당신들은 인터넷을 개통할 것이다. - Vocês vão abrir a Internet.
7894. 준비됐어? - Estão prontos?
7895. 네, 준비됐어. - Sim, estou pronto.
7896. 폐쇄하다 - para fechar
7897. 나는 계정을 폐쇄했다. - Fechei a minha conta.
7898. 너는 상점을 폐쇄한다. - Vais fechar a loja.
7899. 그는 공장을 폐쇄할 것이다. - Ele vai fechar a fábrica.
7900. 닫혔어? - Está fechada?
7901. 네, 닫혔어. - Sim, está fechada.
7902. 동기화하다 - sincronizar
7903. 그녀는 파일을 동기화했다. - Ela sincronizou os seus ficheiros.
7904. 우리는 시계를 동기화한다. - Nós sincronizamos os nossos relógios.
7905. 당신들은 시스템을 동기화할 것이다. - Vocês vão sincronizar os vossos sistemas.
7906. 맞춰졌어? - Está sincronizado?
7907. 네, 맞춰졌어. - Sim, está sincronizado.

7908. 예시하다 - para exemplificar
7909. 나는 문제를 예시했다. - Eu exemplifiquei um problema.
7910. 너는 아이디어를 예시한다. - Tu exemplificas uma ideia.
7911. 그는 방법을 예시할 것이다. - Ele vai exemplificar um método.
7912. 이해됐어? - Isso faz sentido?
7913. 네, 이해됐어. - Sim, percebo.
7914. 참조하다 - referir-se a
7915. 그들은 문서를 참조했다. - Eles referiram-se ao documento.
7916. 나는 규정을 참조한다. - Eu refiro-me ao regulamento.
7917. 너는 자료를 참조할 것이다. - Tu vais referir-te aos materiais.
7918. 봤어? - Viste isso?
7919. 네, 봤어. - Sim, vi.
7920. 첨부하다 - para anexar
7921. 그녀는 사진을 첨부했다. - Ela anexou uma fotografia.
7922. 우리는 파일을 첨부한다. - Nós anexamos o ficheiro.
7923. 당신들은 보고서를 첨부할 것이다. - Tu vais anexar o relatório.
7924. 붙였어? - Anexaste-o?
7925. 네, 붙였어. - Sim, anexei-o.
7926. 89. 명사 단어들 외우기, 필수 10개 동사의 단어들을 가지고 50문장 연습하기 - 89. Memorizar palavras substantivas, praticar 50 frases com as 10 palavras verbais essenciais
7927. 소프트웨어 - software
7928. 기능 - função
7929. 제품 - produto
7930. 코드 - código
7931. 시스템 - sistema
7932. 애플리케이션 - aplicação
7933. 은행 - banco
7934. 자금 - fundos
7935. 주택 대출 - empréstimo à habitação
7936. 빚 - dívida
7937. 대출 - empréstimo
7938. 융자 - empréstimo
7939. 돈 - o dinheiro

7940. 금액 - montante
7941. 재산 - a propriedade
7942. 주식 - acções
7943. 사업 - negócio
7944. 부동산 - bens imobiliários
7945. 친구 - amigo
7946. 가족 - família
7947. 회사 - empresa
7948. 계좌 - conta
7949. 자동화기기 - equipamento de automatização
7950. 급여 - salário
7951. 테스트하다 - para Testar
7952. 나는 소프트웨어를 테스트했다. - Eu testei o software.
7953. 너는 기능을 테스트한다. - Tu testas a funcionalidade.
7954. 그는 제품을 테스트할 것이다. - Ele vai testar o produto.
7955. 잘 돼? - Está a correr bem?
7956. 네, 잘 돼. - Sim, está a correr bem.
7957. 디버그(오류수정)하다 - to Debug (corrigir erros)
7958. 그들은 코드를 디버그했다. - Eles depuraram o código.
7959. 나는 시스템을 디버그한다. - Eu depuro o sistema.
7960. 너는 애플리케이션을 디버그할 것이다. - Tu depurarias a aplicação.
7961. 고쳤어? - Reparaste-a?
7962. 네, 고쳤어. - Sim, corrigi-o.
7963. 대출하다 - pedir emprestado
7964. 그녀는 은행에서 대출받았다. - Ela pediu um empréstimo ao banco.
7965. 우리는 자금을 대출받는다. - Nós pedimos dinheiro emprestado.
7966. 당신들은 주택 대출을 받을 것이다. - Vocês vão pedir um empréstimo para a casa.
7967. 필요해? - Precisas dele?
7968. 네, 필요해. - Sim, preciso.
7969. 상환하다 - para pagar
7970. 나는 빚을 상환했다. - Eu paguei a dívida.
7971. 너는 대출을 상환한다. - Tu vais pagar o empréstimo.
7972. 그는 융자를 상환할 것이다. - Ele vai pagar o empréstimo.

7973. 끝났어? - Já está feito?
7974. 네, 끝났어. - Sim, está feito.
7975. 저축하다 - Salvar
7976. 그들은 돈을 저축했다. - Eles economizaram o dinheiro.
7977. 나는 금액을 저축한다. - Eu poupo uma quantia de dinheiro.
7978. 너는 재산을 저축할 것이다. - Vais poupar uma fortuna.
7979. 모았어? - Poupaste?
7980. 네, 모았어. - Sim, poupei-o.
7981. 투자하다 - investir
7982. 그녀는 주식에 투자했다. - Ela investiu em acções.
7983. 우리는 사업에 투자한다. - Nós investimos num negócio.
7984. 당신들은 부동산에 투자할 것이다. - Tu vais investir em imobiliário.
7985. 이득 봤어? - Tiveste lucro?
7986. 네, 이득 봤어. - Sim, tive lucro.
7987. 송금하다 - transferir dinheiro
7988. 나는 친구에게 송금했다. - Enviei dinheiro a um amigo.
7989. 너는 가족에게 송금한다. - Tu vais enviar dinheiro para a tua família.
7990. 그는 회사에 송금할 것이다. - Ele vai enviar dinheiro para a empresa.
7991. 받았어? - Recebeste-o?
7992. 네, 받았어. - Sim, recebi-o.
7993. 예치하다 - Para depositar
7994. 그들은 돈을 예치했다. - Eles depositaram o dinheiro.
7995. 나는 계좌에 예치한다. - Eu faço um depósito na conta.
7996. 너는 자금을 예치할 것이다. - Vais depositar os fundos.
7997. 넣었어? - Depositaste-o?
7998. 네, 넣었어. - Sim, depositei-o.
7999. 인출하다 - retirar
8000. 그녀는 은행에서 인출했다. - Ela fez um levantamento no banco.
8001. 우리는 자동화기기에서 인출한다. - Nós levantamos na máquina automática.
8002. 당신들은 계좌에서 인출할 것이다. - Vai fazer um levantamento da sua conta.
8003. 뺐어? - Levantou-o?
8004. 네, 뺐어. - Sim, fiz o levantamento.

8005. 이체하다 - transferir
8006. 나는 계좌로 이체했다. - Eu transferi para a conta.
8007. 너는 돈을 이체한다. - Tu transferes dinheiro.
8008. 그는 급여를 이체할 것이다. - Ele vai transferir o seu salário.
8009. 보냈어? - Enviaste-o?
8010. 네, 보냈어. - Sim, enviei-o.
8011. 90. 명사 단어들 외우기, 필수 10개 동사의 단어들을 가지고 50문장 연습하기 - 90. Memorizar palavras substantivas, praticar 50 frases com palavras dos 10 verbos essenciais
8012. 신용카드 - Cartão de crédito
8013. 현금 - dinheiro
8014. 모바일 - telemóvel
8015. 주식 - stock
8016. 물건 - coisa
8017. 부동산 - imobiliário
8018. 팀 - equipa
8019. 회사 - empresa
8020. 학급 - classe
8021. 시장 - mercado
8022. 결정 - decisão
8023. 결과 - resultado
8024. 날씨 - tempo
8025. 소식 - Notícias
8026. 경제 - economia
8027. 목록 - Lista
8028. 예외 - exceção
8029. 조항 - artigo
8030. 요청 - pedido
8031. 접근 - Acesso
8032. 변경 - alterar
8033. 토론 - debate
8034. 생각 - pensamento
8035. 결론 - conclusão
8036. 웃음 - rir

8037. 호기심 - curiosidade
8038. 혼란 - confusão
8039. 투자 - investir
8040. 관광객 - turista
8041. 회원 - membro
8042. 결제하다 - para pagar
8043. 그들은 신용카드로 결제했다. - Eles pagaram com cartão de crédito.
8044. 나는 현금으로 결제한다. - Eu pago com dinheiro.
8045. 너는 모바일로 결제할 것이다. - Você vai pagar com o seu telemóvel.
8046. 됐어? - Está bem?
8047. 네, 됐어. - Sim, estou bem.
8048. 거래하다 - Para negociar
8049. 그는 주식을 거래했다. - Ele negociava acções.
8050. 우리는 물건을 거래한다. - Nós trocamos coisas.
8051. 당신들은 부동산을 거래할 것이다. - Vocês vão negociar imóveis.
8052. 필요한 거 있어? - Precisas de alguma coisa?
8053. 아니, 괜찮아. - Não, estou ótimo.
8054. 대표하다 - Para representar
8055. 그녀는 팀을 대표했다. - Ela representava a equipa.
8056. 나는 회사를 대표한다. - Eu represento a empresa.
8057. 너는 학급을 대표할 것이다. - Tu vais representar a turma.
8058. 준비됐어? - Estás pronto?
8059. 네, 준비됐어. - Sim, estou pronto.
8060. 영향을 주다 - to Influence (influenciar)
8061. 그들은 시장에 영향을 주었다. - Eles influenciaram o mercado.
8062. 나는 결정에 영향을 준다. - Eu influencio a decisão.
8063. 너는 결과에 영향을 줄 것이다. - Tu influenciarás o resultado.
8064. 변화됐어? - Mudou?
8065. 네, 변화됐어. - Sim, mudou.
8066. 영향을 받다 - to be affected by (ser afetado por)
8067. 나는 날씨에 영향을 받았다. - Fui afetado pelo clima.
8068. 너는 소식에 영향을 받는다. - Você é afetado pelas notícias.
8069. 그는 경제에 영향을 받을 것이다. - Ele vai ser afetado pela economia.
8070. 괜찮아? - Estás bem?

8071. 네, 괜찮아. - Sim, estou ótimo.
8072. 제외하다 - excluir
8073. 그녀는 목록에서 제외됐다. - Ela foi excluída da lista.
8074. 우리는 예외를 제외한다. - Excluímos a exceção.
8075. 당신들은 조항을 제외할 것이다. - Excluiremos a cláusula.
8076. 빠진 거 있어? - Perdi alguma coisa?
8077. 아니, 없어. - Não, nada.
8078. 허용하다 - Permitir
8079. 그는 요청을 허용했다. - Ele permitiu o pedido.
8080. 나는 접근을 허용한다. - Eu permito o acesso.
8081. 너는 변경을 허용할 것이다. - Tu vais permitir a mudança.
8082. 가능해? - Podeis?
8083. 네, 가능해. - Sim, é possível.
8084. 유도하다 - para provocar
8085. 그들은 토론을 유도했다. - Eles provocaram uma discussão.
8086. 나는 생각을 유도한다. - Eu provoco o pensamento.
8087. 너는 결론을 유도할 것이다. - Tu vais provocar uma conclusão.
8088. 알겠어? - Percebeste?
8089. 네, 알겠어. - Sim, estou a perceber.
8090. 유발하다 - provocar
8091. 그녀는 웃음을 유발했다. - Ela provocou o riso.
8092. 우리는 호기심을 유발한다. - Nós provocamos a curiosidade.
8093. 당신들은 혼란을 유발할 것이다. - Vocês vão provocar confusão.
8094. 웃겼어? - Teve piada?
8095. 네, 웃겼어. - Sim, foi engraçado.
8096. 유치하다 - para atrair
8097. 나는 투자를 유치했다. - Eu atraí investimento.
8098. 너는 관광객을 유치한다. - Tu atrais turistas.
8099. 그는 회원을 유치할 것이다. - Ele vai atrair membros.
8100. 성공했어? - Conseguiste?
8101. 네, 성공했어. - Sim, consegui.
8102. 91. 명사 단어들 외우기, 필수 10개 동사의 단어들을 가지고 50문장 연습하기 - 91. memorizar palavras substantivas, praticar 50 frases com as 10 palavras verbais essenciais

8103. 프로젝트 - projeto
8104. 팀 - equipa
8105. 운동 - trabalhar
8106. 결혼 생활 - casamento vida
8107. 과거 - passado
8108. 문제 - problema
8109. 방문객 - visitante
8110. 길 - estrada
8111. 미래 - futuro
8112. 땅 - terra
8113. 계획 - plano
8114. 성공 - sucesso
8115. 관심 - interesse
8116. 변화 - mudar
8117. 학교 - escola
8118. 대학 - universidade
8119. 고등학교 - liceu
8120. 경험 - experiência
8121. 지식 - conhecimento
8122. 환경 - ambiente
8123. 사회 - sociedade
8124. 줄 - linha
8125. 기회 - oportunidade
8126. 사과 - pedir desculpa
8127. 피자 - pizza
8128. 과자 - lanche
8129. 이끌다 - liderar
8130. 그들은 프로젝트를 이끌었다. - Eles lideraram o projeto.
8131. 나는 팀을 이끈다. - Eu lidero a equipa.
8132. 너는 운동을 이끌 것이다. - Tu vais liderar um treino.
8133. 준비됐니? - Estás pronto?
8134. 네, 준비됐어. - Sim, estou pronto.
8135. 이혼하다 - To divorce (divorciar-se)
8136. 그녀는 결혼 생활을 이혼했다. - Ela divorciou-se do seu casamento.

8137. 나는 과거를 이혼한다. - Eu divorcio-me do passado.
8138. 너는 문제에서 이혼할 것이다. - Vais divorciar-te do problema.
8139. 괜찮니? - Estás bem?
8140. 네, 괜찮아. - Sim, estou ótimo.
8141. 인도하다 - guiar
8142. 그는 방문객을 인도했다. - Ele guiou o visitante.
8143. 우리는 새로운 길을 인도한다. - Nós guiamos o caminho para um novo rumo.
8144. 당신들은 미래로 인도할 것이다. - Tu vais guiar o caminho para o futuro.
8145. 맞는 길이야? - É este o caminho correto?
8146. 네, 맞아. - Sim, é.
8147. 일구다 - Trabalhar
8148. 그들은 땅을 일궜다. - Eles trabalharam a terra.
8149. 나는 계획을 일군다. - Eu construo um plano.
8150. 너는 성공을 일굴 것이다. - Tu vais trabalhar para o sucesso.
8151. 진행됐어? - Funcionou?
8152. 네, 진행됐어. - Sim, está a acontecer.
8153. 일으키다 - causar
8154. 그녀는 관심을 일으켰다. - Ela causou interesse.
8155. 우리는 문제를 일으킨다. - Nós causamos problemas.
8156. 당신들은 변화를 일으킬 것이다. - Tu vais causar mudanças.
8157. 뭐야 그거? - O que é que isso significa?
8158. 중요한 거야. - Isso é importante.
8159. 입학하다 - para entrar
8160. 나는 학교에 입학했다. - Eu entrei na escola.
8161. 너는 대학에 입학한다. - Tu vais entrar na faculdade.
8162. 그는 고등학교에 입학할 것이다. - Ele vai entrar no liceu.
8163. 준비됐어? - Estás pronto?
8164. 네, 준비됐어. - Sim, estou pronto.
8165. 자라다 - Crescer
8166. 그들은 함께 자랐다. - Eles cresceram juntos.
8167. 나는 경험으로 자란다. - Eu cresço com a experiência.
8168. 너는 지식으로 자랄 것이다. - Tu vais crescer em conhecimento.

8169. 컸니? - Tu cresceste?
8170. 네, 컸어. - Sim, cresci.
8171. 작용하다 - atuar
8172. 그녀는 팀에 작용했다. - Ela actuou na equipa.
8173. 우리는 환경에 작용한다. - Nós agimos sobre o ambiente.
8174. 당신들은 사회에 작용할 것이다. - Tu vais agir sobre a sociedade.
8175. 느꼈어? - Sentiste-o?
8176. 네, 느꼈어. - Sim, senti-o.
8177. 잡아당기다 - puxar
8178. 나는 줄을 잡아당겼다. - Puxei o fio.
8179. 너는 관심을 잡아당긴다. - Tu puxas pela atenção.
8180. 그는 기회를 잡아당길 것이다. - Ele vai puxar pela oportunidade.
8181. 성공했니? - Conseguiste?
8182. 네, 성공했어. - Sim, consegui.
8183. 잡아먹다 - para comer
8184. 나는 사과를 잡아먹었다. - Peguei numa maçã.
8185. 너는 피자를 잡아먹는다. - Tu vais comer a pizza.
8186. 그는 과자를 잡아먹을 것이다. - Ele vai petiscar doces.
8187. 배고파? - Tens fome?
8188. 네, 배고파. - Sim, tenho fome.
8189. 92. 명사 단어들 외우기, 필수 10개 동사의 단어들을 가지고 50문장 연습하기 - 92. Memorizar palavras substantivas, praticar 50 frases com as 10 palavras verbais essenciais
8190. 공 - bola
8191. 기회 - oportunidade
8192. 순간 - momento
8193. 상황 - situação
8194. 시장 - mercado
8195. 분위기 - atmosfera
8196. 카메라 - câmara
8197. 배터리 - bateria
8198. 부품 - parte
8199. 논쟁 - argumento
8200. 소음 - ruído

8201. 갈등 - conflito
8202. 권리 - direito
8203. 위치 - localização
8204. 우승 - Campeonato
8205. 집 - casa
8206. 차 - carro
8207. 자산 - ativo
8208. 손 - mão
8209. 발 - pé
8210. 어깨 - ombro
8211. 약속 - promessa
8212. 계획 - plano
8213. 기계 - máquina
8214. 데이터 - dados
8215. 시스템 - sistema
8216. 도시 - cidade
8217. 영역 - área
8218. 지역 - região
8219. 잡아채다 - para apanhar
8220. 그는 공을 잡아챘다. - Ele apanhou a bola.
8221. 그녀는 기회를 잡아챈다. - Ela aproveitou a oportunidade.
8222. 우리는 순간을 잡아챌 것이다. - Vamos aproveitar o momento.
8223. 봤어? - Viste aquilo?
8224. 아니, 못 봤어. - Não, não vi.
8225. 장악하다 - para assumir o controle de
8226. 그녀는 상황을 장악했다. - Ela tomou o controlo da situação.
8227. 우리는 시장을 장악한다. - Nós controlamos o mercado.
8228. 당신들은 분위기를 장악할 것이다. - Vocês vão controlar a atmosfera.
8229. 준비됐어? - Estás pronto?
8230. 네, 준비됐어. - Sim, estou pronto.
8231. 장착하다 - para montar
8232. 나는 카메라를 장착했다. - Eu montei a câmara.
8233. 너는 배터리를 장착한다. - Tu vais montar a bateria.
8234. 그는 부품을 장착할 것이다. - Ele vai montar as peças.

8235. 맞아? - Está correto?
8236. 네, 맞아. - Sim, está correto.
8237. 잦아들다 - parar de discutir
8238. 그는 논쟁이 잦아들었다. - Ele parou de discutir.
8239. 그녀는 소음이 잦아든다. - Ela vai deixar de fazer barulho.
8240. 우리는 갈등이 잦아들 것이다. - Vamos ter menos conflitos.
8241. 끝났어? - Já acabou?
8242. 아니, 안 끝났어. - Não, não acabou.
8243. 쟁기다 - arar
8244. 그녀는 권리를 쟁겼다. - Ela lavrou por direitos.
8245. 우리는 위치를 쟁긴다. - Nós vamos arar pela posição.
8246. 당신들은 우승을 쟁길 것이다. - Tu vais arar para ganhar.
8247. 이겼어? - Ganhaste?
8248. 네, 이겼어. - Sim, ganhei.
8249. 저당잡히다 - Para ser hipotecado
8250. 나는 집이 저당잡혔다. - Hipotequei minha casa.
8251. 너는 차가 저당잡힌다. - Tu hipotecarás o teu carro.
8252. 그는 자산이 저당잡힐 것이다. - Ele vai ter os seus bens hipotecados.
8253. 괜찮아? - Estás bem?
8254. 아니, 안 괜찮아. - Não, não estou bem.
8255. 저리다 - Estou a formigar.
8256. 나는 손이 저렸다. - Tenho as mãos dormentes.
8257. 너는 발이 저린다. - Tens formigueiros nos pés.
8258. 그는 어깨가 저릴 것이다. - Ele vai ter um formigueiro no ombro.
8259. 아파? - Está a doer?
8260. 네, 아파. - Sim, dói.
8261. 저버리다 - To renounce (renunciar)
8262. 그녀는 약속을 저버렸다. - Ela renegou a sua promessa.
8263. 우리는 계획을 저버린다. - Abandonamos os nossos planos.
8264. 당신들은 기회를 저버릴 것이다. - Vais desperdiçar uma oportunidade.
8265. 실망했어? - Estás desiludido?
8266. 네, 실망했어. - Sim, estou desiludido.
8267. 점검하다 - verificar
8268. 그는 기계를 점검했다. - Ele verificou a máquina.

8269. 그녀는 데이터를 점검한다. - Ela verifica os dados.
8270. 우리는 시스템을 점검할 것이다. - Vamos verificar o sistema.
8271. 문제 있어? - Há algum problema?
8272. 아니, 문제 없어. - Não, não há problema nenhum.
8273. 점령하다 - Para ocupar
8274. 그들은 도시를 점령했다. - Eles capturaram a cidade.
8275. 당신들은 영역을 점령한다. - Vocês ocupam o território.
8276. 그는 지역을 점령할 것이다. - Ele vai capturar o território.
8277. 성공했어? - Conseguiram?
8278. 네, 성공했어. - Sim, conseguimos.
8279. 93. 명사 단어들 외우기, 필수 10개 동사의 단어들을 가지고 50문장 연습하기 - 93. Memorizar palavras substantivas, praticar 50 frases com as 10 palavras verbais necessárias
8280. 목표 - alvo
8281. 위치 - localização
8282. 대상 - Objetivo
8283. 신청서 - aplicação
8284. 문의 - inquérito
8285. 요청 - pedido
8286. 고객 - cliente
8287. 팀 - equipa
8288. 파트너 - parceiro
8289. 산 - montanha
8290. 과제 - missão
8291. 도전 - desafio
8292. 시스템 - sistema
8293. 상황 - situação
8294. 관계 - relação
8295. 도시 - cidade
8296. 직장 - rectal
8297. 커뮤니티 - comunidade
8298. 계획 - plano
8299. 날짜 - data
8300. 의문 - questão

8301. 이슈 - questão
8302. 문제 - problema
8303. 차 - carro
8304. 속도 - velocidade
8305. 진행 - progresso
8306. 반대 - o oposto
8307. 상대 - adversário
8308. 점찍다 - apontar
8309. 그녀는 목표를 점찍었다. - Ela apontou para a baliza.
8310. 우리는 위치를 점찍는다. - Nós apontamos para o local.
8311. 당신들은 대상을 점찍을 것이다. - Tu apontas para o alvo.
8312. 확실해? - Tens a certeza?
8313. 네, 확실해. - Sim, tenho a certeza.
8314. 접수하다 - para receber
8315. 나는 신청서를 접수했다. - Recebi o pedido.
8316. 너는 문의를 접수한다. - Receberá um pedido de informação.
8317. 그는 요청을 접수할 것이다. - Ele vai receber o pedido.
8318. 받았어? - Recebeu-o?
8319. 네, 받았어. - Sim, recebi-o.
8320. 접촉하다 - estabelecer contacto
8321. 그는 고객과 접촉했다. - Ele entrou em contacto com o cliente.
8322. 그녀는 팀과 접촉한다. - Ela vai contactar a equipa.
8323. 우리는 파트너와 접촉할 것이다. - Nós vamos contactar o parceiro.
8324. 준비됐어? - Está pronto?
8325. 네, 준비됐어. - Sim, estou pronto.
8326. 정복하다 - conquistar
8327. 그들은 산을 정복했다. - Eles conquistaram a montanha.
8328. 당신들은 과제를 정복한다. - Tu conquistaste a tarefa.
8329. 그는 도전을 정복할 것이다. - Ele vai vencer o desafio.
8330. 가능해? - És capaz de o fazer?
8331. 네, 가능해. - Sim, é possível.
8332. 정상화하다 - normalizar
8333. 나는 시스템을 정상화했다. - Eu normalizei o sistema.
8334. 너는 상황을 정상화한다. - Tu normalizas a situação.

8335. 그는 관계를 정상화할 것이다. - Ele vai normalizar a relação.
8336. 해결됐어? - Resultou?
8337. 네, 해결됐어. - Sim, está resolvido.
8338. 정착하다 - assentar
8339. 그녀는 새 도시에 정착했다. - Ela instalou-se numa nova cidade.
8340. 우리는 직장에 정착한다. - Nós instalamo-nos nos nossos empregos.
8341. 당신들은 커뮤니티에 정착할 것이다. - Tu vais adaptar-te à comunidade.
8342. 편해? - Sente-se confortável?
8343. 네, 편해. - Sim, estou confortável.
8344. 정하다 - assentar
8345. 나는 목표를 정했다. - Eu estabeleço um objetivo.
8346. 너는 계획을 정한다. - Tu defines um plano.
8347. 그는 날짜를 정할 것이다. - Ele vai marcar uma data.
8348. 결정했어? - Já decidiste?
8349. 네, 결정했어. - Sim, já decidi.
8350. 제기하다 - levantar uma questão
8351. 그는 의문을 제기했다. - Ele levantou a questão.
8352. 그녀는 이슈를 제기한다. - Ela levanta uma questão.
8353. 우리는 문제를 제기할 것이다. - Nós vamos levantar a questão.
8354. 맞아? - Está correto?
8355. 네, 맞아. - Sim, está correto.
8356. 제동하다 - frear
8357. 나는 차를 제동했다. - Eu travei o carro.
8358. 너는 속도를 제동한다. - Tu travas a velocidade.
8359. 그는 진행을 제동할 것이다. - Ele vai travar o seu progresso.
8360. 멈췄어? - Paraste?
8361. 네, 멈췄어. - Sim, parei.
8362. 제압하다 - subjugar
8363. 그들은 반대를 제압했다. - Eles subjugaram a oposição.
8364. 당신들은 문제를 제압한다. - Tu dominas o problema.
8365. 그는 상대를 제압할 것이다. - Ele vai subjugar o seu adversário.
8366. 이겼어? - Ganhaste?
8367. 네, 이겼어. - Sim, ganhei.

8368. 94. 명사 단어들 외우기, 필수 10개 동사의 단어들을 가지고 50문장 연습하기 - 94. Memoriza os substantivos, pratica 50 frases com os 10 verbos essenciais
8369. 건너갈 때 - Quando atravessar
8370. 사용할 때 - Quando usar
8371. 말할 때 - Quando falar
8372. 압박 - pressão
8373. 긴장 - nervoso
8374. 시간 - hora
8375. 연구 - investigação
8376. 교육 - educação
8377. 상담 - consultoria
8378. 실패 - fracasso
8379. 장애 - obstáculo
8380. 거부 - recusa
8381. 프로젝트 - projeto
8382. 회의 - reunião
8383. 혁신 - inovação
8384. 음식 - alimentação
8385. 상품 - bens
8386. 서비스 - serviço
8387. 피곤 - cansado
8388. 슬픔 - tristeza
8389. 부담 - Fardo
8390. 문 - porta
8391. 창문 - janela
8392. 뚜껑 - Tampa
8393. 체중 - peso
8394. 관심 - interesse
8395. 거리 - distância
8396. 소음 - ruído
8397. 비용 - despesa
8398. 조심하다 - para Ser cuidadoso
8399. 나는 건너갈 때 조심했다. - Tive cuidado ao atravessar.

8400. 너는 사용할 때 조심한다. - Tem cuidado quando o utiliza.
8401. 그는 말할 때 조심할 것이다. - Ele vai ter cuidado quando falar.
8402. 괜찮아? - Estás bem?
8403. 네, 괜찮아. - Sim, estou ótimo.
8404. 조여오다 - apertar
8405. 그는 압박이 조여왔다. - Ele sentiu a pressão apertar-se.
8406. 그녀는 긴장이 조여온다. - Ela sente a tensão a apertar.
8407. 우리는 시간이 조여올 것이다. - Vamos ter um problema de tempo.
8408. 버틸 수 있어? - Consegues aguentar?
8409. 네, 버텨. - Sim, aguenta.
8410. 종사하다 - estar comprometido com
8411. 나는 연구에 종사했다. - Eu estava empenhado na investigação.
8412. 너는 교육에 종사한다. - You are engaged in teaching.
8413. 그는 상담에 종사할 것이다. - Ele vai dedicar-se ao aconselhamento.
8414. 좋아해? - Gostas?
8415. 네, 좋아해. - Sim, gosto.
8416. 좌절하다 - Estar frustrado
8417. 그녀는 실패에 좌절했다. - Ela ficou frustrada com o seu fracasso.
8418. 우리는 장애에 좌절한다. - Ficamos frustrados com os obstáculos.
8419. 당신들은 거부에 좌절할 것이다. - Ficarás frustrado com a rejeição.
8420. 힘들어? - É difícil?
8421. 네, 힘들어. - Sim, é difícil.
8422. 주도하다 - Liderar
8423. 나는 프로젝트를 주도했다. - Eu liderei o projeto.
8424. 너는 회의를 주도한다. - Tu lideras as reuniões.
8425. 그는 혁신을 주도할 것이다. - Ele vai liderar a inovação.
8426. 준비됐어? - Estás preparado?
8427. 네, 준비됐어. - Sim, estou pronto.
8428. 주문하다 - Para encomendar
8429. 그녀는 음식을 주문했다. - Ela encomendou comida.
8430. 우리는 상품을 주문한다. - Nós encomendamos bens.
8431. 당신들은 서비스를 주문할 것이다. - Tu vais encomendar um serviço.
8432. 뭐 주문할까? - O que é que vamos encomendar?
8433. 피자 좋아. - Eu gosto de pizza.

8434. 주저앉다 - para se descair
8435. 나는 피곤에 주저앉았다. - Estou cansado.
8436. 너는 슬픔에 주저앉는다. - Estás triste.
8437. 그는 부담에 주저앉을 것이다. - Ele vai vacilar sob pressão.
8438. 힘들어? - Estás cansado?
8439. 네, 많이. - Sim, muito.
8440. 죄다 - Muito mesmo.
8441. 그는 문을 죄었다. - Ele tranca a porta.
8442. 그녀는 창문을 죈다. - Ela vai apertar a janela.
8443. 우리는 뚜껑을 죌 것이다. - Vamos apertar a tampa.
8444. 닫혔어? - Está fechada?
8445. 네, 닫혔어. - Sim, está fechada.
8446. 줄다 - Para perder peso
8447. 나는 체중이 줄었다. - Eu perdi peso.
8448. 너는 관심이 줄었다. - Perdeste o interesse.
8449. 그는 거리가 줄 것이다. - Ele vai ter menos distância.
8450. 작아졌어? - Ficaste mais pequeno?
8451. 네, 조금. - Sim, um bocadinho.
8452. 줄이다 - reduzir
8453. 그녀는 소음을 줄였다. - Ela reduziu o ruído.
8454. 우리는 비용을 줄인다. - Reduzimos as nossas despesas.
8455. 당신들은 시간을 줄일 것이다. - Vais reduzir o tempo.
8456. 줄일까? - Reduzir?
8457. 좋은 생각이야. - É uma boa ideia.
8458. 95. 명사 단어들 외우기, 필수 10개 동사의 단어들을 가지고 50문장 연습하기 - 95. memorizar palavras substantivas, praticar 50 frases com as 10 palavras verbais essenciais
8459. 결정 - decisão
8460. 일 - dia
8461. 관계 - relação
8462. 약속 - promessa
8463. 행동 - ação
8464. 문제 - problema
8465. 상황 - situação

8466. 건강 - saúde
8467. 방 - o quarto
8468. 책상 - tabela
8469. 자료 - dados
8470. 반복 - repetir
8471. 음식 - comida
8472. 기다림 - esperar
8473. 목표 - alvo
8474. 꿈 - sonho
8475. 성공 - sucesso
8476. 좋고 나쁨 - bom e mau
8477. 진실과 거짓 - verdade e mentira
8478. 중요한 것 - muito
8479. 우연히 - por acaso
8480. 친구 - amigo
8481. 기회 - oportunidade
8482. 도전 - desafio
8483. 위험 - perigo
8484. 변화 - mudança
8485. 적 - inimigo
8486. 중요하다 - Importante
8487. 그는 결정이 중요했다. - A sua decisão foi importante.
8488. 그녀는 일이 중요하다. - O trabalho dela é importante.
8489. 우리는 관계가 중요할 것이다. - A nossa relação vai ser importante.
8490. 중요해? - Importante?
8491. 네, 매우. - Sim, muito.
8492. 지체하다 - Estar atrasado
8493. 나는 약속에 지체했다. - Cheguei atrasado a um compromisso.
8494. 너는 결정에 지체한다. - Está atrasado na sua decisão.
8495. 그는 행동에 지체할 것이다. - Ele vai chegar atrasado à ação.
8496. 늦었어? - Estás atrasado?
8497. 조금 늦었어. - Estou um pouco atrasado.
8498. 진단하다 - diagnosticar
8499. 그녀는 문제를 진단했다. - Ela diagnosticou o problema.

8500. 우리는 상황을 진단한다. - Nós diagnosticámos a situação.
8501. 당신들은 건강을 진단할 것이다. - You will diagnose your health.
8502. 건강해? - És saudável?
8503. 네, 괜찮아. - Sim, estou ótimo.
8504. 질러놓다 - fazer uma desarrumação
8505. 나는 방을 질러놓았다. - Eu limpo o quarto.
8506. 너는 책상을 질러놓는다. - Tu vais limpar a secretária.
8507. 그는 자료를 질러놓을 것이다. - Ele vai arrumar os materiais.
8508. 정리할까? - Limpamos tudo?
8509. 나중에 할게. - Eu faço-o mais tarde.
8510. 질리다 - Cansar-se de
8511. 그는 반복에 질렸다. - Ele está farto da repetição.
8512. 그녀는 음식에 질린다. - Ela está aborrecida com a comida.
8513. 우리는 기다림에 질릴 것이다. - Vamos cansar-nos de esperar.
8514. 질렸어? - Estás cansado?
8515. 아직 아냐. - Ainda não.
8516. 질주하다 - Para correr
8517. 나는 목표를 향해 질주했다. - Eu corri em direção ao meu objetivo.
8518. 너는 꿈을 향해 질주한다. - Tu corres em direção aos teus sonhos.
8519. 그는 성공을 향해 질주할 것이다. - Ele correrá em direção ao sucesso.
8520. 빠르게? - Rapidamente?
8521. 최선을 다해. - O mais rápido que puderes.
8522. 분별하다 - discernir
8523. 그녀는 좋고 나쁨을 분별했다. - Ela discerniu o bom e o mau.
8524. 우리는 진실과 거짓을 분별한다. - Nós discernimos entre a verdade e a falsidade.
8525. 당신들은 중요한 것을 분별할 것이다. - Tu discernirás o que é importante.
8526. 알아볼 수 있어? - Consegues reconhecê-lo?
8527. 시도해볼게. - Vou tentar.
8528. 마주치다 - para encontrar
8529. 나는 우연히 그와 마주쳤다. - Encontrei-o por acaso.
8530. 너는 친구와 마주친다. - Depara-se com um amigo.

8531. 그는 기회와 마주칠 것이다. - Ele vai cruzar-se com uma oportunidade.
8532. 누구 만났어? - Quem encontraste?
8533. 옛 친구야. - Um velho amigo.
8534. 직면하다 - enfrentar
8535. 그는 도전과 직면했다. - Ele enfrentou um desafio.
8536. 그녀는 위험과 직면한다. - Ela enfrenta o perigo.
8537. 우리는 변화와 직면할 것이다. - Nós vamos enfrentar a mudança.
8538. 겁났어? - Tens medo?
8539. 조금, 그래. - Um pouco, sim.
8540. 대면하다 - enfrentar
8541. 나는 문제를 대면했다. - Eu enfrentei o problema.
8542. 너는 상황을 대면한다. - Tu enfrentas a situação.
8543. 그는 적을 대면할 것이다. - Ele vai enfrentar o inimigo.
8544. 준비됐어? - Estás pronto?
8545. 네, 준비됐어. - Sim, estou pronto.
8546. 96. 명사 단어들 외우기, 필수 10개 동사의 단어들을 가지고 50문장 연습하기 - 96. Memorizar os substantivos, praticar 50 frases com os 10 verbos essenciais
8547. 기술 - tecnologia
8548. 이슈 - assunto
8549. 감정 - emoção
8550. 동아리 - clube
8551. 커뮤니티 - comunidade
8552. 프로젝트 - projeto
8553. 전략 - estratégia
8554. 생각 - pensamento
8555. 의견 - opinião
8556. 지지 - apoio
8557. 친구 - amigo
8558. 팀 - equipa
8559. 선수 - jogador
8560. 동생 - irmão
8561. 동료 - colega

8562. 정보 - informação
8563. 자료 - dados
8564. 증거 - provas
8565. 용기 - coragem
8566. 사람들 - pessoas
8567. 자금 - fundos
8568. 가족 - família
8569. 상대방 - adversário
8570. 위험 - perigo
8571. 도전 - desafio
8572. 실패 - fracasso
8573. 다루다 - lidar com
8574. 그녀는 기술을 다루었다. - Ela lidou com a tecnologia.
8575. 우리는 이슈를 다룬다. - Nós lidamos com os problemas.
8576. 당신들은 감정을 다룰 것이다. - Tu vais lidar com as emoções.
8577. 어려워? - Difícil?
8578. 조금 어려워. - Um pouco difícil.
8579. 활동하다 - estar ativo (ser ativo)
8580. 나는 동아리에서 활동했다. - Eu era ativo em um clube.
8581. 너는 커뮤니티에서 활동한다. - Você é ativo na comunidade.
8582. 그는 프로젝트에서 활동할 것이다. - Ele vai ser ativo no projeto.
8583. 재밌어? - Estás a divertir-te?
8584. 네, 많이. - Sim, muito.
8585. 진화하다 - para Evoluir
8586. 그는 전략을 진화시켰다. - Ele evoluiu a sua estratégia.
8587. 그녀는 생각을 진화시킨다. - Ela evolui o seu pensamento.
8588. 우리는 기술을 진화시킬 것이다. - Nós vamos evoluir a nossa tecnologia.
8589. 변했어? - Ela mudou?
8590. 많이 변했어. - Mudou muito.
8591. 표시하다 - para mostrar
8592. 나는 감정을 표시했다. - Eu marquei os meus sentimentos.
8593. 너는 의견을 표시한다. - Expressas uma opinião.
8594. 그는 지지를 표시할 것이다. - Ele vai mostrar o seu apoio.

8595. 보여줄까? - Devo mostrar-te?
8596. 좋아, 보여줘. - Está bem, mostra-me.
8597. 응원하다 - Para alegrar
8598. 그녀는 친구를 응원했다. - Ela aplaudiu o seu amigo.
8599. 우리는 팀을 응원한다. - Nós aplaudimos a equipa.
8600. 당신들은 선수를 응원할 것이다. - Tu vais torcer pelo atleta.
8601. 같이 갈래? - Queres vir comigo?
8602. 네, 가자. - Sim, vamos.
8603. 주의를 주다 - dar atenção a
8604. 나는 동생에게 주의를 주었다. - Dei a minha atenção ao meu irmão.
8605. 너는 친구에게 주의를 준다. - Tu dás atenção ao teu amigo.
8606. 그는 동료에게 주의를 줄 것이다. - Ele vai dar atenção ao seu colega de trabalho.
8607. 필요해? - Precisas dela?
8608. 네, 조심해. - Sim, tem cuidado.
8609. 수집하다 - para recolher
8610. 그녀는 정보를 수집했다. - Ela recolheu informações.
8611. 우리는 자료를 수집한다. - Nós recolhemos materiais.
8612. 당신들은 증거를 수집할 것이다. - Vocês vão recolher provas.
8613. 찾았어? - Encontraste-as?
8614. 네, 찾았어. - Sim, encontrei.
8615. 모으다 - recolher
8616. 나는 용기를 모았다. - Eu reuni coragem.
8617. 너는 사람들을 모은다. - Tu reunes pessoas.
8618. 그는 자금을 모을 것이다. - Ele vai angariar fundos.
8619. 준비됐어? - Estão prontos?
8620. 거의 다 됐어. - Estamos quase lá.
8621. 속이다 - Para enganar
8622. 그는 친구를 속였다. - Ele enganou os seus amigos.
8623. 그녀는 가족을 속인다. - Ela engana a família.
8624. 우리는 상대방을 속일 것이다. - Nós vamos enganar a outra pessoa.
8625. 알아챘어? - Percebeste?
8626. 아니, 몰라. - Não, não percebo.
8627. 꺼리다 - para Reluctant (relutante)

8628. 나는 위험을 꺼렸다. - Eu estava relutante em correr riscos.
8629. 너는 도전을 꺼린다. - Estás relutante em aceitar um desafio.
8630. 그는 실패를 꺼릴 것이다. - Ele estará relutante em falhar.
8631. 두려워? - Com medo?
8632. 조금, 그래. - Um pouco, sim.
8633. 97. 명사 단어들 외우기, 필수 10개 동사의 단어들을 가지고 50문장 연습하기 - 97. memorizar palavras substantivas, praticar 50 frases com as 10 palavras verbais essenciais
8634. 소식 - Notícias
8635. 상황 - situação
8636. 결과 - resultado
8637. 성공 - sucesso
8638. 달성 - Realização
8639. 지연 - atraso
8640. 소음 - ruído
8641. 불편 - Inconveniência
8642. 실수 - erro
8643. 성취 - realização
8644. 팀 - equipa
8645. 성과 - resultado
8646. 늦음 - atraso
8647. 오해 - mal-entendido
8648. 친구의 성공 - sucesso de um amigo
8649. 동료의 기회 - oportunidade de colega
8650. 이웃의 행복 - felicidade dos vizinhos
8651. 동생의 인기 - popularidade do irmão mais novo
8652. 친구의 재능 - talento de um amigo
8653. 동료의 성공 - sucesso do colega
8654. 의견 - opinião
8655. 규칙 - regra
8656. 선택 - selecionar
8657. 계획 - planear
8658. 슬프다 - para Triste
8659. 그녀는 소식에 슬퍼했다. - Ela ficou triste com a notícia.

8660. 우리는 상황에 슬퍼한다. - Estamos tristes com a situação.
8661. 당신들은 결과에 슬퍼할 것이다. - Vais ficar triste com o resultado.
8662. 괜찮아? - Estás bem?
8663. 아니, 슬퍼. - Não, estou triste.
8664. 기쁘다 - Estou contente
8665. 나는 성공에 기뻐했다. - Fiquei contente com o sucesso.
8666. 너는 소식에 기뻐한다. - Alegra-se com a notícia.
8667. 그는 달성에 기뻐할 것이다. - Ele vai alegrar-se com o feito.
8668. 행복해? - Estás contente?
8669. 네, 매우. - Sim, muito.
8670. 짜증나다 - para Annoy
8671. 그는 지연에 짜증났다. - Ele ficou irritado com a demora.
8672. 그녀는 소음에 짜증난다. - Ela está aborrecida com o barulho.
8673. 우리는 불편에 짜증날 것이다. - Nós vamos ficar aborrecidos com o incómodo.
8674. 짜증나? - Irritado?
8675. 네, 많이. - Sim, muito.
8676. 부끄럽다 - para Embarrassed (Envergonhado)
8677. 나는 실수에 부끄러워했다. - Fiquei envergonhado com o erro.
8678. 너는 상황에 부끄러워한다. - Você está envergonhado com a situação.
8679. 그는 결과에 부끄러워할 것이다. - Ele vai ficar embaraçado com o resultado.
8680. 어색해? - Embaraçado?
8681. 네, 조금. - Sim, um pouco.
8682. 자랑스럽다 - para Proud (orgulhoso)
8683. 그녀는 성취에 자랑스러워했다. - Ela estava orgulhosa do seu feito.
8684. 우리는 팀에 자랑스러워한다. - Estamos orgulhosos da equipa.
8685. 당신들은 성과에 자랑스러워할 것이다. - Devias estar orgulhoso dos teus feitos.
8686. 뿌듯해? - Proud?
8687. 네, 많이. - Sim, muito.
8688. 미안하다 - para Sorry
8689. 나는 실수로 미안했다. - Eu lamentava o meu erro.

8690. 너는 늦음에 미안하다. - Lamentas o atraso.
8691. 그는 오해에 미안할 것이다. - Ele vai desculpar-se pelo mal-entendido.
8692. 사과할래? - Queres pedir desculpa?
8693. 네, 사과할게. - Sim, vou pedir desculpa.
8694. 부러워하다 - To invy (invejar)
8695. 그는 친구의 성공을 부러워했다. - Ele invejava o sucesso do seu amigo.
8696. 그녀는 동료의 기회를 부러워한다. - Ela inveja as oportunidades do seu colega.
8697. 우리는 이웃의 행복을 부러워할 것이다. - Invejaremos a felicidade do nosso vizinho.
8698. 부럽지? - Inveja, certo?
8699. 응, 부럽다. - Sim, inveja.
8700. 질투하다 - Ter inveja
8701. 나는 동생의 인기를 질투했다. - Eu tinha inveja da popularidade do meu irmão.
8702. 너는 친구의 재능을 질투한다. - Tu tens inveja do talento do teu amigo.
8703. 그는 동료의 성공을 질투할 것이다. - Ele terá inveja do sucesso do seu colega.
8704. 질투해? - Ciúmes?
8705. 좀, 그래. - Um pouco, sim.
8706. 강요하다 - Obrigar
8707. 그녀는 의견을 강요했다. - Ela impôs a sua opinião.
8708. 우리는 규칙을 강요한다. - Nós impomos regras.
8709. 당신들은 선택을 강요할 것이다. - Tu vais impor uma escolha.
8710. 필요해? - Precisas dela?
8711. 아니, 선택해. - Não, tu escolhes.
8712. 공표하다 - promulgar
8713. 나는 계획을 공표했다. - Eu promulgo um plano.
8714. 너는 의견을 공표한다. - Tu declaras uma opinião.
8715. 그는 결과를 공표할 것이다. - Ele vai publicar os resultados.
8716. 알렸어? - Anunciou-o?

8717. 네, 모두에게. - Sim, a toda a gente.
8718. 98. 명사 단어들 외우기, 필수 10개 동사의 단어들을 가지고 50문장 연습하기 - 98. Memoriza os substantivos, pratica 50 frases com as palavras dos 10 verbos essenciais
8719. 억압 - supressão
8720. 부정 - negação
8721. 위협 - ameaça
8722. 분쟁 - disputa
8723. 갈등 - conflito
8724. 문제 - problema
8725. 조건 - condição
8726. 요구 - pedido
8727. 계획 - plano
8728. 신호 - sinal
8729. 경고 - aviso
8730. 증거 - prova
8731. 우정 - amizade
8732. 건강 - saúde
8733. 지식 - conhecimento
8734. 기회 - oportunidade
8735. 관계 - relação
8736. 추억 - memória
8737. 명령 - Comando
8738. 자료 - dados
8739. 자금 - fundos
8740. 환자 - paciente
8741. 위험 - perigo
8742. 감염 - infeção
8743. 위기 - Perigo
8744. 도전 - desafio
8745. 대항하다 - fazer frente a
8746. 그는 억압에 대항했다. - Ele levantou-se contra a opressão.
8747. 그녀는 부정에 대항한다. - Ela opõe-se à injustiça.
8748. 우리는 위협에 대항할 것이다. - Nós vamos enfrentar a ameaça.

8749. 이겼어? - Ganhaste?
8750. 아직 모르겠어. - Ainda não sei.
8751. 중재하다 - Mediar
8752. 나는 분쟁을 중재했다. - Eu mediei a disputa.
8753. 너는 갈등을 중재한다. - Tu medias o conflito.
8754. 그는 문제를 중재할 것이다. - Ele mediará o problema.
8755. 해결됐어? - Está resolvido?
8756. 네, 해결됐어. - Sim, está resolvido.
8757. 타협하다 - to Compromise (comprometer)
8758. 그녀는 조건에 타협했다. - Ela comprometeu-se com os termos.
8759. 우리는 요구에 타협한다. - Nós comprometemo-nos com as nossas exigências.
8760. 당신들은 계획에 타협할 것이다. - Vocês vão comprometer-se com o plano.
8761. 동의해? - Está de acordo?
8762. 네, 동의해. - Sim, estou de acordo.
8763. 간과하다 - ignorar
8764. 나는 신호를 간과했다. - Eu ignorei o sinal.
8765. 너는 경고를 간과한다. - Tu ignoras o aviso.
8766. 그는 증거를 간과할 것이다. - Ele vai passar por cima das provas.
8767. 못 봤어? - Não viste?
8768. 아니, 못 봤어. - Não, não vi.
8769. 가치를 두다 - valorizar
8770. 그녀는 우정에 가치를 두었다. - Ela valorizava a sua amizade.
8771. 우리는 건강에 가치를 둔다. - Valorizamos a nossa saúde.
8772. 당신들은 지식에 가치를 둘 것이다. - Tu valorizarás o conhecimento.
8773. 중요해? - É importante?
8774. 네, 매우. - Sim, muito.
8775. 소중히 여기다 - dar valor
8776. 나는 기회를 소중히 여겼다. - Eu valorizei a oportunidade.
8777. 너는 관계를 소중히 여긴다. - Tu valorizas as relações.
8778. 그는 추억을 소중히 여길 것이다. - Ele vai guardar as recordações.
8779. 소중해? - Prezadas?
8780. 네, 매우 소중해. - Sim, muito preciosas.

8781. 대기하다 - esperar por
8782. 나는 명령을 대기했다. - Eu esperei pelo comando.
8783. 너는 신호를 대기한다. - Tu esperas por um sinal.
8784. 그는 기회를 대기할 것이다. - Ele vai esperar pela oportunidade.
8785. 준비됐어? - Estás pronto?
8786. 네, 됐어. - Sim, estou pronto.
8787. 예비하다 - Para preparar
8788. 그는 자료를 예비했다. - Ele preparou os materiais.
8789. 그녀는 계획을 예비한다. - Ela vai preparar um plano.
8790. 우리는 자금을 예비할 것이다. - Nós vamos reservar os fundos.
8791. 준비할까? - Devemos preparar-nos?
8792. 네, 해야 해. - Sim, devemos.
8793. 격리하다 - isolar
8794. 그녀는 환자를 격리했다. - Ela isolou o doente.
8795. 우리는 위험을 격리한다. - Nós isolamos o risco.
8796. 당신들은 감염을 격리할 것이다. - Vão isolar a infeção.
8797. 안전해? - É seguro?
8798. 네, 안전해. - Sim, é seguro.
8799. 대처하다 - para lidar
8800. 나는 위기를 대처했다. - Eu lidei com a crise.
8801. 너는 문제를 대처한다. - Tu lidas com o problema.
8802. 그는 도전을 대처할 것이다. - Ele vai lidar com o desafio.
8803. 가능해? - É possível?
8804. 네, 가능해. - Sim, é possível.
8805. 99. 명사 단어들 외우기, 필수 10개 동사의 단어들을 가지고 50문장 연습하기 - 99. Memorizar os substantivos, praticar 50 frases com as 10 palavras verbais essenciais
8806. 적 - inimigo
8807. 위협 - ameaça
8808. 경쟁 - competir
8809. 함정 - armadilha
8810. 오해 - mal-entendido
8811. 위기 - Perigo
8812. 자리 - assento

8813. 의견 - opinião
8814. 기회 - oportunidade
8815. 운명 - destino
8816. 도전 - desafio
8817. 이해관계 - interesses
8818. 상대 - oponente
8819. 세부사항 - pormenor
8820. 약속 - promessa
8821. 하늘 - céu
8822. 그림 - pintura
8823. 전망 - Ver
8824. 비밀 - segredo
8825. 조언 - conselho
8826. 계획 - plano
8827. 기쁨 - prazer
8828. 슬픔 - tristeza
8829. 승리 - vitória
8830. 사과 - pedir desculpa
8831. 의문 - pergunta
8832. 정보 - informação
8833. 맞서다 - enfrentar
8834. 그는 적을 맞섰다. - Ele enfrentou o inimigo.
8835. 그녀는 위협을 맞선다. - Ela enfrentou a ameaça.
8836. 우리는 경쟁을 맞설 것이다. - Nós vamos enfrentar a concorrência.
8837. 두려워? - Tens medo?
8838. 아니, 안 두려워. - Não, não tenho medo.
8839. 빠지다 - Para cair
8840. 그녀는 함정에 빠졌다. - Ela cai numa armadilha.
8841. 우리는 오해에 빠진다. - Nós caímos num mal-entendido.
8842. 당신들은 위기에 빠질 것이다. - Tu vais cair numa crise.
8843. 괜찮아? - Estás bem?
8844. 네, 괜찮아. - Sim, estou ótimo.
8845. 양보하다 - ceder o lugar
8846. 나는 자리를 양보했다. - Eu cedi o meu lugar.

8847. 너는 의견을 양보한다. - Tu cedes a tua opinião.
8848. 그는 기회를 양보할 것이다. - Ele vai ceder a oportunidade.
8849. 필요해? - Precisas dela?
8850. 아니, 괜찮아. - Não, estou bem.
8851. 맞다 - para a direita
8852. 그는 운명을 맞았다. - Ele encontra o seu destino.
8853. 그녀는 기회를 맞는다. - Ela tem uma oportunidade.
8854. 우리는 도전을 맞을 것이다. - Nós seremos desafiados.
8855. 준비됐어? - Estás preparado?
8856. 네, 준비됐어. - Sim, estou pronto.
8857. 충돌하다 - entrar em conflito
8858. 나는 의견이 충돌했다. - Tenho um conflito de opiniões.
8859. 너는 이해관계가 충돌한다. - You have a conflict of interest.
8860. 그는 상대와 충돌할 것이다. - Ele vai entrar em conflito com o seu adversário.
8861. 괜찮아? - Estás bem?
8862. 네, 괜찮아. - Sim, estou ótimo.
8863. 놓치다 - para faltar
8864. 그녀는 기회를 놓쳤다. - Ela perdeu a oportunidade.
8865. 우리는 세부사항을 놓친다. - Nós perdemos os pormenores.
8866. 당신들은 약속을 놓칠 것이다. - Vais perder o encontro.
8867. 걱정돼? - Estás preocupado?
8868. 아니, 괜찮아. - Não, estou ótimo.
8869. 쳐다보다 - para Olhar para cima
8870. 나는 하늘을 쳐다보았다. - Fiquei a olhar para o céu.
8871. 너는 그림을 쳐다본다. - Tu olhas para o quadro.
8872. 그는 전망을 쳐다볼 것이다. - Ele vai ficar a olhar para a vista.
8873. 예쁘지? - Não é bonita?
8874. 네, 예뻐. - Sim, é bonita.
8875. 속삭이다 - Sussurar
8876. 그는 비밀을 속삭였다. - Ele sussurrou um segredo.
8877. 그녀는 조언을 속삭인다. - Ela sussurra conselhos.
8878. 우리는 계획을 속삭일 것이다. - Nós vamos sussurrar planos.
8879. 들렸어? - Ouviste aquilo?

8880. 아니, 못 들었어. - Não, não ouvi.
8881. 외치다 - gritar
8882. 나는 기쁨을 외쳤다. - Eu gritei de alegria.
8883. 너는 슬픔을 외친다. - Tu gritas tristeza.
8884. 그는 승리를 외칠 것이다. - Ele gritará vitória.
8885. 들려? - Estás a ouvir?
8886. 네, 들려. - Sim, estou a ouvir.
8887. 물다 - Para morder
8888. 그녀는 사과를 물었다. - Ela pediu uma maçã.
8889. 우리는 의문을 물는다. - Nós fazemos perguntas.
8890. 당신들은 정보를 물을 것이다. - Tu vais pedir informações.
8891. 아파? - Está a doer?
8892. 아니, 안 아파. - Não, não dói.
8893. 100. 명사 단어들 외우기, 필수 10개 동사의 단어들을 가지고 50문장 연습하기 - 100. memorizar palavras substantivas, praticar 50 frases com as palavras dos 10 verbos essenciais
8894. 사과 - pedir desculpa
8895. 껌 - pastilha elástica
8896. 채소 - vegetais
8897. 커피 - café
8898. 곡물 - grão
8899. 향신료 - especiarias
8900. 스프 - sopa
8901. 샐러드 - salada
8902. 소스 - molho
8903. 빵 - pão
8904. 과일 - fruta
8905. 김치 - kimchi
8906. 맥주 - cerveja
8907. 빵 반죽 - massa de pão
8908. 치즈 - queijo
8909. 와인 - vinho
8910. 고기 - carne
8911. 길 - estrada

8912. 다리 - perna
8913. 강 - rio
8914. 집 - casa
8915. 시작점 - ponto de partida
8916. 고향 - cidade natal
8917. 씹다 - mastigar
8918. 나는 사과를 씹었다. - Eu mastiguei uma maçã.
8919. 너는 껌을 씹는다. - Tu mascas pastilha elástica.
8920. 그는 채소를 씹을 것이다. - Ele vai mastigar os seus legumes.
8921. 맛있어? - É saboroso?
8922. 네, 맛있어. - Sim, é delicioso.
8923. 갈다 - Moer
8924. 그녀는 커피를 갈았다. - Ela moeu o café.
8925. 우리는 곡물을 간다. - Nós moemos os grãos.
8926. 당신들은 향신료를 갈 것이다. - Vocês vão moer as especiarias.
8927. 준비됐어? - Estão prontos?
8928. 네, 준비됐어. - Sim, estou pronto.
8929. 분쇄하다 - para moer
8930. 나는 약을 분쇄했다. - Eu triturei o remédio.
8931. 너는 돌을 분쇄한다. - Tu esmagas as pedras.
8932. 그는 씨앗을 분쇄할 것이다. - Ele vai esmagar as sementes.
8933. 필요해? - Precisas dele?
8934. 네, 필요해. - Sim, preciso.
8935. 휘젓다 - Para mexer
8936. 그녀는 스프를 휘저었다. - Ela mexeu a sopa.
8937. 우리는 샐러드를 휘젓는다. - Nós mexemos a salada.
8938. 당신들은 소스를 휘젓을 것이다. - Vocês vão bater o molho.
8939. 잘 섞였어? - Está bem misturado?
8940. 네, 잘 섞였어. - Sim, está bem misturado.
8941. 담그다 - pôr de molho
8942. 나는 빵을 우유에 담갔다. - Eu pus o pão de molho no leite.
8943. 너는 과일을 물에 담근다. - Tu vais pôr a fruta de molho em água.
8944. 그는 채소를 절임에 담글 것이다. - Ele vai demolhar os legumes em pickles.

8945. 시간 됐어? - Já está na hora?
8946. 네, 됐어. - Sim, está pronto.
8947. 발효시키다 - fermentar
8948. 그녀는 김치를 발효시켰다. - Ela fermentou o kimchi.
8949. 우리는 맥주를 발효시킨다. - Nós fermentamos a cerveja.
8950. 당신들은 빵 반죽을 발효시킬 것이다. - Tu vais fermentar a massa do pão.
8951. 준비됐어? - Está pronta?
8952. 네, 준비됐어. - Sim, está pronta.
8953. 숙성시키다 - envelhecer
8954. 나는 치즈를 숙성시켰다. - Eu envelheci o queijo.
8955. 너는 와인을 숙성시킨다. - Tu envelheces o vinho.
8956. 그는 고기를 숙성시킬 것이다. - Ele vai envelhecer a carne.
8957. 맛있겠다, 안 그래? - Vai ser delicioso, não vai?
8958. 네, 맛있겠어. - Sim, vai ser delicioso.
8959. 건너가다 - atravessar a rua
8960. 그녀는 길을 건너갔다. - Ela atravessou a estrada.
8961. 우리는 다리를 건너간다. - Vamos atravessar a ponte.
8962. 당신들은 강을 건너갈 것이다. - Vais atravessar o rio.
8963. 위험해? - É perigoso?
8964. 아니, 안 위험해. - Não, não é perigoso.
8965. 되돌아가다 - Voltar para trás
8966. 나는 집으로 되돌아갔다. - Eu voltei para a minha casa.
8967. 너는 시작점으로 되돌아간다. - Voltas ao ponto de partida.
8968. 그는 고향으로 되돌아갈 것이다. - Ele vai voltar para a sua terra natal.
8969. 늦었어? - Já é tarde?
8970. 아니, 안 늦었어. - Não, não é tarde.

MP3 파일 다운로드 - 아래 주소를 클릭하시거나, 스마트폰으로 QR코드에 접속하여 비밀번호를 입력하시면 다운로드 받으실 수 있습니다.

비밀번호 1567
https://naver.me/5R8vEHdD

또는
https://www.dropbox.com/scl/fo/up5ode7u6k1l2nzvb2kr4/h?rlkey=fnw6s0r55471c6u04bdhx9gow&dl=0

QR코드를 스마트폰으로 스캔하시면 보실 수 있습니다. 당신의 비밀번호는 무엇입니까? 1567입니다.

1천 동사 5천 문장을 듣고 따라하면 저절로 암기되는 포르투갈어 회화(MP3)

발 행 | 2024년 4월 17일

저 자 | 정호칭

펴낸이 | 한건희
펴낸곳 | 주식회사 부크크
출판사등록 | 2014.07.15.(제2014-16호)
주 소 | 서울특별시 금천구 가산디지털1로 119 SK트윈타워 A동 305호
전 화 | 1670-8316
이메일 | info@bookk.co.kr

ISBN | 979-11-410-8141-6

www.bookk.co.kr